MAURICE DRUON | El rey de hierro
Los Reyes Malditos I

byblos

Título original: *Le Roi de Fer*

Traducción: Mª Guadalupe Orozco Bravo

1.ª edición: enero 2006

3.ª reimpresión: septiembre 2008

© 1966 by Maurice Druon, Librairie Plon et Editions Mondiales

© Ediciones B, S.A., 2004
  Bailén, 84 - 08009 Barcelona (España)
  www.edicionesb.com
  www.edicionesb.com.mx

Diseño de cubierta: Estudio B / Leo Flores
Ilustración de cubierta: © Leo Flores
Diseño de colección: Ignacio Ballesteros

ISBN: 84-666-1697-7
Impreso por Quebecor World.

MAURICE DRUON | El rey de hierro
Los Reyes Malditos I

La historia es una historia que fue.

E. Y J. DE GONCOURT

Prólogo

Al comenzar el siglo XIV, Felipe IV, rey de legendaria belleza, reinaba en Francia como amo absoluto. Había dominado el orgullo guerrero de los altos barones, sofocado la sublevación flamenca, a los ingleses en Aquitania e incluso al papado, al que había forzado a instalarse en Aviñón. Los Parlamentos obedecían sus órdenes y los concilios respondían a la paga que recibían.

El rey tenía tres hijos, de modo que su descendencia estaba asegurada. Su hija se había casado con el rey de Inglaterra.

Seis de sus vasallos eran reyes y la red de sus alianzas se extendía hasta Rusia. Ninguna riqueza escapaba de sus manos. Paso a paso, había gravado los bienes de la Iglesia, expoliado a los judíos y atacado a los banqueros lombardos.

Para hacer frente a las necesidades del Tesoro alteraba el valor de la moneda. Cada día el oro pesaba menos y valía más. Los impuestos eran agobiantes y la policía se multiplicaba. Las crisis económicas engendraban la ruina y el hambre que, a su vez, eran la causa de sangrientos motines. Las revueltas terminaban en el patíbulo. Ante la autoridad real, todo debía inclinarse, doblegarse o quebrarse.

Pero la idea de nación estaba arraigada en la mente de este príncipe sereno y cruel, para quien la razón de Estado se imponía a cualquier otra. Bajo su reinado Francia era grande, y los franceses desdichados.

Sólo un poder había osado oponérsele: la Orden de los Caballeros del Temple, la formidable organización militar, religiosa y financiera cuya gloria y riqueza provenía de sus orígenes en las cruzadas.

La independencia de los templarios inquietó a Felipe el Hermoso y sus inmensos bienes le hacían ser muy codicioso. Instigó contra ellos el proceso más burdo que recuerda la historia. Cerca de quince mil hombres estuvieron sujetos a juicio durante siete años, período en el que se perpetraron toda clase de infamias.

Nuestro relato comienza al final del séptimo año.

PRIMERA PARTE

LA MALDICIÓN

1

La reina sin amor

Sobre un lecho de brasas incandescentes se consumía un leño entero en la chimenea. Por los vitrales verdosos se filtraba un día de marzo, avaro de luz.

Sentada en un lujoso trono de roble, cuyo respaldo coronaban los tres leones de Inglaterra, la reina Isabel, esposa de Eduardo II, miraba distraídamente la lumbre del hogar con la barbilla apoyada en la palma de la mano.

Tenía veintidós años. Sus cabellos dorados recogidos en largas trenzas formaban dos asas de ánfora a cada lado de su rostro.

La reina escuchaba a una de sus damas francesas, que le leía un poema del duque de Aquitania:

> *Del amor no puedo hablar,*
> *ni siquiera lo conozco*
> *porque no tengo el que quiero...*

La voz cantarina de la dama de compañía se perdía en aquella sala demasiado grande para que una mujer pudiera vivir dichosa en ella.

> *Me ha pasado siempre igual,*
> *de quien amo no gocé,*
> *ni gozo, ni gozaré...*

La reina sin amor suspiró.

—¡Qué palabras tan conmovedoras! —exclamó—. Parecen escritas para mí. ¡Ah! Terminaron los tiempos en que un gran señor como el duque Guillermo demostraba tanta destreza en la poesía como en la guerra. ¿Cuándo me dijisteis que vivió? ¿Hace doscientos años? Se diría que este poema fue escrito ayer...[1]

Y repitió para sí:

> *Del amor no puedo hablar,*
> *ni siquiera lo conozco...*

Permaneció un instante pensativa.

—¿Prosigo, señora? —preguntó la dama con el dedo en la página iluminada.

—No, amiga mía —respondió la reina—. Mi alma ya ha llorado bastante por hoy.

Se incorporó y cambió de tono:

—Mi primo Roberto de Artois me ha anunciado su visita. Cuidad de que sea conducido a mi presencia en cuanto llegue.

—¿Viene de Francia? Entonces estaréis contenta, señora.

—Espero estarlo... siempre que las noticias que me traiga sean buenas.

Entró otra dama presurosa con semblante de gran alegría. Su nombre de soltera era Juana de Joinville y se había casado con Roger Mortimer, uno de los primeros barones de Inglaterra.

—Señora, señora —exclamó—, ha hablado.

—¿De verdad? —preguntó la reina—. ¿Y qué ha dicho?

—Ha golpeado la mesa y ha dicho: «¡Quiero!»

Una expresión de orgullo iluminó el hermoso semblante de Isabel.

—Traédmelo aquí —dijo.

La señora Mortimer salió de la estancia corriendo y

regresó poco después, con un niño de quince meses en los brazos, sonrosado, regordete, que depositó a los pies de la reina. Vestía un traje granate bordado en oro más pesado que él.

—De modo, hijo mío, que habéis dicho «quiero» —exclamó Isabel inclinándose para acariciarle la mejilla—. Me agrada que ésa haya sido vuestra primera palabra. Es palabra de rey.

El niño le sonreía y balanceaba la cabeza.

—¿Y por qué lo ha dicho? —preguntó la reina.

—Porque me resistía a darle un trozo de galleta —respondió la señora Mortimer.

Isabel esbozó una sonrisa que se apagó enseguida.

—Puesto que empieza a hablar —dijo—, pido que no se le anime a balbucear y a pronunciar tonterías, como por lo común se hace con los niños. Poco me importa que sepa decir «papá» y «mamá». Prefiero que conozca las palabras «rey» y «reina».

En su voz había una autoridad innata.

—Ya sabéis, amiga mía —continuó—, qué razones tengo para elegiros como aya del niño. Sois sobrina nieta del gran Joinville, quien estuvo en la cruzada con mi bisabuelo, san Luis. Sabréis enseñar a este niño que pertenece a Francia tanto como a Inglaterra.*

La señora Mortimer hizo una reverencia. En ese mismo momento se presentó la primera dama francesa anunciando al conde Roberto de Artois.

La reina se irguió en su trono y cruzó las manos blancas sobre el pecho en actitud idolátrica. El cuidado por mantener la majestuosidad de su porte no lograba avejentarla.

---

* En 1314 hacía cuarenta y cuatro años que el rey Luis había fallecido. Fue canonizado veintisiete años después de su muerte, durante el reinado de su nieto Felipe IV y el pontificado de Bonifacio VIII. (N. de la T.)

El andar de un cuerpo de noventa kilos hizo crujir el pavimento.

El hombre que entró medía casi dos metros de altura, tenía muslos semejantes a troncos de encina y manos como mazas. Sus botas rojas, de cordobán, estaban sucias de barro y mal cepilladas; el manto que pendía de sus hombros era lo suficientemente amplio para cubrir un lecho. Habría bastado una daga en su cintura para que tuviera el aspecto de ir a la guerra. En su presencia todo parecía débil, quebradizo y frágil. Era de barbilla redonda, nariz corta, quijada ancha y pecho fuerte. Sus pulmones necesitaban más aire que los de la mayoría de los hombres. Aquel gigante tenía veintisiete años, pero su edad desaparecía bajo los músculos; aparentaba treinta y cinco.

Se quitó los guantes mientras se acercaba a la reina, y dobló la rodilla con sorprendente agilidad.

Se incorporó antes de que lo invitaran a hacerlo.

—Y bien, primo mío —dijo Isabel—. ¿Tuvisteis buena travesía?

—Execrable, señora, horrorosa —respondió Roberto—. Una tempestad como para echar tripas y alma. Creí que llegaba mi última hora, hasta el punto de que decidí confesar mis pecados a Dios. Por fortuna, eran tantos, que al tiempo de decir la mitad ya llegábamos a puerto. Guardo suficientes para el regreso.

Estalló una carcajada que hizo retemblar las vidrieras.

—¡Vive Dios! —prosiguió—. Mi cuerpo está hecho para recorrer la tierra y no para cabalgar aguas saladas. Si no hubiera sido por el amor que os profeso, prima mía, y por las cosas urgentes que debo deciros...

—Permitid que concluya —le interrumpió Isabel, mostrando al niño—. Mi hijo ha empezado a hablar hoy.

Luego se dirigió a la señora Mortimer:

—Quiero que se habitúe a los nombres de sus deudores y que sepa lo antes posible que su abuelo, Felipe el

Hermoso, reina sobre Francia. Comenzad a recitar delante de él el Padre Nuestro y el Ave María, así como la plegaria a san Luis. Ésas son cosas que deben adueñarse de su corazón antes de que su razón las comprenda.

No le desagradaba mostrar ante uno de sus parientes de Francia, descendiente a su vez de un hermano de san Luis, la manera como velaba por la educación de su hijo.

—Es una sabia lección la que daréis a ese jovencito —dijo Roberto de Artois.

—Nunca se aprende demasiado pronto a reinar —respondió Isabel.

El niño se divertía caminando con el paso cauteloso y titubeante de las criaturas.

—¡Y pensar que nosotros también hemos sido así! —dijo Artois.

—Viéndonos ahora, cuesta creerlo, primo mío —dijo la reina sonriendo.

Contemplando a Roberto de Artois, pensó por un instante en los sentimientos de la mujer pequeña y menuda que había engendrado aquella fortaleza humana, y miró a su hijo.

El niño avanzaba con sus minúsculas manos tendidas hacia el fuego, como si quisiera asir la llama. Roberto de Artois le cerró el paso adelantando su bota roja. Nada asustado, el pequeño príncipe aferró aquella pierna que sus brazos apenas lograban rodear y se sentó en ella a horcajadas. El gigante lo elevó por los aires tres o cuatro veces seguidas. El principito reía, encantado con el juego.

—¡Ah, señor Eduardo! —dijo Artois. Cuando seáis un poderoso príncipe, ¿osaré recordaros que os hice cabalgar en mi bota?

—Podréis hacerlo, primo mío —respondió Isabel—, podréis hacerlo siempre, si seguís comportándoos como nuestro leal amigo... Dejadnos solos ahora —añadió.

Las damas francesas salieron, llevándose al niño que, si el destino seguía su curso normal, sería algún día Eduardo III de Inglaterra.

—¡Y bien, señora! —le dijo—. Para completar las buenas lecciones que dais a vuestro hijo, podréis enseñarle que Margarita de Borgoña, reina de Navarra, futura reina de Francia y nieta de san Luis, está en camino de ser llamada por su pueblo Margarita *la Ramera*.

—¿De verdad? —dijo Isabel—. ¿Así que era cierto lo que suponíamos?

—Sí, prima mía. Y no solamente Margarita. Lo mismo digo de vuestras otras dos cuñadas.

—¿Juana y Blanca?

—De Blanca estoy seguro. En cuanto a Juana...

Roberto de Artois esbozó un ademán de incertidumbre con su enorme mano.

—Es más hábil que las otras —agregó—, pero tengo razones para juzgarla una consumada zorra...

Dio unos pasos y se plantó para decir sin más:

—¡Vuestros tres hermanos son unos cornudos, señora, cornudos como vulgares patanes!

La reina se había puesto en pie, y sus mejillas estaban levemente encendidas.

—Si lo que decís es verdad, no voy a tolerarlo —dijo—. No permitiré tal vergüenza, ni que mi familia sea el hazmerreír de la gente.

—Tampoco los barones de Francia lo tolerarán —respondió el conde de Artois.

—¿Tenéis nombres y pruebas?

Roberto inspiró profundamente.

—Cuando el verano pasado vinisteis a Francia con vuestro esposo, para las fiestas en las cuales tuve el honor de ser armado caballero, junto con vuestros hermanos..., os confié mis sospechas y me confesasteis las vuestras. Me pedisteis que vigilara y que os informara. Soy vuestro aliado; hice lo uno y vengo a cumplir con lo otro.

—Decid, ¿qué averiguasteis? —preguntó Isabel, impaciente.

—En primer lugar, que ciertas joyas desaparecen del cofre de vuestra dulce cuñada Margarita. Cuando una mujer se deshace de sus joyas en secreto es para comprar algún cómplice o para agasajar a algún galán. Su vileza resulta evidente, ¿no os parece?

—En efecto. Pero puede fingir que las ha dado como limosna a la Iglesia.

—No siempre. No, por ejemplo, si cierto broche ha sido cambiado a un mercader lombardo por un puñal de Damasco.

—¿Descubristeis de qué cintura pendía ese puñal?

—¡Ay, no! —respondió el conde de Artois—. Indagué, pero le perdí el rastro. Las pícaras son hábiles, os lo dije. Nunca en mis bosques de Conches he cazado ciervos tan diestros en borrar pistas y en tomar atajos.

Isabel se mostró decepcionada. Roberto de Artois, previniendo lo que iba a decir, extendió los brazos.

—Aguardad, aguardad —prosiguió—. Soy buen cazador, y raramente se me escapa una pieza. La honesta, la pura, la casta Margarita ha hecho que le arreglen como aposento la vieja torre del palacio de Nesle. Dice que la destina a lugar de retiro para sus oraciones; pero se dedica a rezar justamente las noches en que vuestro hermano Luis está ausente. Y la luz brilla en la torre hasta muy tarde. Su prima Blanca y, algunas veces, Juana, se reúnen con ella. ¡Astutas, las doncellas! Si interrogaran a una de las tres, se las arreglaría muy bien para decir: «¿Cómo? ¿De qué me acusáis? ¡Si no estaba sola!» Una mujer pecadora se defiende mal, pero tres rameras juntas forman una fortaleza. Y hay algo más: cuando Luis se ausenta, en esas noches en que la torre de Nesle está iluminada, hay movimiento en el ribazo, al pie de la torre, en un lugar habitualmente desierto a tales horas. Se ha visto salir a hombres que no llevaban

19

precisamente hábitos de monje y que habrían salido por otra puerta de haber venido a cantar los oficios. La corte calla, pero el pueblo comienza a murmurar, porque antes hablan los sirvientes que sus amos...

Mientras hablaba, se agitaba, gesticulaba, caminaba, hacía vibrar el suelo y hendía el aire con aletazos de su capa.

El despliegue de su colosal fuerza era un medio de persuasión para Roberto de Artois. Trataba de convencer con los músculos al mismo tiempo que con las palabras sumergía al interlocutor en un torbellino, y la grosería de su lengua, tan acorde con su aspecto, parecía prueba de su ruda buena fe. Sin embargo, examinándolo con mayor atención, uno llegaba a preguntarse si todo aquel movimiento no era fanfarria de titiritero, juego de comediante. Un odio implacable, tenaz, brillaba en las pupilas del gigante. La joven reina se empeñaba en mantener su claridad de juicio.

—¿Hablasteis con mi padre? —dijo.

—Mi buena prima, conoces al rey Felipe mejor que yo. Cree tanto en la virtud de las mujeres que sería necesario mostrarle vuestras cuñadas acostadas con sus amantes para que me escuchara. Y no soy bien recibido en la corte desde que perdí mi proceso...

—Sé que cometieron una injusticia con vos, primo mío. Si de mí dependiera sería reparada.

Roberto de Artois se precipitó sobre la mano de la reina para posar en ella sus labios.

—Pero, debido justamente a ese proceso —agregó Isabel suavemente—, ¿no podría suponerse que actuáis ahora por venganza?

El gigante se incorporó de un salto.

—¡Claro que actúo por venganza, señora!

Decididamente, su franqueza desarmaba a cualquiera. Uno creía tenderle una celada y sorprenderlo en falta, y él abría su corazón ampliamente, como un ventanal.

—¡Me han robado la herencia de mi condado de Artois —exclamó— para entregársela a mi tía Mahaut de Borgoña! ¡Maldita perra piojosa! ¡Ojalá reviente! ¡Ojalá la lepra carcoma su boca y el pecho se le vuelva carroña! ¿Y por qué lo han hecho? ¡Porque con astucias, intrigas y forzando la mano de los consejeros de vuestro padre con libras contantes y sonantes, mi tía logró casar a las dos rameras de sus hijas y a la ramera de la prima con vuestros tres hermanos!

Se puso a imitar un imaginario discurso de su tía Mahaut, condesa de Borgoña y de Artois, al rey Felipe el Hermoso:

—«Amado señor, pariente y amigo, ¿qué os parece si casarais a mi querida Juana con vuestro hijo Luis? ¿No? ¿No os place? Preferís a Margarita. Bien. Entonces Juana será para Felipe y mi dulce Blanquita para el hermoso Carlos. ¡Qué dicha, que se amen todos! Luego si me concedéis el condado de Artois, propiedad de mi difunto padre, mi Franco Condado de Borgoña irá a parar a manos de una de esas avecillas, a las de Juana, si os parece. Así, vuestro hijo segundo se convierte en conde palatino de Borgoña y vos podéis empujarlo hacia la corona de Alemania. ¿Mi sobrino Roberto? ¡Dadle un hueso a ese perro! A ese patán le basta y le sobra con el castillo de Conches y el condado de Beaumont.» Y soplo malicias al oído de Nogaret, y cuento mil maravillas a Marigny... Y caso a una, y caso a dos y caso a tres... Y cuando está hecho, mis zorritas empiezan a maquinar, a enviar mensajes, a procurarse galanes y a ponerle hermosos cuernos a la corona de Francia... ¡Ah, señora!, si ellas fueran irreprochables, yo me contendría. Pero comportarse tan suciamente después de haberme perjudicado tanto... Esas niñas de Borgoña sabrán lo que les cuesta; me vengaré en ellas de lo que la madre me hizo.[2]

Isabel permanecía pensativa bajo aquel chaparrón

de palabras. Roberto de Artois se aproximó a ella y, bajando la voz, le dijo:

—A vos os odian.

—Es verdad que, por mi parte, no las he querido desde un principio y sin que sepa por qué —respondió Isabel.

—Sin embargo, mi suerte no tiene nada de enviable —dijo Isabel, suspirando—. Y su situación me parece más cómoda que la mía.

—Sois reina, señora. Lo sois en cuerpo y alma. Vuestras cuñadas, en cambio, podrán llevar la corona pero nunca serán reinas. Por eso os considerarán siempre su enemiga.

Isabel elevó hacia su primo sus bellos ojos azules, y el conde de Artois sintió que esta vez había dado en el blanco. Isabel estaba definitivamente de su parte.

—¿Tenéis los nombres de... en fin... de los hombres con quienes mis cuñadas...? —No se rendía al rudo lenguaje de su primo y se negaba a pronunciar ciertas palabras—. Sin ellos nada puedo hacer —prosiguió—. Obtenedlos y os juro que iré a París con cualquier pretexto y que pondré fin a ese desorden. ¿En qué puedo ayudaros? ¿Habéis prevenido a mi tío el conde de Valois?

De nuevo se mostraba decidida, precisa, autoritaria.

—Me guardé muy bien —respondió Roberto—. El señor de Valois es mi más fiel protector y mi mejor amigo, pero no sabe guardarse nada y proclamaría a los cuatro vientos lo que queremos ocultar. Daría la alarma demasiado pronto y cuando quisiéramos atrapar a la pícaras las hallaríamos puras como monjas.

—Entonces, ¿qué proponéis?

—Dos cosas —dijo el conde de Artois—. La primera, nombrar en la corte de Margarita una nueva dama enteramente de nuestra confianza, la cual nos tendría al corriente de todo. He pensado en la señora de Comminges, que acaba de enviudar y a la que se le deben toda clase de consideraciones. Para ello nos servirá vuestro tío, el conde de Valois. Hacedle llegar una carta expresándole vuestro deseo. Tiene una gran influencia sobre vuestro hermano Luis y hará que la señora de Comminges entre bien pronto en el palacio de Nesle. Así tendremos allí a una informadora y, como decimos la gente de guerra, vale más un espía dentro que un ejército fuera.

—Escribiré la carta y vos la llevaréis —dijo Isabel—. ¿Y luego?

—Habrá que aplacar, al mismo tiempo, la desconfianza de vuestras cuñadas con respecto a vos, y halagarlas con hermosos presentes —prosiguió Roberto de Artois—. Presentes que puedan servir del mismo modo a mujeres que a hombres y que le haréis llegar secretamente, sin dar cuenta de ello a vuestros padres, ni a los respectivos esposos, como un pequeño secreto de amistad entre vosotras. Margarita se deshace de sus joyas a favor de un galán desconocido; no sería, pues, extraño, que, tratándose de un regalo del cual no debe rendir cuentas, nos lo encontráramos prendido del cuerpo del mozo que buscamos. Suministremos ocasiones de imprudencia.

Isabel reflexionó durante algunos segundos; luego se acercó a la puerta y dio una palmadas.

Apareció la primera dama francesa.

—Amiga mía —dijo la reina—, traedme la escarcela de oro que el mercader Albizzi me ha ofrecido esta mañana.

Durante la corta espera, Roberto de Artois se desentendió por fin de sus preocupaciones e intrigas y se decidió a examinar la sala donde se hallaba, los frescos religiosos de los muros y el inmenso techo de madera en forma de casco de navío. Todo era nuevo, triste y frío. El mobiliario, escaso.

—No es muy alegre el lugar donde vivís, prima —dijo—. Más parece una catedral que un castillo.

—¡Quiera Dios que no se convierta en mi prisión! —respondió Isabel en voz baja—. ¡Cuánto añoro Francia y con cuánta frecuencia!

La dama francesa regresó, trayendo una bolsa de hilos de oro entretejidos, forrada de seda y con un cierre de tres piedras preciosas grandes como nueces.

—¡Qué maravilla! —exclamó Roberto—. Justamente lo que necesitamos. Un poco pesado como adorno para una dama, y demasiado delicado para mí; es exactamente el objeto que un jovenzuelo de la corte sueña con colgarse de la cintura para llamar la atención.

—Encargaréis al mercader Albizzi que haga dos escarcelas parecidas a ésta —dijo Isabel a su dama—, y que me las envíe enseguida.

Cuando la mujer hubo salido, Isabel, dirigiéndose a Roberto de Artois, agregó:

—De esa manera podréis llevároslas a Francia.

—Y nadie sabrá que habrán pasado por mis manos —dijo él.

Fuera resonaban gritos y risas. Roberto de Artois se aproximó a una de las ventanas.

En el patio, una cuadrilla de albañiles se disponía a izar una piedra clave de bóveda. Unos hombres tiraban de la cuerda de una polea mientras otros, subidos a un andamio, se aprestaban a aferrar el bloque. La faena parecía realizarse en una atmósfera de buen humor.

—¡Vaya! —exclamó el conde de Artois—. Parece que al rey Eduardo sigue gustándole la albañilería.

Acaba de reconocer, en medio de los obreros, a Eduardo II, marido de Isabel, un hombre bastante apuesto, de unos treinta años de edad, cabello ondulado, anchos hombros y fuertes caderas. Su traje de terciopelo estaba manchado de yeso.*

---

* El rey Eduardo fue el primer soberano de Inglaterra que llevó el título de príncipe de Gales antes de su subida al trono. Según algu-

—Hace más de quince años que comenzaron a reconstruir Westminster —dijo Isabel, colérica (pronunciaba *Westmoustiers*, a la francesa)—. Hace seis años, desde que me casé, que vivo entre yeso y mortero. ¡Lo que construyen en un mes lo destruyen en el otro! ¡No le gusta la albañilería, sino los albañiles! ¿Creéis que lo llaman «señor»? ¡No! Para ellos es Eduardo. Se burlan de él, y él está encantado. ¡Miradlo! ¡Ahí lo tenéis!

En el patio, Eduardo II daba órdenes, apoyado sobre el hombro de un joven. Reinaba a su alrededor una sospechosa familiaridad.

—Creía —dijo Isabel— que había conocido lo peor con el caballero de Gabastón. Aquel bearnés insolente y jactancioso gobernaba de tal manera a mi marido que disponía del reino a su antojo. Eduardo le dio todas mis joyas de recién casada. ¡Debe de ser costumbre familiar que, de un modo u otro, las joyas de las mujeres vayan a parar a los hombres!

Teniendo a su lado a un pariente y amigo, Isabel se permitía, por fin, desahogar sus penas y humillaciones. En realidad, las costumbres del rey Eduardo eran conocidas en toda Europa.

—Los barones y yo conseguimos deshacernos del caballero de Gabastón el año pasado; le cortaron la cabeza y me alegré de que su cuerpo fuera a pudrirse en los dominios de Oxford. Pues bien, he llegado a añorarlo porque, desde aquel día, Eduardo atrae al palacio a los hombres más ruines e infames de su pueblo para vengarse de mí. Se le ve recorrer las tabernuchas del puerto de Londres, sentarse con truhanes, rivalizar en

_____

nos historiadores, contaba tres días de edad cuando los señores galeses acudieron a su padre, Eduardo I, para pedirle que les diera un príncipe capaz de comprenderlos y que no hablara ni inglés ni francés. Eduardo I dijo que iba a complacerlos y les indicó a su hijo, que no hablaba aún lengua alguna. (*N. de la T.*)

las luchas con los descargadores y en carreras con los criados. ¡Hermosos torneos los que nos ofrece! Entretanto, cualquiera manda en el reino, a condición de que le organice sus bacanales y participe en ellas. Ahora les ha tocado el turno a los barones de Despenser; el padre gobierna y el hijo sirve de mujer a mi esposo. En cuanto a mí, Eduardo, ni se me acerca, y si por casualidad viene a mi cama, siento tal vergüenza que permanezco absolutamente fría.

Había bajado la cabeza.

—Una reina es el súbdito más miserable del reino —prosiguió— si el rey no la ama. Asegurada la descendencia, su vida ya no cuenta. ¿Qué mujer de barón, de burgués o de villano soportaría lo que yo debo soportar por ser reina? La última lavandera del reino tiene más derechos que yo; puede pedirme ayuda...

—Prima, mi hermosa prima, yo quiero brindaros mi ayuda —dijo Artois con vehemencia.

Ella alzó tristemente los hombros como si dijera: «¿Qué podéis hacer por mí?» Estaban frente a frente. Roberto la tomó por los brazos lo más suavemente que pudo y murmuró:

—Isabel...

Ella posó sus manos sobre los brazos del gigante. Se miraron sobrecogidos por una turbación imprevista. Roberto de Artois se sintió extrañamente conmovido y oprimido por una fuerza que temía utilizar con torpeza. Sintió bruscamente el anhelo de consagrar su tiempo, su vida, su cuerpo y su alma a aquella reina frágil. La deseaba con un deseo imperioso e incontenible que no sabía cómo expresar. No se sentía inclinado por lo común hacia las mujeres de calidad, y el don de la galantería no se contaba entre sus virtudes.

—Muchos hombres agradecerían al cielo, de rodillas, lo que un rey desdeña ignorando su perfección —dijo Roberto—. ¿Cómo es posible que a vuestra edad, tan fresca y tan joven, os veáis privada de las alegrías naturales? ¿Cómo es posible que estos dulces labios no sean besados? ¿Y estos brazos... este cuerpo...? ¡Ah, Isabel, tomad un hombre, y que ese hombre sea yo!

Ciertamente, decía con rudeza lo que quería y su elocuencia se parecía muy poco a la del duque Guillermo de Aquitania. Pero Isabel no separaba su mirada de la de él. La dominaba, la aplastaba con su estatura; olía a bosque, a cuero, a caballo y a armadura; no tenía ni la voz ni la apariencia de un seductor y, sin embargo, la seducía. Era un hombre de una pieza, un macho rudo y violento, de respiración profunda. Isabel sentía que su voluntad la abandonaba y sólo tenía un deseo: apoyar su cabeza contra aquel pecho de búfalo y abandonarse... apagar su sed... Temblaba.

Se apartó de golpe.

—No, Roberto —exclamó—. No voy a hacer yo lo que tanto reprocho a mis cuñadas. No puedo ni debo hacerlo. Pero cuando pienso en lo que me impongo, en lo que me niego, mientras ellas tienen la suerte de tener maridos que las aman... ¡Ah, no! Tienen que recibir su merecido castigo.

Su pensamiento se encarnizaba con las culpables, ya que ella no se permitía la misma culpa. Volvió a sentarse en el gran trono de roble. Roberto de Artois se aproximó a ella.

—No, Roberto —dijo, extendiendo los brazos—. No os aprovechéis de mi debilidad; me enojaríais.

La extremada belleza, al igual que la majestad, inspira respeto. El gigante obedeció.

Pero aquel momento jamás se borraría de la memoria de ambos.

«Puedo ser amada», se decía Isabel. Y sentía gratitud hacia el hombre que le había dado esa certeza.

—¿Era eso todo lo que debíais comunicarme, primo? ¿No me traéis otras noticias? —dijo, haciendo un gran esfuerzo para dominarse.

Roberto de Artois, que se preguntaba si no había cometido un error al no aprovechar la oportunidad, tardó algún tiempo en contestar.

—Sí, señora, os traigo también un mensaje de vuestro tío, el conde de Valois.

El nuevo vínculo que se había creado entre ellos daba a sus palabras otra resonancia y no conseguían prestar toda su atención a lo que decían.

—Los dignatarios del Temple serán juzgados muy pronto —continuó diciendo Roberto de Artois—. Y se teme que vuestro padrino, el gran maestre Jacobo de Molay, sea condenado a muerte. Vuestro tío os pide que escribáis al rey para suplicarle clemencia.

Isabel no respondió. Había vuelto a su posición acostumbrada: la barbilla sobre la palma.

—¡Cómo os parecéis a él en este momento! —dijo Roberto de Artois.

—¿A quién?

—Al rey Felipe, vuestro padre.

—Lo que decida mi padre, el rey, bien decidido está —respondió lentamente Isabel—. Puedo intervenir en lo concerniente al honor familiar, pero no pienso hacerlo con respecto al gobierno del reino.

—Jacobo de Molay es un hombre anciano. Fue noble y grande. Si ha cometido faltas las ha expiado duramente. Recordad que os tuvo en sus brazos en la pila bautismal... ¡Creedme, va a cometerse un gran daño por obra, una vez más, de Nogaret y de Marigny! Al destruir el Temple, esos hombres salidos de la nada han querido atacar a toda la caballería francesa y a los altos barones...

La reina seguía perpleja; sin duda, el asunto sobrepasaba su entendimiento.

—No puedo juzgar —dijo—. No puedo juzgarlo.

—Sabéis que tengo una gran deuda con vuestro tío, y él me estaría agradecido si obtuviera de vos esa carta. Además, la piedad nunca es impropia de una reina; es un sentimiento femenino y seríais alabada por ella. Algunos os reprochan vuestra dureza de corazón; así les daríais cumplida respuesta. Hacedlo por vos, Isabel, y hacedlo por mí.

Ella sonrió.

—Sois muy hábil, primo Roberto, a pesar de vuestro aire ceñudo. Escribiré esa carta que deseáis y podréis llevároslo todo junto. ¿Cuándo partiréis?

—Cuando me lo ordenéis, prima.

—Supongo que las escarcelas estarán listas para mañana. Eso es muy pronto...

La voz de la reina reflejaba cierto pesar. Se miraron de nuevo y, de nuevo, ella se turbó.

—Esperaré vuestro mensaje para saber si debo partir hacia Francia. Adiós, primo. Volveremos a vernos durante la cena.

Roberto de Artois se despidió, y cuando salió la habitación pareció extrañamente tranquila, como un valle tras la tempestad. Isabel cerró los ojos y permaneció inmóvil un buen rato.

Los hombres llamados a desempeñar un papel decisivo en la historia de los pueblos ignoran a menudo qué destino encarnan. Los dos personajes que acababan de sostener tan larga entrevista esa tarde de marzo de 1314, en el castillo de Westminster, no podían jamás imaginarse que, por el encadenamiento de sus actos, se convertían en los primeros artífices de una guerra entre Francia e Inglaterra que duraría más de cien años.

NOTAS

1. El primer poeta francés conocido en lengua romance, el duque Guillermo IX de Aquitania, es una de las figuras más sobresalientes e interesantes de la Edad Media.

Gran señor, gran amante y hombre ilustrado, tuvo tanto una vida como unas ideas excepcionales para su época. El refinado lujo con el que vivía en sus castillos dio origen a las famosas «cortes de amor».

Deseoso de librarse por completo de la autoridad de la Iglesia, impidió al papa Urbano II, que fue a visitarlo con tal fin a sus estados, que participara en la cruzada. Aprovechó la ausencia de su vecino, el conde de Tolosa, para meter mano en sus tierras. Pero los relatos de aventuras lo incitaron a emprender, poco más tarde, el camino de Oriente, a la cabeza de una fuerza de treinta mil hombres a los que condujo hasta Jerusalén.

Sus *Versos*, de los que sólo han llegado hasta nosotros once poemas, introdujeron en la literatura romance, principalmente en la francesa, un concepto idealizado del amor y de la mujer hasta entonces desconocido. Son la fuente de la gran corriente de lirismo que atraviesa, irriga y fecunda toda la literatura francesa. Se percibe la influencia de los poetas hispano-árabes en este príncipe-trovador.

2. El caso de la sucesión en Artois, uno de los dramas de herencia más extraordinarios de la historia de Francia, del cual hablaremos frecuentemente en este volumen y en los siguientes, se desarrolló así:

En 1237, san Luis otorgó el condado de Artois a su hermano Roberto, que pasó así a ser Roberto I de Artois. Su hijo, Roberto II, se casó con Amicia de Courtenay, señora de Conches. De este matrimonio nacieron dos hijos: Felipe, que falleció en 1298 a causa de las heridas recibidas en la batalla de Furnes, y Mahaut, quien se casó con Otón, conde palatino de Borgoña.

A la muerte de Roberto II, acaecida en 1302 en la batalla de Courtrai, la herencia del condado fue reclamada tanto por el nieto de éste, Roberto III (hijo de Felipe) —nuestro héroe—, como por su tía Mahaut, quien invocaba una disposición del derecho consuetudinario de Artois.

En 1309 Felipe el Hermoso falló a favor de Mahaut. Ésta, convertida en regente del condado de Borgoña a la muerte de su marido, había casado a sus dos hijas, Juana y Blanca, con Felipe y Carlos, segundo y tercer hijos de Felipe el Hermoso. La decisión que la favoreció fue, por tanto, inspirada en gran parte por esas alianzas que sumaban a la corona, en primer término, el condado de Borgoña, llamado Franco Condado, recibido en dote por Juana. Mahaut se convirtió, pues, en condesa-par de Artois.

Roberto no se dio por vencido, y durante veinte años, con rara aspereza, ya por acción jurídica, ya por acción directa, mantuvo contra su tía una lucha en la cual ambas partes emplearon cualquier procedimiento, ya fuesen delaciones, calumnias, falsos testimonios, brujería, envenenamientos o agitación política, y que terminó trágicamente para Mahaut, trágicamente para Roberto, trágicamente para Inglaterra y para Francia.

En lo concerniente a las casas de Borgoña, envueltas, como en todos lo asuntos del reino, en este de Artois, nos permitimos recordar al lector que había en aquella época dos Borgoñas absolutamente distintas: el ducado de Borgoña, tierra vasalla de la corona de Francia, y el condado libre de Borgoña o Franco Condado, un palatinado importante del Sacro Imperio Romano. Dijon era capital del ducado; Dole la del condado.

La famosa Margarita de Borgoña pertenecía a la familia ducal; sus primas y cuñadas, Juana y Blanca, a la casa condal.

2

Los prisioneros del Temple

La muralla estaba cubierta de salitre. Una vaporosa claridad amarillenta comenzaba a descender hacia la sala excavada en el subsuelo.

El prisionero que dormitaba con los brazos doblados bajo el mentón se estremeció y se irguió bruscamente, huraño, con el corazón desbocado. Permaneció inmóvil un momento, mirando la bruma de la mañana que se deslizaba por el tragaluz. Escuchaba. Nítidos, aunque ahogados por el espesor de los enormes muros, llegaban hasta él los tañidos de las campanas anunciando las primeras misas: campanas parisienses de Saint-Martin, Saint-Merry, Saint-Germain-l'Auxerrois, Saint-Eustache y Notre Dame; campesinas campanas de las cercanas aldeas de La Courtille, Clignancourt y Mont-Martre.

El prisionero no percibió ruido alguno que pudiera inquietarlo. Era sólo la angustia lo que le había sobresaltado, aquella angustia que le sobrevenía a cada despertar, así como en cada sueño tenía una pesadilla.

Tomó la escudilla de madera y bebió un gran trago de agua para calmar la fiebre que no lo abandonaba desde hacía ya muchos días. Después de beber, dejó que el agua se aquietara y se miró en ella como en un espejo. La imagen que logró captar, imprecisa y oscura, era la de un centenario. Permaneció unos instantes buscando un resto de su antiguo aspecto en aquel rostro flotante, en aquella barba macilenta, en aquellos labios hundidos en la boca desdentada, en la nariz afilada que temblaba en el fondo de la escudilla.

Se levantó despacio y dio algunos pasos, hasta que se notó el tirón de la cadena que lo amarraba al muro. Entonces se puso a gritar: «¡Jacobo de Molay!¡Jacobo de Molay! ¡Soy Jacobo de Molay!»

No obtuvo respuesta; sabía que nada le respondería.

Pero necesitaba gritar su propio nombre para que su espíritu no se diluyera en la demencia, para recordarse que había mandado ejércitos, gobernado provincias, poseído un poder equiparable al de los soberanos, y que, mientras conservara un soplo de vida, seguiría siendo, aun en aquel calabozo, el gran maestre de la Sagrada Orden de los Caballeros del Temple.[1]

Por un exceso de crueldad o de escarnio, se veía encerrado en los sótanos transformados en cárcel de la torre mayor del palacio del Temple, ¡en su propia casa madre!

—¡Y fui yo quien hizo construir esta torre! —murmuró el gran maestre, colérico, golpeando la muralla con el puño.

Su gesto le arrancó un grito; se había olvidado de que tenía el pulgar destrozado por las torturas. ¿Pero qué lugar de su cuerpo no se había convertido en una llaga o no le dolía? La sangre circulaba mal por sus piernas y sufría terribles calambres desde que lo habían sometido al suplicio de los borceguíes. Con las piernas sujetas entre tablas, había sentido cómo se le hundían en las carnes las cuñas de roble sobre las cuales sus torturadores golpeaban con mazos, mientras la voz fría e insistente de Guillermo de Nogaret, canciller del reino, lo apremiaba a confesar. ¿Pero confesar qué...?, y se había desvanecido.

Sobre su carne lacerada y desgarrada, la suciedad, la humedad y la desnutrición hicieron su obra.

Últimamente también había padecido el tormento

de la garrucha, tal vez el más espantoso de todos. Ataron a su pie derecho el peso de ochenta kilos y, por medio de una cuerda y de una polea, lo izaron, ¡a él, a un anciano!, hasta el techo. Y siempre con la voz siniestra de Guillermo de Nogaret: «Vamos, señor, confesad...» Y como se negaba, tiraron de él una y otra vez, más fuerte y más rápido, del suelo a la bóveda. Sintiendo que sus miembros se desgarraban, que le estallaba el cuerpo, comenzó a gritar que confesaría, sí, todo, cualquier crimen, todos los crímenes del mundo. Sí, los templarios practicaban la sodomía; sí, para entrar en la Orden debían escupir sobre la Cruz; sí, adoraban un ídolo con cabeza de gato; sí, se entregaban a la magia, a la hechicería, al culto del diablo; sí, malversaban los fondos que les habían confiado; sí, habían fomentado una conspiración contra el Papa y el rey... ¿Y qué más, qué más?

Jacobo de Molay se preguntaba cómo había sobrevivido a todo aquello. Sin duda porque las torturas, sabiamente dosificadas, nunca habían sido llevadas hasta el extremo de hacerle correr peligro de muerte, y también porque la constitución de un viejo caballero hecho a la guerra tenía mayor resistencia de la que él mismo suponía. Se arrodilló, con los ojos fijos en el rayo de luz del respiradero.

—Señor, Dios mío —dijo— ¿por qué pusisteis menos fuerza en mi alma que en mi cuerpo? ¿He sido indigno de dirigir la Orden? No me impedisteis caer en la cobardía; evitad, Señor, que caiga en la locura. Ya no podré resistir mucho tiempo, siento que no podré.

Hacía siete años que estaba encadenado; sólo salía de la prisión para ser arrastrado ante la comisión inquisidora y sometido a toda clase de amenazas de los legistas y presiones de los teólogos. Con semejante trato, no era de extrañar que temiera volverse loco. A menudo había intentado domesticar una pareja de ratones que acudía todas las noches a roer los restos de su pan. Pasaba de la cólera a las lágrimas; de la crisis de devoción, al deseo de la violencia; del embotamiento a la furia.

—¡Lo pagarán! —se repetía—. ¡Lo pagarán!

¿Quién debía pagar? Clemente, Guillermo, Felipe... El Papa, el canciller, el rey... Morirían. Molay no sabía cómo, pero seguramente en medio de atroces sufrimientos. Tendrían que expiar sus crímenes. Remachaba sin cesar los tres nombres aborrecidos. Todavía de rodillas y con la barba alzada hacia el tragaluz, el gran maestre suspiró:

—Gracias, Señor Dios mío, por haberme dejado el odio. Es la única fuerza que aún me sostiene.

Se incorporó con esfuerzo y volvió al banco de piedra, empotrado en el muro, que le servía de asiento y de lecho.

¿Quién hubiera imaginado que llegaría a ese extremo? Su pensamiento lo llevaba continuamente hacia su juventud, hacia el adolescente que había sido cincuenta años atrás, cuando descendió por las laderas de su Jura natal en pos de la aventura.

Como todos los segundones de la nobleza, había soñado con vestir el largo manto blanco con la cruz negra, que era el uniforme de la Orden del Temple.

El término templario evocaba por sí en aquella época exotismo y epopeya; los navíos con las velas henchidas navegando hacia el Oriente sobre el mar azul, las cargas al galope en las arenas, los tesoros de Arabia, los cautivos rescatados, las ciudades tomadas y saqueadas, las gigantescas fortalezas. Se decía que los templarios tenían también puertos secretos donde embarcaban hacia continentes desconocidos...

Jacobo de Molay había realizado su sueño; había navegado y combatido, habitado fortalezas soleadas, había marchado orgullosamente a través de ciudades lejanas, por calles perfumadas de especias e incienso, vestido con el soberbio manto cuyos pliegues caían hasta las espuelas de oro.

Había ascendido en la jerarquía de la Orden mucho más de lo que nunca se habría atrevido a esperar, sobrepasado todas las dignidades hasta que por fin sus hermanos lo eligieron para desempeñar la suprema función de gran maestre de Francia y de ultramar, al mando de quince mil caballeros.

Todo para concluir en aquel sótano, en aquella podredumbre y desnudez. Pocos destinos mostraban tan prodigiosa fortuna seguida de tan gran decadencia...

Jacobo de Molay, con ayuda de un eslabón de su cadena, trazaba en el salitre del muro un simulacro de las letras de «Jerusalén» cuando oyó pesados pasos y ruido de armas en las escaleras que descendían hasta su calabozo.

La angustia volvía a oprimirlo, pero esta vez con motivo. La puerta rechinó al abrirse y, detrás del carcelero, Molay distinguió a cuatro arqueros con túnica de cuero y pica en la mano. Delante de sus caras el aliento formaba tenues nubecillas de vapor.

—Venimos en vuestra busca, señor —dijo el jefe del pelotón.

Molay se levantó sin decir palabra.

El carcelero se acercó, y con grandes golpes de martillo hizo saltar el pasador que unía la cadena a los grilletes de hierro que aprisionaban los tobillos del prisionero.

Éste ajustó a sus hombros descarnados su manto de gloria, ahora simple harapo grisáceo cuya cruz negra se deshacía en jirones sobre la espalda.

Luego se puso en marcha. Aquel anciano agotado, tambaleante, que con los pies entorpecidos por el peso de los grilletes subía los escalones de la torre, conservaba todavía en parte la prestancia del jefe guerrero que, desde Chipre, mandaba a todos los cristianos de Oriente.

«Señor Dios mío, dadme fuerzas —murmuraba en

su fuero íntimo—. Sólo un poco de fuerza.» Para encontrarla iba repitiendo los nombres de sus tres enemigos: «Clemente, Guillermo, Felipe...»

La bruma cubría el vasto patio del Temple, encapuchaba las torrecillas del muro exterior, se deslizaba entre las almenas y acolchaba la aguja de la gran iglesia de la Orden.

Alrededor de una carreta abierta y cuadrada, se hallaban reunidos un centenar de soldados con las armas en el suelo.

De más allá de las montañas llegaba el rumor de París y, algunas veces, el relincho de un caballo hendía el aire con desgarradora tristeza.

En medio del patio, el señor Alán de Pareilles, capitán de los arqueros del rey, el hombre que asistía a todas las ejecuciones, que acompañaba a los condenados hacia los juicios y al palo del tormento, caminaba con paso lento, impasible el rostro, con expresión de fastidio.

Sus cabellos de color de acero le caían en cortos mechones sobre la frente cuadrada. Llevaba cota de malla, espada al cinto y sostenía su casco bajo el brazo.

Volvió la cabeza al oír que salía el gran maestre, y éste, al verlo, sintió que palidecía, si aún era capaz de palidecer.

Por lo general no se movilizaba a tantos hombres para los interrogatorios; nunca había carretas ni soldados armados. Algunos guardias del rey iban en busca de los acusados para pasarlos en barca al otro lado del Sena, comúnmente a la caída de la tarde.

—Entonces, ¿es cosa juzgada? —preguntó Molay al capitán de los arqueros.

—Lo es, señor —respondió éste.

—¿Sabéis cuál es el fallo, hijo mío? —dijo Molay tras una breve vacilación.

—Lo ignoro, señor. Tengo orden de conduciros a Notre Dame para escuchar la sentencia.

Hubo un silencio, y luego Jacobo de Molay volvió a preguntar:

—¿Qué día es hoy?

—Hoy es lunes, después de San Gregorio.

La fecha correspondía al 18 de marzo de 1314.[2]

«¿Me llevan hacia la muerte?», se preguntaba Molay.

De nuevo se abrió la puerta de la torre y, escoltados por guardias, hicieron su aparición otros tres dignatarios de la Orden, el visitador general, el preceptor de Normandía y el comandante de Aquitania.

También ellos tenían el cabello blanco, barbas canas hirsutas y párpados entornados sobre las hundidas órbitas; sus cuerpos flotaban embutidos en sus mantos harapientos. Durante unos instantes permanecieron inmóviles, parpadeando como grandes pájaros nocturnos deslumbrados por la luz del día.

El primero en precipitarse para abrazar al gran maestre, enredándose en sus cadenas, fue el preceptor de Normandía, Godofredo de Charnay. Una larga amistad los unía. Jacobo de Molay había apadrinado en su carrera a Charnay, diez años más joven que él, en quien veía a su sucesor.

Una profunda cicatriz cortaba la frente de Charnay. Era la huella de un antiguo combate, en el que un golpe de espada le había desviado también la nariz. Aquel hombre rudo, de rostro marcado por la guerra, hundió la frente en el hombro del gran maestre para ocultar sus lágrimas.

—Ánimo, hermano mío, ánimo —dijo éste, estrechándole en sus brazos—. Ánimo, hermanos míos —repitió luego al abrazar a los otros dos dignatarios.

Se acercó un carcelero.

—Señores, tenéis derecho a ser desherrados —dijo. El gran maestre separó las manos con gesto amargo y fatigado.

—No tengo el denario —respondió. Pues para que

les quitaran los grilletes en cada salida, los templarios debían pagar un denario de la cantidad diaria que se les asignaba para pagar la innoble ración de comida, el jergón de la celda y el lavado de la camisa. ¡Otra crueldad de Nogaret, muy acorde con sus procedimientos! Eran inculpados, no condenados, tenían pues derecho a una cantidad para su manutención; pero estaba calculada de tal forma que ayunaban cuatro días de cada ocho, dormían sobre piedra y se pudrían en la suciedad.

El preceptor de Normandía sacó de un viejo bolso de cuero que pendía de su cintura los dos denarios que le quedaban y los arrojó al suelo. Uno para sus grilletes y otro para los del gran maestre.

—¡Hermano! —exclamó Jacobo de Molay, intentando impedírselo.

—Para lo que nos va a servir... —repuso Charnay—. Aceptadlos, hermano; no veáis en ello ningún mérito.

—Si nos deshierran puede ser buena señal —dijo el visitador general—. Tal vez el Papa haya intercedido por nosotros.

Los pocos dientes rotos que le quedaban le hacían emitir un zumbido al hablar, y tenía las manos hinchadas y temblorosas.

El gran maestre se encogió de hombros y señaló los cien arqueros alineados.

—Preparémonos a morir, hermano —respondió.

—Ved lo que me han hecho —gimió el comandante de Aquitania, recogiendo su manga.

—Todos hemos sido torturados —respondió el gran maestre.

Desvió la mirada como lo hacía siempre que se le hablaba de torturas. Había cedido y firmado confesiones falsas y no se lo perdonaba.

Con los ojos recorrió el inmenso recinto, sede y símbolo del Temple.

«Por última vez», pensó.

Por última vez contemplaba aquel formidable conjunto, con su torreón, su iglesia, sus edificios, casas, patios y huertos, verdadera fortaleza en pleno París.[3]

Era allí donde, desde hacía siglos, habían vivido los templarios orando, durmiendo, juzgando, organizando y decidiendo sus lejanas expediciones; en ese torreón había sido depositado el Tesoro del reino de Francia, confiado a su cuidado y administración. Allí habían hecho su entrada, después de las desastrosas expediciones de san Luis y la pérdida de Palestina y de Chipre, arrastrando en pos de sí escuderos, mulos cargados de oro, corceles árabes y esclavos negros.

Jacobo de Molay revivía nuevamente aquel retorno de vencidos, que conservaba aún un aire de epopeya.

«Nos habíamos vuelto inútiles y no lo sabíamos —pensaba el gran maestre—. Seguíamos hablando de cruzadas y de reconquistas... Tal vez conservábamos injustificadamente demasiada altanería y demasiados privilegios.»

De milicia permanente de la Cristiandad se habían convertido en banqueros omnipotentes de la Iglesia y de la realeza. Cuando uno tiene muchos deudores, se gana rápidamente enemigos.

¡Ah, la maniobra real había sido magistral! El drama se inició el día en que Felipe el Hermoso pidió ingresar en la Orden, con la evidente intención de convertirse en el gran maestre. El capítulo había respondido con una negativa tajante y sin apelación.

«¿Me equivoqué? —se preguntaba Jacobo de Molay, por centésima vez—. ¿No fui demasiado celoso de mi autoridad? No, no podía proceder de otra manera; nuestra regla era terminante: ningún príncipe soberano podía gozar de mando en nuestra Orden.»

El rey Felipe jamás había olvidado aquel insulto. Comenzó a actuar con astucia, y siguió colmando de favores y de pruebas de amistad a Molay. ¿Acaso el gran maestre no era padrino de su hija Isabel? ¿No era, por ventura, el sostén del reino?

Pero el Tesoro real no tardó en ser transferido del Temple al Louvre. Al mismo tiempo, se inició una sorda y venenosa campaña de difamación contra los templarios. Se decía, y se hacía decir en los lugares públicos y en los mercados, que especulaban con la cosecha y que eran responsables del hambre; que pensaban más en acrecentar su fortuna que en arrebatar el Santo Sepulcro a los paganos. Como usaban el rudo lenguaje de la milicia, se los tildaba de blasfemos. Se inventó la expresión «jurar como un templario». Y de la blasfemia a la herejía sólo hay un paso. Se decía que tenían costumbres contrarias a la naturaleza y que sus esclavos negros eran hechiceros.

«Claro que no todos nuestros hermanos olían a santidad y que a muchos la inactividad los perjudicaba.»

Se decía, sobre todo, que durante las ceremonias de ingreso obligaban a los neófitos a renegar de Cristo, a escupir sobre la Cruz y que se los sometía a prácticas obscenas.

Con el pretexto de acallar estos rumores, Felipe había propuesto al gran maestre, por el honor de la Orden, iniciar una investigación.

«Y acepté —pensaba Molay—. Fui despreciablemente engañado... me mintieron.»

Pues un día del mes de octubre de 1307... ¡Ah, cómo recordaba Molay aquel día! «Era un viernes día trece... La víspera, todavía me abrazaba y me llamaba su hermano, otorgándome el primer lugar en el entierro de su cuñada, la emperatriz de Constantinopla...»

El viernes 13 de octubre de 1307, el rey Felipe, mediante una gigantesca operación largamente preparada, hacía detener al alba a todos los templarios de Francia, acusados de herejía, en nombre de la Inquisición. Y Nogaret en persona había apresado a Jacobo de Molay y a los ciento cuarenta caballeros de la casa madre.

El grito de una orden sobresaltó al gran maestre. El señor Alán de Pareilles hacía formar a sus arqueros. Se había puesto el yelmo y un soldado sostenía su caballo y le presentaba el estribo.

—Vamos —dijo el gran maestre.

Los prisioneros fueron empujados hacia la carreta. Molay subió primero. El comandante de Aquitania, el hombre que había rechazado a los turcos de San Juan de Acre, no salía de su aturdimiento; fue preciso izarlo. El hermano visitador movía los labios hablando a solas sin cesar. Cuando a Godofredo de Charnay le llegó el turno de subir, se escuchó el aullido de un perro invisible procedente de los establos.

Luego, tirada por cuatro caballos, la pesada carreta se puso en movimiento.

Se abrió el gran portal y un inmenso clamor se elevó. Varios cientos de habitantes del barrio del Temple y de los barrios vecinos se apretujaban contra las paredes. Los arqueros que iban en cabeza tuvieron que abrirse paso a golpes de pica.

—¡Paso a la gente del rey! —gritaban.

Alán de Pareilles dominaba el tumulto, erguido en su montura y con su eterna expresión impasible y ceñuda.

Pero al aparecer los templarios cesó el clamor en el acto. Ante el espectáculo de aquellos cuatro hombres viejos y descarnados que entrechocaban con las sacudidas de la carreta, los parisinos tuvieron un momento de mudo estupor, de espontánea compasión.

Luego se oyeron gritos de «¡muerte a los herejes!» lanzados por guardias reales mezclados entre la multitud. Entonces, aquellos que siempre están dispuestos a apoyar al poderoso y a mostrar bravura cuando nada se arriesga iniciaron su concierto de voces destempladas:

—¡A la hoguera!

—¡Ladrones!

—¡Idólatras!

—¡Miradlos! ¡Hoy no están tan orgullosos esos paganos! ¡A la hoguera!

Insultos, burlas y amenazas surgían al paso del cortejo. Pero la furia no era general. Gran parte de la multitud seguía guardando silencio, y ese silencio, por prudente que fuera, no resultaba menos significativo.

Pues en siete años el sentimiento popular había cambiado. Se sabía cómo había sido llevado el proceso. Muchos se habían topado con templarios a la puerta de las iglesias que mostraban al pueblo los huesos quebrados en el potro de torturas. En varios pueblos de Francia se había visto morir a los caballeros por decenas en las hogueras. Se sabía que algunos eclesiásticos se habían negado a participar en el juicio y que fue necesario nombrar a nuevos obispos, como el hermano del primer ministro, Marigny, para llevar a cabo la tarea. Se decía que el propio papa Clemente V había cedido contra su deseo, porque estaba en manos del rey y temía padecer la misma suerte de su predecesor el papa Bonifacio, abofeteado en su trono. Además, en aquellos siete años el trigo no se había vuelto más abundante, el pan se había encarecido, y era preciso admitir que los templarios no tenían la culpa.

Veinticinco arqueros, con el arco en bandolera y la pica al hombro, marchaban delante de la carreta; veinticinco más iban a cada lado y otros tantos cerraban el cortejo.

«¡Ah, si aún nos quedara un ápice de fuerza en el cuerpo!», pensaba el gran maestre. A los veinte años hubiera saltado sobre un arquero, le habría arrancado la pica y hubiera intentado escapar o bien habría luchado hasta morir.

Detrás de él, el hermano visitador murmuraba con sus dientes desportillados:

—No nos condenarán. No puedo creer que nos condenen. Ya no somos peligrosos.

El comandante de Aquitania, en su aturdimiento, murmuraba:

—¡Qué agradable es salir! ¡Qué agradable es respirar aire fresco! ¿Verdad hermano?

El preceptor de Normandía pasó la mano sobre el brazo del gran maestre.

—Señor —dijo en voz baja—, veo que en medio de la multitud algunos lloran y otros se persignan. No estamos solos en nuestro calvario.

—Esa gente puede compadecernos, pero no puede hacer nada para salvarnos —respondió Jacobo de Molay—. No, busco otras caras.

El preceptor comprendió a qué última e insensata esperanza se aferraba el gran maestre. Sin proponérselo, también él se dedicó a escrutar la multitud. Pues un cierto número de caballeros del Temple había escapado a la redada de 1307. Algunos se refugiaron en los conventos, otros se enclaustraron y vivían en la clandestinidad, ocultos en la campiña y en los pueblos; otros huyeron a España, donde el rey de Aragón, negándose a acatar las órdenes del rey de Francia y del Papa, reconoció las encomiendas de los templarios y fundó con ellos una nueva Orden. Y restaban, por fin, aquellos que, después de un juicio ante tribunales relativamente clementes, fueron confinados a la custodia de los Hospitalarios. Muchos de estos caballeros seguían vinculados entre sí y mantenían una especie de red clandestina.

Y Jacobo de Molay se decía que tal vez...

Tal vez hubiesen preparado una conspiración... Tal vez en algún punto del recorrido, en la esquina de Blancs-Manteaux o la calle de la Bretonnerie o el claustro de Saint-Merry, surgiera un grupo de hombres que, sacando sus armas de debajo de las cotas, se abalanzarían sobre los arqueros; mientras, otros, apostados en las ventanas, arrojarían proyectiles. Un carro, lanzado al galope, podría bloquear el paso y acabar de sembrar el pánico.

«Mas, ¿por qué habrían de hacer nuestros antiguos hermanos tal cosa —pensó Molay—, para liberar a un gran maestre que los ha traicionado, que ha renegado de la Orden, que ha cedido a las torturas...?»

No obstante, se obstinaba en observar a la multitud hasta lo más lejos posible; pero sólo distinguía a padres de familia con sus niños sobre los hombros, niños que más tarde, cuando se nombrara delante de ellos a los templarios, sólo recordarían a cuatro ancianos barbudos y temblorosos rodeados de soldados como burdos malhechores.

El visitador general seguía murmurando para sí y el vencedor de San Juan de Acre no cesaba de repetir lo agradable que era dar un paseo por la mañana.

El gran maestre sintió que crecía en su interior la misma cólera delirante que lo asaltaba con frecuencia en la prisión, haciéndole gritar y golpear los muros. Seguramente llevaría a cabo un acto de violencia, algo terrible. No sabía qué... pero sentía la necesidad de realizarlo.

Admitía su muerte casi como una liberación, mas no aceptaba morir injustamente y, mucho menos, deshonrado. El prolongado hábito de la guerra agitaba por última vez su sangre de anciano. Quería morir combatiendo.

Buscó la mano de Godofredo de Charnay, su amigo, su compañero, el último hombre fuerte que tenía a su lado, y se la estrechó.

El preceptor, alzando los ojos, vio sobre las sienes hundidas del gran maestre las arterias que latían serpenteando como azules culebras.

El cortejo llegaba al puente de Notre Dame.

NOTAS

1. La Orden de los Pobres Caballeros de Cristo u Orden del Temple fue fundada en 1128 para asegurar la custodia de los Santos Lugares de Palestina y proteger las rutas de peregrinaje.

Su regla, recibida de san Bernardo, era severa. Les imponía castidad, pobreza y obediencia. No debían «mirar demasiado un rostro de mujer... [ni] besar hembra, ni viuda, ni doncella, ni madre, ni hermana, ni tía, ni ninguna otra». En la guerra debían aceptar el combate de uno contra tres y no podían ser rescatados con dinero. Sólo les estaba permitida la caza del león.

Única fuerza militar bien organizada, estos monjes-soldado eran los cuadros permanentes de las hordas informes que se reunían en cada Cruzada. Vanguardia de todos los ataques y retaguardia de todas las retiradas, entorpecidos por la incompetencia o las rivalidades de los príncipes que mandaban estos ejércitos improvisados, perdieron, en el lapso de dos siglos, a más de veinte mil hombres en los campos de batalla, cifra considerable en relación con los efectivos de la Orden. Pero también cometieron hacia el fin funestos errores de carácter estratégico.

Siempre fueron buenos administradores. Como resultaban imprescindibles, el oro de Europa afluyó a sus cofres. Provincias enteras fueron confiadas a su cuidado. Durante un siglo aseguraron el gobierno efectivo del Imperio latino de Constantinopla. Viajaban por el mundo como amos, sin pagar impuestos, tributos ni peaje. Sólo obedecían al Papa. Tenían encomiendas en toda Europa y en todo Oriente Medio, pero su centro administrativo estaba en París. Cuando las circunstancias los obligaron a dedicarse a la banca, la Santa Sede y los principales soberanos europeos tuvieron cuentas corrientes con ellos. Prestaban con garantía y adelantaban los rescates de los prisioneros. El emperador Balduino les dio, como fianza, la Vera Cruz.

Todo es desmesurado en el caso de los templarios: expediciones, conquistas, fortuna... Todo, hasta la manera en que fueron suprimidos. El pergamino que contiene la transcripción de los interrogatorios a que fueron sometidos en 1307 mide veintidós metros con veinte centímetros. Desde el extraordinario proceso, la controversia no ha cesado jamás. Ciertos historiadores han tomado partido contra los acusados; otros, contra Felipe el Hermoso.

No hay duda de que las imputaciones hechas a los templarios fueron exageradas o falsas en gran parte; pero tampoco se puede negar que hubo entre ellos profundas desviaciones dogmáticas. Su larga estancia en Oriente los había puesto en contacto con ciertos ritos de la primitiva religión cristiana, con la religión islámica que combatían y con las tradiciones esotéricas del antiguo Egipto. La acusación de brujería, idolatría y prácticas demoníacas se originó, por una confusión muy habitual de la Inquisición medieval, a causa de sus ceremonias de iniciación.

El caso de los templarios nos interesaría menos si no tuviera ramificaciones en la historia del mundo moderno. Es sabido que la Orden del Temple, inmediatamente después de su destrucción, se reorganizó como sociedad secreta internacional, y conocemos los nombres de los grandes maestres en la clandestinidad hasta el siglo XVIII. Los templarios son el origen de las cofradías, institución que aún subsiste. Necesitaban obreros cristianos en sus lejanas encomiendas y los organizaron de acuerdo con su propia filosofía, dándoles una regla llamada «deber». Estos obreros sin espada vestían de blanco. Participaron en las Cruzadas y edificaron, en Oriente Medio, formidables ciudadelas según el modelo llamado en arquitectura «aparejo de los cruzados».

Adquirieron en esos lugares métodos de trabajo heredados de la Antigüedad que sirvieron en Europa para levantar las iglesias góticas. En París, los cofrades vivían dentro del recinto del Temple o en el barrio vecino, donde disfrutaban de «franquicias» y que siguió siendo durante quinientos años el centro de los obreros iniciados.

Por medio de las cofradías, la Orden del Temple se relaciona con los orígenes de la masonería, en la que encontramos las huellas de sus ceremonias de iniciación y sus emblemas, que no sólo pertenecen a las antiguas cofradías de obreros, sino que también, algo mucho más sorprendente, aparecen en los marcos de ciertas tumbas de arquitectos del antiguo Egipto.

Todo hace pensar, pues, que los ritos, emblemas y procedimientos de trabajo de ese período de la Edad Media fueron introducidos en Europa por los templarios.

2. El calendario utilizado en la Edad Media no era el mismo que se emplea actualmente y variaba según el país. En Alemania, España, Suiza y Portugal, el año oficial empezaba el día de Navidad; en Venecia, el 1 de marzo; en Inglaterra, el 25 de marzo; en Roma, tanto el 25 de enero como el 25 de marzo; en Rusia, en el equinoccio de primavera.

En Francia, el año oficial comenzaba por Pascua. Esta singular costumbre de tomar una fecha móvil como punto de partida del año (llamado método de Pascuas, método francés o método antiguo) determinaba que los años tuvieran una duración variable, entre trescientos treinta y cuatrocientos días. Algunos años tenían dos primaveras, una al comienzo y otra al final.

Este método antiguo es fuente de innumerables confusiones y de grandes dificultades para establecer una fecha exacta.

De acuerdo con el antiguo calendario, el final del proceso de los templarios tuvo lugar en 1313, puesto que la Pascua del año 1314 cayó el 7 de abril.

Hacia 1564, durante el reinado de Carlos IX, penúltimo rey de la dinastía de los Valois, fue fijado el primero de enero como fecha de comienzo del año. Rusia adoptó el nuevo método en 1725, Inglaterra en 1752 y, Venecia, la última en adoptarlo, lo hizo después de ser conquistada por Bonaparte.

Las fechas de este relato corresponden, naturalmente, al método nuevo.

3. El palacio del Temple, sus anexos, cultivos y calles vecinas formaban el barrio del Temple, que aún conserva este nombre. En la misma gran torre que sirvió de calabozo a Jacobo de Molay fue encarcelado Luis XVI cuatro siglos y medio después. Sólo salió de allí para ir a la guillotina. La torre desapareció en 1811.

3

Las nueras del rey

Un suculento olor a harina tostada, miel y manteca perfumaba el aire en torno al cesto de mimbre.

—¡Calientes, barquillos calientes! ¡No todos los comerán! ¡Probadlos, burgueses, probadlos! ¡Barquillos calientes! —gritaba el vendedor ambulante mientras trabajaba detrás del horno al aire libre.

Lo hacía todo a la vez: estiraba la masa, apartaba del fuego los barquillos cocidos, devolvía el cambio y vigilaba a los pillos para impedirles sus raterías.

—¡Barquillos calientes!

Estaba tan atareado que no prestó atención al cliente cuya blanca mano depositó un denario sobre la tabla, en pago de un fino barquillo. Pero se fijó en cambio en que la misma mano dejaba el dulce con apenas la huella de un mordisco.

—¡Vaya, un desganado! —dijo atizando el fuego—. Vos os lo perdéis; son de trigo y manteca de Vaugirard...

De pronto se irguió y quedó boquiabierto con la palabra en la boca al ver a quién se había dirigido. Un hombre muy alto de ojos inmensos e inmóviles, que llevaba una capucha blanca y túnica hasta las rodillas...

Antes de que pudiera esbozar una reverencia o balbucir una excusa el hombre de la capucha ya se había alejado. El pastelero, con los brazos caídos, lo miraba perderse entre la multitud, mientras la hornada de barquillos amenazaba quemarse.

Las calles que ocupaba el mercado, según decían los

viajeros que habían recorrido África y Oriente, se parecían mucho en esos tiempos al zoco de una ciudad árabe. El mismo bullicio incesante, las mismas tiendas minúsculas pegadas unas a otras, similares olores a grasa cocida, especias y cuero, idéntica parsimonia de los compradores y de los mirones, que a duras penas conseguían abrirse paso. Cada calle, cada callejón tenía su especialidad, su oficio particular; aquí los tejedores, cuyas lanzaderas corrían en los telares de la trastienda; allí los zapateros, claveteando sobre las hormas de hierro; más lejos los guarnicioneros tirando de las leznas, y los carpinteros modelando patas de banquetas.

Estaba la calle de los pájaros, la de las hierbas, la de las legumbres y la de los herreros, cuyos martillos resonaban sobre los yunques. Los orfebres se agrupaban a lo largo del muelle del mismo nombre, trabajando sobre sus pequeños braseros.

Estrechas franjas de cielo asomaban entre las casas de madera y argamasa, con las fachadas tan próximas que de una ventana a otra era fácil darse la mano. El pavimento estaba completamente cubierto de barro hediondo, por el cual la gente, según su condición, arrastraba los pies descalzos, las suelas de madera o los zapatos de cuero.

El hombre de anchos hombros y capucha blanca seguía avanzando despacio entre la multitud, con las manos a la espalda, inmune, al parecer, a los empujones que recibía.

Además, muchos le cedían el paso y lo saludaban. Respondía entonces con un leve movimiento de cabeza. Tenía figura de atleta; su cabello rubio rojizo y sedoso, cuyos rizos le llegaban casi hasta los hombros, enmarcaba un rostro regular, impasible, de una rara belleza.

Tres guardias reales, vestidos de azul y llevando colgado del brazo el bastón rematado con la flor de lis, insignia de su cargo, seguían al paseante a cierta distancia sin perderlo jamás de vista, deteniéndose cuando se detenía y reanudando la marcha al mismo tiempo que él.[1]

De pronto, un joven de traje ceñido, arrastrado por tres grandes perros que llevaba atados a una correa, salió de una callejuela lateral, chocó contra él, y a punto estuvo de derribarlo. Los perros se enredaron y comenzaron a ladrar.

—¡Fíjate por dónde caminas! —gritó el joven, con marcado acento italiano—. ¡Poco ha faltado para que me atropellaras los perros! Ojalá te hubieran mordido.

Con dieciocho años a lo sumo, de buena figura a pesar de su corta talla, ojos negros y fina barbilla, plantado en medio del callejón levantaba la voz para hacerse el hombre.

Mientras desenredaba la correa continuó:

—*Non si puo vedere un cretino peggiore...**

Pero ya lo rodeaban los tres guardias reales. Uno de ellos lo tomó por el brazo y le murmuró un nombre al oído. Al instante, el joven se quitó el gorro y se inclinó con grandes muestras de respeto.

Se formó un corrillo.

—En verdad, unos perros muy hermosos, ¿de quién son? —dijo el paseante, midiendo al muchacho con sus ojos inmensos y fríos.

—De mi tío, el banquero Tolomei... para servirte —respondió el joven, inclinándose de nuevo.

Sin decir más, el hombre de la capucha siguió su camino. Cuando se hubo alejado, así como sus guardias reales, la gente rodeó al joven italiano. Éste no se había movido de lugar y parecía digerir mal su equivocación. Hasta los perros se mantenían expectantes.

—¡Vedlo, ya no está tan orgulloso! —decían unos riendo.

—¡Por poco derriba al rey, y encima casi lo insulta!

* Habráse visto mayor cretino... *(N. de la T.)*

53

—Puedes irte preparando para dormir esta noche en la cárcel, muchacho, con treinta latigazos en el cuerpo.

El italiano hizo frente al coro de mirones:

—¿Y qué esperábais? Jamás lo había visto. ¿Cómo iba a reconocerlo? Además, sabed, burgueses, que vengo de un país donde no hay rey que nos haga pegarnos a las paredes. En mi ciudad de Siena, cada uno puede ser rey a su debido momento. ¡Si alguien quiere algo de Guccio Baglioni, no tiene más que decirlo!

Había lanzado su nombre como un desafío. La orgullosa susceptibilidad de los toscanos ensombrecía su mirada. En la cintura llevaba una daga cincelada. Nadie insistió; el joven hizo chasquear los dedos para despabilar a los perros y prosiguió su camino, menos seguro de lo que pretendía, preguntándose si su tontería no le acarrearía molestas consecuencias.

Pues acababa de atropellar al mismísimo rey Felipe. El soberano, a quien nadie igualaba en poderío, solía pasearse por su ciudad como un simple burgués, informándose acerca de los precios, saboreando las frutas, tanteando telas, escuchando las opiniones de la gente... Le tomaba el pulso a su pueblo. Los forasteros que ignoraban quién era, se dirigían a él para pedirle una simple información. Cierto día, un soldado lo detuvo para reclamarle la paga. Tan avaro de palabras como de dinero, era raro que, en cada salida, pronunciara más de tres frases o gastara más de tres monedas.

El rey pasaba por el mercado de carnes cuando la campana mayor de Notre Dame comenzó a sonar, al mismo tiempo que se elevaba un gran clamor.

—¡Ahí vienen! ¡Ahí vienen!

El clamor se acercaba. La turba se agitó y la gente empezó a correr.

Un obeso carnicero salió de detrás de su mostrador, cuchillo en mano, gritando:

—¡Muerte a los herejes!

Su mujer le asió de la manga y le dijo:

—¿Herejes? ¡No más que tú! ¡Quédate aquí haciendo tu trabajo, que más te conviene, holgazán!

Se enzarzaron a gritos y no tardó en formarse un corro a su alrededor.

—¡Confesad delante de los jueces! —seguía diciendo el carnicero.

—¿Los jueces? —replicó alguien—. Siempre hacen igual. Juzgan por boca de los que pagan.

Todo el mundo comenzó a hablar a la vez.

—Los templarios son unos santos. Siempre practicaron la caridad.

—Estaba bien sacarles el dinero, pero no atormentarlos.

—El rey era su principal deudor; acabados los templarios, acabada la deuda.

—El rey ha hecho bien.

—El rey o los templarios —dijo un aprendiz—, lo mismo da. Que los lobos se devoren entre sí; así no nos devorarán a nosotros.

En ese momento una mujer se volvió, palideció, e indicó a los demás que se callaran. Felipe el Hermoso estaba detrás de ellos y los observaba con su mirada inmóvil y glacial. Los guardias se habían acercado a él, dispuestos a intervenir. En un instante el grupo se dispersó y todos salieron a escape, exclamando a grandes voces:

—¡Viva el rey! ¡Muerte a los herejes!

El semblante del rey no había cambiado de expresión. Se diría que no había oído nada. Si sorprender a la gente le causaba placer, lo mantenía en secreto.

El clamor crecía sin cesar. El cortejo de los templarios asomaba por el extremo de la calle, y el rey, por el espacio abierto entre las casas, vio unos instantes al gran maestre. De pie en la carreta, junto a sus tres compañeros, se mantenía erguido. ¡Su aspecto era de mártir pero no de vencido!

Dejando que la turba se precipitara a contemplar el paso del cortejo, Felipe el Hermoso, con el mismo paso tranquilo, regresó a palacio por las calles bruscamente vacías.

Bien podía el pueblo refunfuñar un poco y el gran maestre erguir su viejo cuerpo quebrado. Al cabo de una hora todo habría terminado, y la sentencia, en general, sería bien recibida. En ese momento quedaría colmada y rematada la obra de siete años.

El Tribunal Episcopal se había pronunciado, los arqueros eran numerosos, los guardias vigilaban las calles. Una hora más tarde el caso de los templarios sería barrido de los asuntos públicos y el poder real saldría reforzado y aumentado.

«Incluso mi hija Isabel estará satisfecha. He atendido a su súplica y he contentado a todo el mundo; pero ya era tiempo de acabar con esto», se decía el rey Felipe.

Regresó a sus aposentos por la galería Mercière.

El palacio, reconstruido cien veces en el transcurso de los siglos sobre sus viejos cimientos romanos, acababa de ser renovado totalmente por Felipe y considerablemente agrandado.

Corrían tiempos de reconstrucción, y los príncipes rivalizaban en este punto. Lo que se estaba haciendo en Westminster había sido terminado ya en París.

De los antiguos edificios sólo quedó la Sainte-Chapelle, construida por su abuelo san Luis. El nuevo conjunto de la Cité, con sus grandes torres blancas reflejándose en el Sena, era imponente, macizo, ostentoso.

Aunque Felipe era muy cuidadoso con los gastos menores, no era tacaño cuando se trataba de afirmar la pujanza del Estado. Pero como no desdeñaba el menor beneficio había concedido a los merceros, a cambio del pago de una buena renta, el privilegio de vender en la galería del palacio, llamada por esta razón galería Mercière y, posteriormente, galería Marchande.[2]

Aquel inmenso vestíbulo, alto y ancho como una catedral de dos naves, provocaba la admiración de los visitantes. Sendos pilares servían de pedestal a las cuarenta estatuas de los reyes que se habían sucedido en el trono del reino de los francos desde Faramundo y Meroveo. Frente a la estatua de Felipe el Hermoso se había levantado la de Enguerrando de Marigny, coadjutor y rector del reino, el hombre que había inspirado y dirigido las obras.

La galería, abierta a todos, se había convertido en lugar de paseo, citas de negocios y encuentros galantes. Uno podía hacer allí sus compras y codearse al mismo tiempo con príncipes. Allí se dictaba la moda. La multitud deambulaba incesantemente entre los puestos de los vendedores, bajo las grandes estatuas reales. Bordados, encajes, sedas, terciopelos y rasos, pasamanería, fornituras y pequeñas piezas de joyería se amontonaban, espejeaban y refulgían sobre los mostradores de encina que por la tarde se plegaban, o cubrían las mesas de caballete o colgaban de perchas. Cortesanas, burguesas y sirvientas iban de un escaparate a otro, palpaban la mercancía, discutían, callejeaban, soñaban. Era un hervidero de discusiones, regateos, parloteos y risas sobre el que se imponía la charlatanería de los vendedores para cerrar el trato.

Abundaban los acentos extranjeros, sobre todo los de Italia y Flandes.

Un joven flacucho ofrecía pañuelos bordados dispuestos sobre una arpillera de cáñamo en el suelo.

—¡Ah, hermosas damas! —exclamaba—, ¿no os da pena sonaros con los dedos o las mangas, cuando existen preciosos pañuelos ideados para tal fin, que podéis anudar graciosamente alrededor de vuestro brazo?

Poco más allá, otro vendedor hacía juegos malabares con tiras de encaje de Malinas, y las lanzaba tan alto que sus blancos arabescos rozaban las pétreas espuelas de Luis el Gordo.

—¡Lo regalo, lo doy! A seis denarios la pieza. ¿Quién de vosotras no tiene seis denarios para hacer provocativos sus pechos?

Felipe el Hermoso atravesó la galería en toda su extensión. La mayoría de los hombres se inclinaban a su paso, y las mujeres esbozaban una reverencia. Sin darlo a entender, al rey le placía esa animación y las muestras de deferencia que recibía.

La grave campana de Notre Dame seguía tañendo; pero su sonido llegaba allí tenue y ahogado.

Al final de la galería, no lejos de la gran escalinata, había un grupo de tres personas, dos mujeres muy jóvenes y un muchacho, cuya belleza, presencia y prestancia atraían la discreta atención de los paseantes.

Las muchachas eran dos de las nueras del rey, a quienes el pueblo llamaba «las hermanas de Borgoña». Se parecían un poco. Juana, la mayor, casada con el segundo hijo de Felipe el Hermoso, tenía apenas veinte años. Era alta y esbelta, de cabello rubio ceniza, con un porte un poco artificial y grandes ojos almendrados de gacela. Vestía con estudiada sencillez. Aquel día llevaba un vestido largo de terciopelo gris claro, con mangas ajustadas y sobretúnica ribeteada de armiño hasta las caderas.

Su hermana Blanca, esposa de Carlos de Francia, el menor de los príncipes reales, era más pequeña, más torneada, más sonrosada, más espontánea. A sus dieciocho años conservaba todavía los hoyuelos de la niñez en las mejillas. Tenía el cabello de un rubio cálido, los ojos castaño claro, muy brillantes, y los dientes pequeños y transparentes. Vestirse constituía para ella más una pasión que un juego. Se entregaba a ello con cierta extravagancia no siempre de buen gusto. En la frente y en el cuello, las mangas y la cintura, lucía tantas alhajas como podía. Todos sus vestidos estaban bordados con hilos de oro y perlas. Pero tenía tanta gracia, y parecía tan contenta de sí misma, que se le perdonaba de buen grado esta ingenua profusión.

El joven que acompañaba a las princesas vestía como un oficial de palacio.

El grupito trataba un asunto que discutía a media voz con contenida agitación.

—¿Acaso es razonable atormentarse tanto por cinco días?, —preguntaba la condesa de Poitiers.

El rey surgió de detrás de una columna que había ocultado su proximidad.

—Buenos días, hijas mías —saludó.

Los jóvenes callaron bruscamente. El hermoso muchacho hizo una profunda reverencia y se apartó un paso con los ojos fijos en el suelo. Las dos jóvenes, tras una genuflexión, se quedaron mudas, ruborizadas, un tanto confundidas. Parecían los tres sorprendidos en falta.

—¡Y bien hijas mías! —agregó el rey—. Se diría que estoy de más en vuestra charla. ¿Qué estabais contando?

No le sorprendía la acogida. Estaba acostumbrado a ver a todo el mundo, incluso a sus familiares más próximos, intimidados con su presencia. Un muro de hielo se alzaba entre él y los que lo rodeaban. Ya no se sorprendía; pero lo apenaba. Sin embargo, creía hacer todo lo posible para mostrarse accesible y amable.

Blanca fue la primera en recobrar el aplomo.

—Debéis perdonarnos, señor —dijo—. ¡Pero no es fácil repetir nuestras palabras!

—¿Por qué no?

—Porque... estábamos hablando mal de vos —respondió Blanca.

—¿De verdad? —dijo Felipe, sin saber cómo tomárselo.

Lanzó una ojeada al muchacho, que estaba un poco apartado y parecía incómodo, y lo señaló con la barbilla.

—¿Quién es ese doncel? —preguntó.

—El señor Felipe de Aunay, escudero de nuestro tío el conde de Valois —respondió la condesa de Poitiers.

El joven volvió a saludar.

—¿No tenéis un hermano? —dijo, dirigiéndose al escudero.

—Sí, señor, está al servicio de Monseñor de Poitiers —respondió el joven Felipe de Aunay, enrojeciendo y con voz insegura.

—Eso es; siempre os confundo —dijo el rey. Luego volviéndose a Blanca, añadió—: ¿Y qué decíais de malo, hija mía?

—Juana y yo estábamos de acuerdo en no perdonaros, padre y señor mío, pues van cinco noches seguidas que nuestros maridos nos descuidan, ya que los retenéis hasta muy tarde en las sesiones del consejo o los alejáis por asuntos del reino.

—Hijas mías, hijas mías, ésas no son cosas para decir en voz alta.

Era púdico por naturaleza y se decía que guardaba absoluta castidad desde que había enviudado hacía nueve años. Pero no podía enojarse con Blanca. Su vivacidad, su alegría y su audacia para decirlo todo lo desarmaban. Estaba divertido y perplejo a la vez. Sonrió, cosa que raramente sucedía.

—¿Y qué dice la tercera? —añadió.

Aludía a Margarita de Borgoña, prima de Juana y de Blanca, casada con el heredero del trono, Luis, rey de Navarra.

—¿Margarita? —exclamó Blanca—. Se cierra en su aposento, pone cara triste y dice que sois tan malvado como hermoso.

Otra vez volvió el rey a sentirse indeciso sobre cómo tomarse las últimas palabras. ¡Pero era tan pura y tan cándida la mirada de Blanca! Era la única que se atrevía a bromear con él, que no temblaba en su presencia.

—¡Pues bien! Tranquilizad a Margarita y tranquilizaos, Blanca; Luis y Carlos os harán compañía esta noche. Hoy es un buen día para el reino —dijo Felipe el Hermoso—. No se celebrará consejo esta noche. En cuanto a vuestro esposo, Juana, que ha ido a Dole y a Salins a vigilar los intereses de vuestro condado, no creo que tarde más de una semana.

—Entonces, me dispongo a festejar su vuelta —dijo Juana, inclinando su bella cabeza.

Para el rey Felipe, la conversación que acababa de sostener era muy larga. Volvió la espalda bruscamente a sus interlocutores y se alejó sin despedirse hacia la gran escalera que conducía a sus habitaciones privadas.

—¡Uf! —dijo Blanca, con la mano sobre el pecho, viéndolo desaparecer—. De buena nos hemos librado.

—Creí desfallecer de miedo —dijo Juana.

Felipe de Aunay estaba rojo hasta la raíz de los cabellos, no ya de confusión, como poco antes, sino de cólera.

—¿Se supone que tengo que daros las gracias? —dijo el joven secamente—. Le habéis dicho al rey unas palabras muy agradables de oír...

—¿Y qué se supone que tendría que haber hecho? ¿Acaso vos lo hubierais arreglado mejor? Os habéis quedado pasmado y sin habla. Se nos ha echado encima de improviso, y tiene el oído más fino del reino. Si había escuchado las últimas palabras era la única manera de engañarlo. En lugar de reñirme deberías felicitarme, Felipe.

—No empecéis de nuevo —dijo Juana—. Caminemos, recorramos las tiendas, dejemos este aire de conspiradores.

—Señor —prosiguió Juana en voz baja—, no olvidéis que vos y vuestros estúpidos celos son la causa de todo. Si no os hubierais quejado tan alto de lo mucho que os hace padecer Margarita, no habríamos corrido el riesgo de que el rey nos oyera.

Felipe conservaba su expresión sombría.

—En verdad —dijo Blanca—, vuestro hermano es más agradable que vos.

—Sin duda eso es porque lo tratan mejor; me alegro por él —respondió Felipe—. En efecto, soy un estúpido al dejarme humillar por una mujer que me trata como un esclavo, que me llama a su lecho cuando le viene en gana, me aleja cuando se cansa, me tiene días enteros sin dar señales de vida y finge no conocerme cuando se cruza conmigo. ¿Cuál es su juego, a fin de cuentas?

Felipe de Aunay, escudero del conde de Valois, era desde hacía cuatro años el amante de Margarita de Borgoña, la mayor de las nueras de Felipe el Hermoso. Y si osaba hablar de tal modo delante de Blanca de Borgoña, esposa de Carlos de Francia, era porque ésta era la amante de su hermano, Gualterio de Aunay, escudero del conde de Poitiers. Y si podía sincerarse delante de Juana, condesa de Poitiers, era porque ésta, aunque no era amante de nadie, favorecía, un poco por flaqueza y un poco por diversión, las intrigas de las otras dos nueras reales, concertando entrevistas y facilitando encuentros.

Así, antes de aquella primavera de 1314, el mismo día en que los templarios iban a ser sentenciados, dos hijos del rey de Francia, el mayor, Luis, y el menor, Carlos, llevaban los cuernos, por obra y gracia de dos escuderos, pertenecientes uno a la casa de su tío, el otro a la de su hermano. Todo sucedía bajo la tutela de su hermana política, Juana, esposa constante, aunque benévola celestina, que sentía un turbio placer viviendo los amores ajenos.

—En todo caso, nada de torre de Nesle esta noche —dijo Blanca.

—Para mí no será distinta de las anteriores —respondió Felipe de Aunay—. Pero me enfurece pensar que hoy, entre los brazos de Luis de Navarra, Margarita murmurará, sin duda, las mismas palabras...

—Amigo mío, vais demasiado lejos —dijo Juana con altivez—. Hace un momento acusabais a Margarita, sin razón, de tener otros amantes. Ahora queréis impedir que tenga un marido. Los favores que os concede os hacen olvidar quién sois. Creo que mañana aconsejaré a nuestro tío que os envíe algunos meses a su condado de Valois, donde tenéis vuestras tierras, para calmaros los nervios.

El hermoso Felipe se serenó de golpe.

—¡Oh, señora! ¡Creo que moriría! —murmuró.

Era más seductor de ese modo que encolerizado. Daban ganas de asustarlo, sólo por ver sus sedosas pestañas aletear y temblar levemente su pálida barbilla. De pronto se había convertido en un ser tan desdichado, que ambas mujeres, olvidando su alarma, no pudieron contener una sonrisa.

—Decid a vuestro hermano Gualterio que esta noche suspiraré por él —dijo Blanca con la mayor dulzura.

Era imposible saber si hablaba sinceramente.

—¿No convendría prevenir a Margarita acerca de lo que acabamos de oír? —dijo Felipe de Aunay, un tanto vacilante—. En caso de que para esta noche hubiera previsto...

—Que Blanca haga lo que le parezca —dijo Juana—. No pienso encargarme más de vuestros asuntos. He sentido demasiado miedo. Algún día esto terminará mal y verdaderamente es comprometerme en serio por nada.

—Es cierto que tú no aprovechas las oportunidades —dijo Blanca—. Tu marido está ausente con mayor frecuencia que los nuestros. Si Margarita y yo tuviéramos esa suerte...

—No encuentro placer alguno en ello —replicó Juana.

—O no tienes coraje —dijo Blanca.

—Es verdad que, aunque quisiera, no tengo tu habilidad para mentir, hermana mía. Estoy segura de que me traicionaría enseguida.

Dicho esto, Juana permaneció unos instantes meditando. No, no sentía deseos de engañar a Felipe de Poitiers, pero estaba cansada de pasar por mojigata.

—Señora... —dijo Felipe de Aunay—, ¿no podríais entregarme un mensaje para vuestra prima?

Juana miró de soslayo al joven, con tierna indulgencia.

—¿No podéis pasaros un día sin ver a la bella Margarita? —respondió—. Bien, seré buena, compraré alguna baratija para ella y se la llevaréis de mi parte. Pero es la última vez.

Se acercaron a un puesto. Mientras las dos mujeres elegían, y Blanca iba derecha a los objetos más caros, Felipe de Aunay pensaba en la súbita aparición del rey.

«Siempre que me ve, me pregunta cómo me llamo —se decía—. Ésta es la sexta vez. Y nunca deja de aludir a mi hermano.»

Sintió una sorda aprensión y se preguntó por qué el rey le inspiraba tanto miedo. Sin duda, era su mirada. Aquellos grandes ojos inmóviles y de extraño color, entre gris y azul pálido, como el hielo de los estanques en las mañanas de invierno, ojos que uno no cesaba de ver durante horas enteras tras cruzarse con ellos.

Ninguno de los tres jóvenes había notado la presencia de un hombre alto con botas rojas; estaba parado en la gran escalinata y los vigilaba hacía un rato.

—Felipe, no llevo bastante dinero, ¿queréis pagar?

Las palabras de Juana arrancaron a Felipe de sus reflexiones. El joven obedeció en el acto. Juana había elegido para Margarita un cinturón de terciopelo con aplicaciones de filigrana de plata.

—¡Oh, quiero uno igual! —dijo Blanca.

Pero tampoco ella tenía dinero, y Felipe tuvo que pagar.

Siempre sucedía lo mismo cuando las acompañaba. Ellas prometían devolverle el dinero cuanto antes, pero pronto lo olvidaban y él era demasiado galante para recordárselo.

—Cuidado, hijo mío —le había dicho su padre, el señor de Aunay—. Las mujeres más ricas son las más costosas.

Bien lo sabía su bolsillo. Mas no le importaba. Los Aunay eran ricos y sus posesiones en Vémars y de Aunay-lès-Bondy, entre Pontoise y Luzarches, les proporcionaban una buena renta.

Ya tenía su pretexto para correr al palacio de Nesle, al otro lado del río, donde vivían el rey y la reina de Navarra. Cruzando el puente de San Miguel, el camino era cosa de minutos.

Saludó a las dos princesas y salió de la galería Mercière.

El señor de las botas rojas lo siguió con su mirada de cazador. Era Roberto de Artois, llegado hacía unos días de Inglaterra. Pareció reflexionar, luego bajó la escalinata hacia la calle.

Fuera, la campana de Notre Dame había enmudecido. En la Île de la Cité reinaba un silencio desacostumbrado, impresionante. ¿Qué pasaba en Notre Dame?

NOTAS

1. Los *sergents* o guardias reales eran funcionarios subalternos encargados de diferentes tareas, como mantener el orden público y ejecutar las sentencias. Su misión se confundía con la de los ujieres (guardianes de las puertas) y la de los maceros. Entre sus atribuciones se contaba la de preceder o escoltar al rey, los ministros, miembros del Parlamento y profesores de universidad.

La vara de los actuales policías franceses tiene su remoto

origen en el bastón de los guardias reales de antaño. La maza que llevan los maceros en las ceremonias universitarias debe igualmente a él su procedencia.

En 1254 había sesenta guardias de este género adscritos a la policía de París.

2. Esta concesión a algunos gremios de comerciantes para vender en la morada del soberano o en sus cercanías parece provenir de Oriente. En Bizancio, los mercaderes de perfumes gozaban del derecho de levantar tiendas frente a la entrada de palacio imperial, pues sus esencias eran la cosa más agradable que pudiera llegar hasta las narices del *Basileus*.

4

Notre Dame era blanca

Los arqueros habían formado un cordón para mantener a la multitud alejada del estrecho atrio. En todas las ventanas se apiñaban cabezas de curiosos.

La bruma se había disipado y un sol pálido alumbraba las blancas piedras de Notre Dame de París. El edificio había sido terminado hacía sólo setenta años y se trabajaba continuamente para embellecerlo.

Poseía aún el brillo de lo nuevo; la luz acentuaba el arco de sus ojivas y el encaje del rosetón central, y hacía resaltar el hormiguero de estatuas bajo los pórticos.

Se había hecho retroceder hasta las casas a los vendedores de aves que ofrecían su mercancía todas las mañanas frente a la iglesia. El cacareo de las aves que se ahogaban en las jaulas desgarraba el silencio, el agobiante silencio que acababa de sorprender al conde de Artois al salir de la galería Mercière.

El capitán Alán de Pareilles se mantenía impávido frente a sus arqueros.

En lo alto de los escalones que arrancaban del atrio estaban los cuatro templarios, en pie, de espaldas a la multitud y de cara al tribunal eclesiástico instalado entre los abiertos batientes del gran portal. Obispos, canónigos y clérigos se sentaban en dos filas.

La gente señalaba con curiosidad a los tres cardenales, especialmente enviados por el Papa. Aquello significaba que contra la sentencia dictada no cabía presentar apelación ni recurso alguno ante la Santa Sede. Las miradas se dirigían después a Juan de Marigny, joven arzobispo de Sens, hermano del primer ministro, quien había dirigido el caso junto con el gran inquisidor de Francia.

Una treintena de monjes, con hábito pardo unos y blanco otros, permanecían en pie detrás de los miembros del tribunal. El único civil de la asamblea, el preboste de París, Juan Ployebouche, personaje de unos cincuenta años de edad, rechoncho y con el rostro crispado, parecía incómodo de su situación. Representaba el poder real y era el encargado de mantener el orden. Sus ojos saltaban de la multitud al capitán de los arqueros y de éste al joven arzobispo de Sens.

El sol refulgía en las mitras, los báculos, la púrpura cardenalicia, el carmesí de los obispos, el armiño y el terciopelo de las capuchas, el oro de las cruces pectorales, el acero de las cotas de malla y las armas de la tropa. Ese centelleo, ese colorido, todo aquel fulgor hacía más violento el contraste con los acusados, para los cuales se había montado aquel gran escenario: cuatro viejos templarios harapientos que, apretados entre sí, parecían un grupo escultórico de ceniza.

Monseñor Arnaldo de Auch, cardenal-arzobispo de Albano, primer legado, leía en pie las consideraciones del juicio. Lo hacía con lentitud y énfasis, escuchándose, satisfecho de sí mismo y de su lucimiento ante un auditorio extranjero. A veces fingía horrorizarse por la enormidad de los crímenes que enunciaba. Luego recobraba su pegajosa majestad para añadir un nuevo cargo, un nuevo delito.

—... Oídos los hermanos Gerardo de Passage y Juan de Cugny, quienes afirman, igual que muchos más, haber sido forzados durante su iniciación en la Orden a escupir sobre la Cruz, porque se les decía que era un simple trozo de madera y que el verdadero Dios estaba en el cielo... Oído el hermano Guido Dauphin, a quien se indujo, si uno de sus hermanos superiores se sentía arrebatado por el tormento de la carne y quería saciarse con él, a consentir todo lo que se le pidiera... Oído sobre ese punto el señor de Molay, quien en interrogatorio ha reconocido y confesado...

La multitud debía hacer esfuerzos para captar las palabras deformadas por la grandilocuencia. El legado se regodeaba con su lectura. El pueblo comenzaba a impacientarse.

A cada acusación, falso testimonio o confesión arrancada por la fuerza, Jacobo de Molay murmuraba para sí: «Mentira... mentira... mentira...»

Lejos de aplacarse, su cólera crecía sin cesar. En sus descarnadas sienes la sangre batía cada vez con mayor fuerza.

Nada se había producido que viniera a detener el desarrollo de la pesadilla. Ningún antiguo templario había surgido de la muchedumbre.

—... Oído el hermano Hugo de Payraud, quien reconoce haber obligado a los novicios a renegar de Cristo tres veces seguidas...

Hugo de Payraud era el hermano visitador. Volvió hacia Jacobo de Molay su rostro atormentado y murmuró:

—Hermano mío... ¿acaso he dicho yo alguna vez semejante cosa?

Los cuatro dignatarios estaban solos, abandonados del cielo y de los hombres, presos como en unas gigantescas tenazas entre las tropas y el tribunal, entre la fuerza real y la fuerza de la Iglesia. Cada palabra del cardenal legado estrechaba el cerco.

¿Cómo no habían comprendido las comisiones inquisidoras, a pesar de que se les había explicado mil veces, que la prueba de negación era impuesta a los novicios para asegurarse de su actitud si caían prisioneros de los musulmanes y eran obligados a abjurar?

El gran maestre sentía un loco deseo de saltar al cuello del prelado, abofetearlo, tirar al suelo su mitra y estrangularlo. Además, no solamente hubiera hecho trizas a aquel personaje, sino también al joven Marigny, aquel presumido con mitra que adoptaba lánguidas posturas.

Pero por encima de todo, hubiera querido castigar a sus tres verdaderos enemigos, ausentes de la ceremonia: el rey, el canciller, el Papa...

La rabia de la impotencia hacía danzar un velo rojo ante sus ojos. Era preciso que sucediera algo... Se apoderó de él un vértigo tan fuerte que temió desplomarse sobre las losas. Ni siquiera se daba cuenta de que la misma furia dominaba a Charnay; la cicatriz del preceptor de Normandía se había vuelto muy blanca en medio de la frente carmesí.

El legado hizo una pausa en su discurso. Bajó el largo pergamino, inclinó ligeramente la cabeza a derecha e izquierda hacia sus asesores. Luego acercó de nuevo el pergamino a sus ojos y sopló como para quitar una mota de polvo. Después reanudó la lectura:

—... Y considerando que los acusados lo han confesado y reconocido, los condenamos a prisión y al silencio por el resto de sus días, a fin de que obtengan el perdón de sus faltas por las lágrimas de arrepentimiento. *In nomine Patris*...

El legado hizo lentamente la señal de la cruz y se sentó, lleno de soberbia, enrollando el pergamino que inmediatamente tendió a su clérigo.

La turba quedó perpleja. Después de semejante enunciado de crímenes, era tan lógico esperar la pena de muerte que la condena a cadena perpetua, con sus cadenas y su régimen de pan y agua, parecía una sentencia benigna.

Felipe el Hermoso había medido bien el golpe. La opinión pública admitiría sin objeciones, casi plácidamente, ese punto final de una tragedia que la había sacudido durante siete años.

El primer legado y el joven arzobispo de Sens intercambiaron una imperceptible sonrisa de complicidad.

—Hermanos míos —tartamudeó el hermano visitador general—. ¿He oído bien? ¡No nos matan! ¡Nos conceden el perdón!

Sus ojos estaban llenos de lágrimas, sus manos hinchadas temblaban y su boca de dientes rotos se abría como si fuera a reír.

El espectáculo de aquella alegría espantosa fue la causa de todo.

De pronto, una voz tronó desde lo alto de las escaleras:

—¡Protesto!

Sonó tan fuerte, que, en un primer momento, a nadie se le ocurrió que pudiera pertenecer al gran maestre.

—¡Protesto contra esta sentencia injusta y afirmo que los crímenes que nos atribuyen son imaginarios! —gritó Jacobo de Molay.

Un inmenso suspiro se elevó de la multitud. El tribunal se inquietó. Los cardenales se miraban estupefactos. Nadie esperaba aquello. Juan de Marigny se puso en pie de un salto. ¡Adiós posturas lánguidas! Estaba pálido, tenso, temblaba de cólera.

—¡Mentís! —le gritó al gran maestre—. ¡Confesasteis ante la comisión!

Instintivamente, los arqueros apretaron filas, aguardando una orden.

—¡No soy culpable —prosiguió Jacobo de Molay—, sino de haber cedido a vuestros embustes, amenazas y tormentos! ¡Afirmo ante Dios que nos escucha que la Orden es inocente y santa!

Y, en efecto, Dios parecía oírle. Sus palabras, lanzadas hacia el interior de la catedral, resonaban en las bóvedas y volvían en forma de eco, como si otra voz más poderosa, desde el fondo de la nave, repitiera sus palabras.

—¡Confesasteis la sodomía! —gritó Juan de Marigny.

—¡En el tormento! —replicó Molay.

«... En el tormento», repitió la voz, que parecía proceder del sagrario.

—¡Confesasteis herejía!

—¡En el tormento!

«... En el tormento», repitió el sagrario.

—¡Lo retiro todo! —dijo el gran maestre.

«... Todo...», retumbó la catedral entera.

Un nuevo interlocutor se unió a este extraño diálogo. Godofredo de Charnay, el preceptor de Normandía, imprecaba al arzobispo de Sens:

—¡Abusasteis de nuestro desfallecimiento! —decía—. Somos víctimas de vuestras intrigas y de vuestras falsas promesas. ¡Vuestro odio y vuestra sed de venganza nos han perdido! Pero yo afirmo, ante Dios, que somos inocentes, y los que dicen otra cosa mienten como bellacos.

Entonces se desató el tumulto. Los monjes, desde detrás del tribunal, comenzaron a proferir a grandes voces:

—¡Herejes! ¡A la hoguera! ¡Al fuego los herejes!

Pero su clamor fue ahogado bien pronto. Con ese impulso generoso que pone al pueblo de parte del más débil y del caído en desgracia, la mayoría de la turba tomaba partido por los templarios. Mostraban el puño en alto a los jueces. De todos los rincones de la plaza llegaban alaridos. La gente aullaba en las ventanas y aquello amenazaba convertirse en un motín.

A una orden de Alán de Pareilles, la mitad de los arqueros habían formado una cadena dándose el brazo para resistir la presión de la multitud, mientras los otros le hacían frente.

Los guardias reales golpeaban a diestro y siniestro en medio del gentío, con sus bastones de las flores de lis. Las jaulas habían sido derribadas y las aves, pisoteadas, dejaban escapar estridentes cacareos.

El tribunal estaba de pie, desconcertado. Juan de Marigny discutía con el preboste de París.

—No importa lo que hagáis, Monseñor, pero ¡haced algo! —decía el preboste—. Hay que detenerlos. Nos arrollarán. No conocéis a los parisinos cuando se irritan.

Juan de Marigny, extendiendo el brazo, alzó su báculo episcopal para dar a entender que iba a hablar. Pero nadie quería escucharlo. Lo abrumaban a insultos.

—¡Torturador! ¡Falso obispo! ¡Dios te castigará!

—¡Hablad, Monseñor, hablad! —lo apremiaba el preboste.

Temía por su puesto y su pellejo; recordaba los motines de 1306, durante los cuales fueron saqueadas las casas de los burgueses.

—¡Declaramos relapsos a los condenados!* —exclamó el arzobispo, forzando inútilmente la voz—. Han reincidido en sus herejías, han rechazado la justicia de la Iglesia y ésta los rechaza y los remite a la justicia del rey.

Sus palabras se perdieron en medio del griterío. Luego, como una bandada de enloquecidas gallinas, los miembros del tribunal entraron en Notre Dame, cuyas puertas fueron cerradas al instante.

A una señal del preboste a Alán de Pereilles, un grupo de arqueros se precipitó a los peldaños, otros trajeron la carreta y, a golpes de mangos de pica, los condenados fueron obligados a subir a ella. Se dejaban llevar con gran docilidad. El gran maestre y el preceptor de

---

* El término, del latín *relabi*, se aplicaba a los inculpados que reincidían en la herejía después de haber abjurado de ella públicamente. (*N. de la T.*)

Normandía se sentían a la vez exhaustos y en calma. Por fin estaban en paz consigo mismos. Los otros dos nada comprendían.

Los arqueros abrieron paso a la carreta mientras el preboste Ployebouche daba instrucciones a sus guardias para que despejaran la plaza cuanto antes. Dio media vuelta, completamente desbordado.

—¡Conducid los prisioneros al Temple! —gritó Alán de Pareilles—. Yo corro a avisar al rey.

5

Margarita de Borgoña, reina de Navarra

Entretanto, Felipe de Aunay había llegado a palacio de Nesle. Le habían pedido que aguardara en la antecámara de las habitaciones privadas de la reina de Navarra. Los minutos no acababan de pasar, y Felipe se preguntaba si Margarita se hallaba con algún inoportuno o simplemente se complacía en hacerlo sufrir. Hubiera sido muy propio de ella. Y tal vez, después de una hora de pisotear, levantarse y sentarse, oiría decir que no podía recibirlo. Su irritación iba en aumento.

Cuatro años atrás, cuando empezaron sus relaciones, no habría procedido de ese modo. O quizá sí. Ya no lo recordaba. En el entusiasmo de la incipiente aventura en la que la vanidad contaba tanto como el amor, de buena gana hubiera caminado cinco horas a la pata coja para ver a su amante desde lejos, o para rozarle los dedos u oír un susurro que significara la promesa de otra entrevista.

Los tiempos habían cambiado. Las dificultades que son aliciente de un naciente amor resultan intolerables cuando han transcurrido cuatro años, y a menudo la pasión muere por lo mismo que la provocó. La perpetua incertidumbre de las citas, las entrevistas postergadas, las obligaciones de la corte, a todo lo cual se sumaban las rarezas de Margarita, habían impulsado a Felipe a una exasperación que sólo expresaba con reproches y cólera.

Margarita parecía tomarse las cosas muy de otro

modo. Saboreaba el doble placer de engañar al marido y de atormentar al amante. Pertenecía a esa clase de mujeres cuyo deseo se renueva únicamente con el espectáculo de los sufrimientos que infligen, hasta que ese mismo espectáculo las hastía.

No pasaba día sin que Felipe se dijera que un gran amor no prospera en el adulterio; ni un solo día dejaba de prometerse que terminaría con aquella relación tan hiriente. Pero era débil y cobarde, estaba atrapado. Como el jugador que se empeña en superar sus pérdidas, perseguía sus viejos sueños, su vano presente, su tiempo perdido, su dicha pasada. No tenía coraje para levantarse de la mesa y decir: «Ya he perdido bastante.»

Y allí estaba, transido de tristeza y despecho, aguardando a que se dignaran hacerlo entrar.

Para distraer su impaciencia miraba el ir y venir de los sirvientes en el patio del palacio que sacaban los caballos para llevarlos a pacer en el Petit-Pré-aux-Clercs, y a los cargadores que traían cuartos de reses y fardos de verdura.

El palacio de Nesle se componía de dos edificios: el palacio propiamente dicho, de reciente construcción, y la torre, un siglo más antigua, que formaba parte del sistema de defensa de Felipe Augusto. Seis años antes, Felipe el Hermoso había comprado el conjunto de los edificios al conde Amaury de Nesle, que cedió como residencia a su hijo mayor, el rey de Navarra.[1]

La torre había sido utilizada como sala de guardia y almacén hasta que Margarita la hizo arreglar y amueblar, según ella, para retirarse allí algunas veces y dedicarse a la oración. Afirmaba que tenía necesidad de soledad, y como la sabía de carácter fantasioso, Luis de Navarra no se asombró por ello. Pero en realidad sólo había querido ese arreglo para poder recibir con mayor tranquilidad a su apuesto Felipe de Aunay.

Esto llenó de orgullo a su amante. Por amor a él, una

reina había transformado una fortaleza en nido de amor.

Y cuando el hermano mayor de Felipe, Gualterio de Aunay, se convirtió en amante de Blanca, la torre sirvió igualmente de secreto asilo a la nueva pareja. El pretexto resultaba fácil: Blanca iba a visitar a su prima y hermana política. Lo único que Margarita quería era que la dejaran ser complaciente y cómplice.

Pero ahora, mientras Felipe contemplaba la enorme torre sombría, de techo almenado, ventanas estrechas y altas, que dominaba el río, no podía dejar de preguntarse si otros hombres no pasaban con su amante las mismas noches turbulentas... ¿Acaso no justificaban la duda esos cinco días sin dar señales de vida, cuando todo se prestaba a un encuentro?

Se abrió una puerta y una camarera lo invitó a seguirla. Esta vez estaba decidido a no dejarse engañar. La camarera lo precedió por un largo corredor y luego desapareció. Felipe entró en una habitación baja de techo y atestada de muebles, donde flotaba un persistente perfume que conocía muy bien. Era una esencia de jazmín que los mercaderes recibían de Oriente.

Felipe necesitó algunos minutos para acostumbrarse a la penumbra y al calor del ambiente. Un gran fuego ardía en la chimenea de piedra.

—Señora —dijo.

Del fondo del cuarto surgió una voz un poco ronca, como adormecida.

—Acercaos, señor.

¿Se atrevía a recibirlo en su cuarto, sin testigos? Al instante se vio tranquilizado y decepcionado: la reina de Navarra no estaba sola. Medio oculta por las cortinas del lecho bordaba una dama de compañía, con el mentón y el cabello aprisionados por la blanca toca de viuda. Margarita estaba echada en la cama, vestida con una túnica para ir por casa con vueltas de piel que dejaba ver sus pies desnudos, pequeños y regordetes. Recibir a un hombre con tal atuendo y en tal postura ya constituía, de por sí, una audacia.

Felipe se adelantó y adoptó un tono cortesano, desmentido por su rostro, para anunciar que la condesa de Poitiers lo enviaba en busca de noticias de la reina de Navarra y le transmitía, junto con un presente, sus cariñosos saludos.

Margarita lo escuchó sin moverse ni volver los ojos.

Era pequeña, de cabellos negros y de tez ambarina. Se decía que tenía el cuerpo más hermoso del mundo y, por cierto, la primera en pregonarlo era ella.

Felipe contemplaba aquella boca redonda, sensual; la barbilla corta partida por un hoyuelo; la carnosa garganta que el amplio escote dejaba a la vista; el brazo doblado hacia arriba descubierto por la generosa sisa.

Felipe se preguntaba si Margarita no iría completamente desnuda bajo la túnica.

—Dejad el regalo sobre la mesa —dijo Margarita—. Lo veré enseguida.

Se desperezó y bostezó. Felipe vio la lengua rosada, el paladar y los dientecitos blancos. Bostezaba a la manera de los gatos.

Ni una sola vez había vuelto los ojos hacia él. Por el contrario, se sentía observado por la dama de compañía. Él no recordaba, entre las acompañantes de Margarita, a aquella viuda de largo rostro y penetrante mirada. Hizo un esfuerzo para contener su irritación, que crecía por momentos.

—¿Debo llevar —preguntó— alguna respuesta a la condesa de Poitiers?

Margarita se dignó por fin mirar a Felipe. Tenía unos ojos admirables, oscuros y aterciopelados, que acariciaban las cosas y las personas.

—Decid a mi hermana política de Poitiers... —comenzó.

Felipe, que había cambiado de lugar, indicó a Margarita con un gesto impaciente que despidiera a la viuda. Pero Margarita no pareció captarlo. Sonreía, aunque no a Felipe; sonreía al vacío.

—O mejor —continuó—, le escribiré un mensaje que vos le entregaréis.

Luego se dirigió a la dama de compañía:

—Está bien por hoy. Es tiempo de que me vista. Id a preparar mis ropas.

La viuda pasó al cuarto contiguo a buscar las ropas, pero dejó la puerta abierta.

Margarita se levantó, dejando ver una bella, tersa rodilla y al pasar junto a él le dijo, con un hilo de voz:

—Te amo.

—¿Por qué hace cinco días que no te veo? —preguntó él de la misma manera.

—¡Qué hermosura! —exclamó Margarita, extendiendo el cinturón que le había traído—. ¡Juana tiene un gusto exquisito! ¡Me encanta este regalo!

—¿Por qué no te he visto? —repitió Felipe, en voz baja.

—Me vendrá de maravilla para mi nueva escarcela —replicó Margarita casi gritando—. Señor de Aunay, ¿podéis esperar a que escriba unas palabras de agradecimiento?

Se sentó a una mesa, tomó una pluma de ganso y un trozo de papel.[2] Hizo a Felipe señas para que se acercara, y éste pudo leer en el papel: «¡Prudencia!»

Luego gritó a la dama de la pieza contigua:

—¡Señora de Comminges, id en busca de mi hija! Todavía no le he dado un beso esta mañana.

La dama de compañía se alejó.

—La prudencia —dijo entonces Felipe— es pretexto para alejar a un amante y acoger a otro. Yo sé bien que me mentís.

Ella tenía una expresión de cansancio y de enervamiento.

—Y yo veo que no comprendéis nada. Os ruego que seáis más prudente en vuestras palabras y miradas. Cuando los amantes comienzan a reñir o a cansarse traicionan su secreto ante los que los rodean. ¡Dominaos!

Margarita no decía esto sin motivo. Hacía días que sentía a su alrededor una sombra de sospecha. Luis de Navarra había aludido a los éxitos de ella y a las pasiones que levantaba; bromas de marido en las que la risa sonaba a hueco. ¿Habría notado alguien la impaciencia de Felipe? Margarita estaba tan segura como de sí misma del portero y la camarera de la torre, dos criados que había traído de Borgoña y a quienes aterrorizaba y cubría de oro al mismo tiempo. Pero nadie está a salvo de unas palabras imprudentes. Y luego aquella señora de Comminges, que le habían impuesto para complacer al conde de Valois, correteando por todas partes con su triste ropaje...

—¿Confesáis, pues, que estáis cansada? —dijo Felipe de Aunay.

—Sois fastidioso, ¿sabéis? —declaró Margarita—. Se os ama y todavía gruñís.

—Pues bien, esta noche no tendré ocasión de fastidiaros —respondió Felipe—. No se celebra consejo. El propio rey nos lo ha dicho, de modo que podréis satisfacer cómodamente a vuestro marido.

De no haber estado ciego de cólera, Felipe habría comprendido, por la cara que ella puso, que nada tenía que temer por ese lado.

—¡Y yo me dedicaré a cualquier ramera! —agregó.

—¡Muy bien! —dijo Margarita—. Así podréis luego contarme cómo lo hacen esas mujeres. Me gustará.

Su mirada se había iluminado; se pasaba por los labios la punta de la lengua, irónica.

«¡Zorra!, ¡zorra!, ¡zorra!», pensaba Felipe. No sabía cómo pillarla; todo le patinaba como el agua sobre el cristal.

Margarita se acercó a un cofre abierto y sacó un bolso que Felipe no le había visto nunca.

—Me irá a las mil maravillas —dijo Margarita pasando el cinturón por los anillos de oro y contemplándose, con el bolso en la cintura, ante un gran espejo de estaño.

—¿Quién te ha dado esa escarcela? —preguntó Felipe.

—Es un regalo de...

Iba a responder la verdad, ingenuamente. Pero lo vio tan crispado y lleno de sospechas, que no pudo resistir el deseo de divertirse con él.

—Es un regalo de... alguien —dijo.

—¿De quién?

—Adivina.

—¿Del rey de Navarra?

—¡Mi marido no es tan generoso!

—¿De quién, entonces?

—Adivina.

—Quiero saberlo. Tengo derecho a saberlo —dijo Felipe, furioso—. Es un regalo de un hombre, de un hombre rico y enamorado... porque tiene razones para estarlo.

Margarita continuaba mirándose en el espejo, colocando la escarcela, ora contra una cadera, ora contra la otra, ora en mitad de la cintura; con este movimiento a ambos lados descubría y cubría la pierna.

—Fue Roberto de Artois —dijo Felipe.

—¡Oh, señor, me suponéis de muy mal gusto! —dijo ella—. Ese rústico que huele siempre a caza...

—El señor de Fiennes, entonces, que os ronda como a todas las mujeres —replicó Felipe.

Margarita ladeó la cabeza y adoptó una actitud pensativa.

—¿El señor de Fiennes? —dijo—. No había reparado en su interés por mí. Pero puesto que vos lo decís... Gracias por hacérmelo notar.

—¡Acabaré por enterarme!

—Cuando hayáis citado a toda la corte de Francia...

Iba a agregar que podía pensar entonces en la corte de Inglaterra, pero se vio interrumpida por el regreso de la señora de Comminges que empujaba ante sí a la princesa Juana. La niñita, de tres años, caminaba despacio enfundada en un vestido bordado con perlas. No tenía de su madre más que la frente convexa, redonda, casi abombada. Pero era rubia, de nariz fina y larga, ojos claros y sedosas pestañas temblorosas. Tanto podía ser hija del rey de Navarra como de Felipe de Aunay. Tampoco en este punto Felipe pudo saber nunca la verdad. Margarita era demasiado hábil para traicionarse en un punto tan delicado. Cada vez que Felipe veía a la pequeña, se preguntaba: «¿Será mía?» Recordaba fechas, rebuscaba indicios y pensaba que más adelante se vería forzado a inclinarse y a obedecer las órdenes de una princesa que tal vez era su hija y que quizás ocupara los tronos de Navarra y Francia, pues Luis y Margarita no tenían por el momento otra descendencia.

Margarita alzó a la pequeña Juana, la besó en la frente y comprobó que tenía la carita fresca. Luego la entregó a la dama de compañía diciendo:

—Ahora que la he besado, podéis llevárosla.

En la mirada de la señora de Comminges leyó que no la había engañado. «Debo desembarazarme de esta viuda», pensó Margarita.

Entró otra dama preguntando si estaba allí el rey de Navarra.

—No es en mis aposentos donde, por lo general, se le encuentra a estas horas —dijo Margarita.

—Lo buscan por todas partes. El rey lo llama urgentemente.

—¿Se sabe el motivo? —interrogó Margarita.

—Creí comprender, señora, que los templarios rechazaron la sentencia. El pueblo se agita en torno a Notre Dame y la guardia ha sido doblada en todas partes. El rey ha convocado al consejo...

Margarita y Felipe se miraron. Se les había ocurrido la misma idea, que nada tenía que ver con los asuntos del reino. Tal vez los acontecimientos obligarían a Luis de Navarra a pasar parte de la noche en palacio.

—Puede que la jornada no termine de la manera prevista —dijo Felipe.

Margarita lo observó unos segundos y se dijo que lo había hecho sufrir bastante. Felipe había recobrado su actitud respetuosa y distante, pero su mirada mendigaba felicidad. Emocionada, Margarita sintió que renacía en ella el deseo.

—Es posible, señor —le dijo.

Se había restablecido su complicidad.

Estrujó el papel en el que había escrito «prudencia» y lo arrojó al fuego diciendo:

—Este mensaje no me agrada. Más tarde haré llegar otro a la condesa de Poitiers; espero tener cosas mejores que decirle. Adiós, señor.

Felipe era al salir una persona distinta de la que entró. Una sola palabra de esperanza le había devuelto la confianza en su amante, en sí mismo, incluso en la vida, y el final de la mañana le parecía radiante.

«Me ama... Soy injusto con ella», pensaba.

Cuando pasaba por la sala de guardia se cruzó con el conde de Artois que entraba. Habríase dicho que el gigante le seguía la pista, pero no era así; por el momento, Roberto de Artois tenía otros problemas.

—¿Está en casa mi señor el rey de Navarra? —preguntó a Felipe.

—Sé que se le busca para el consejo del rey —dijo Felipe.

—¿Vinisteis a avisarlo?

—Sí —respondió Felipe, instintivamente.

Al instante pensó que esa mentira, fácilmente comprobable, era una tontería.

—Lo busco por el mismo motivo —dijo el conde de Artois—. Mi señor de Valois querría hablar con él antes del consejo.

Se separaron. Este encuentro fortuito puso en guardia al gigante. «¿Será él?», pensó mientras atravesaba el patio. Una hora antes había visto a Felipe en la galería Mercière, en compañía de Juana y Blanca. Ahora lo encontraba saliendo de los aposentos de Margarita...

«Este jovencito, o le sirve de mensajero, o es el amante de alguna de las tres. Si es así, no tardaré en saberlo...»

La señora de Comminges le tendría al corriente. Además, un hombre de su confianza se encargaba de vigilar durante la noche los alrededores de la torre de Nesle. Las redes estaban tendidas. ¡Tanto peor para el pájaro de lindo plumaje si se dejaba atrapar!

NOTAS

1. La torre de Nesle, anteriormente torre de Hamelin por el preboste de París que impulsó su construcción, y el palacio de Nesle ocupaban el actual emplazamiento del Instituto de Francia y de la Moneda. El jardín limitaba a poniente con la muralla de Felipe Augusto, cuyo foso, el llamado «foso de Nesle», sirvió de trazado a la calle Mazarine. El conjunto fue dividido en Gran Nesle, Pequeño Nesle y Mansión Nesle. Posteriormente se construyeron sobre tales divisiones los palacios de Nevers, de Guénégaud, de Conti y de la Moneda. La torre fue derribada en 1663 para la construcción del colegio Mazarino o de las Cuatro Naciones, adscrito al Instituto desde 1805.

2. El papel de algodón, que se considera un invento chino, llamado en un principio «pergamino griego» porque los venecianos descubrieron su uso en Grecia, hizo su aparición en Europa hacia el siglo X. El papel de lino (o de trapo) fue importado, poco después, por los sarracenos de España. Las primeras fábricas de papel se establecieron en Europa durante el siglo XIII. Por razones de conservación y resistencia, el papel no se utilizaba jamás en documentos oficiales, pues éstos debían soportar «sellos colgantes».

6

El consejo del rey

Cuando el preboste de París, jadeante, se presentó ante el rey, lo halló de buen humor. Felipe el Hermoso se encontraba admirando a tres grandes perros de caza que acababan de enviarle con la siguiente carta:

Señor:

Un sobrino mío ha venido a confesarme, muy apenado por su falta, que estos tres perros de caza que conducía os han atropellado a vuestro paso. Aunque indignos de ofrecérselos, no es tanto mi mérito para conservarlos, puesto que han tocado a tan alto y poderoso señor. Me fueron enviados hace poco de Venecia.

Os pido que los recibáis como muestra de devoción y humildad de vuestro servidor,

SPINELLO TOLOMEI
Sienés

—Hombre hábil, este Tolomei —se dijo Felipe el Hermoso.

Aunque tenía por costumbre rechazar todo presente, no se resistía a aceptar aquellos perros. Sus jaurías eran las más bellas del mundo, y constituía un halago a su única pasión obsequiarle con animales tan magníficos como los que tenía delante.

Mientras el preboste explicaba lo sucedido en Notre Dame, Felipe el Hermoso seguía acariciando los perros, abría sus fauces para examinar los blancos colmillos y el negro paladar y palpaba sus flancos. Eran importados de Oriente, sin duda.

Entre el rey y los animales, principalmente los perros, nacía enseguida un acuerdo tácito, secreto, misterioso. A diferencia de los hombres, los perros no le temían. El más grande posaba ya su cabeza sobre las rodillas del rey y contemplaba al nuevo amo.

—¡Bouville! —llamó Felipe el Hermoso.

Apareció Hugo de Bouville, primer chambelán del rey, hombre de unos cincuenta años de edad, cuyo negro cabello salpicado de hebras blancas le daba un curioso aspecto de caballo tordo.

—Bouville, reunid inmediatamente al consejo interno —dijo el rey.

Luego hizo saber al preboste que cualquier disturbio que se produjera en París significaría su muerte, y lo despidió.

Felipe el Hermoso se quedó meditando en compañía de sus nuevos animales.

—Entonces, ¿qué vamos a hacer, *Lombardo*? —dijo acariciando la cabeza del gran perro y dándole así su nuevo nombre. Porque como todo el mundo llamaba «lombardo» sin distinción a cualquier banquero o comerciante originario de Italia, y el perro procedía de uno de ellos, el rey encontraba natural ponerle este nombre. Pronto se halló reunido el consejo, no en la gran Sala de Justicia que podía albergar a cien personas y que se utilizaba para los grandes consejos, sino en una pequeña habitación contigua, donde ardía el fuego en la chimenea.

En torno a una larga mesa, los miembros de aquel restringido grupo habían tomado asiento para decidir la suerte de los templarios. El rey se encontraba a la cabecera, con el codo apoyado en el brazo de su sitial y la barbilla en la mano. A su derecha tenía a Enguerrando de Marginy, coadjutor y rector del reino; a Guillermo de Nogaret, el canciller; a Raúl de Presles, presidente de la corte de justicia territorial, y a otros tres legistas, Guillermo Dubois, Miguel de Bourdenai y Nicolás le Loquetier. A su izquierda se hallaban su primogénito, el rey Luis de Navarra, a quien habían encontrado por fin; Hugo de Bouville, el gran chambelán, y el secretario particular Maillard. Dos sitios quedaban sin ocupar: el del conde de Poitiers, que se hallaba en Borgoña, y el del príncipe Carlos, hijo menor del rey, que había salido de caza por la mañana y al cual aún no habían podido encontrar. Faltaba también el conde de Valois, enviado a llamar a su palacio, donde debía de estar intrigando como siempre hacía antes de cada consejo. El rey había decidido comenzar sin él.

Enguerrando de Marigny habló primero. Este todopoderoso ministro por su profundo entendimiento con el soberano no había nacido noble. Era un burgués normando llamado Le Portier antes de convertirse en el señor de Marigny. Con meteórica carrera se había ganado la envidia y el respeto a partes iguales. El título de coadjutor, creado para él, lo convertía en la mano derecha del rey. Tenía cuarenta y nueve años, era fornido, de barbilla prominente y cutis basto, y vivía con opulencia gracias a la inmensa fortuna adquirida. Era el hombre de discurso más hábil del reino y poseía un talento político superior para su época.

Le bastaron pocos minutos para exponer un cuadro completo de la situación, según los muchos informes recibidos, entre ellos el de su hermano, el arzobispo de Sens.

—La comisión eclesiástica ha puesto en vuestras manos al gran maestre y al preceptor de Normandía, señor —dijo—. Os está permitido disponer de ellos a vuestro antojo, sin tener a nadie en cuenta, ni siquiera al mismo Papa. ¿Acaso no es lo mejor que podíamos esperar?

Lo interrumpió el ruido de la puerta que se abría. El conde de Valois, hermano del rey y ex emperador de Constantinopla, entró como un vendaval. Tras esbozar una inclinación de cabeza hacia el soberano, y sin preocuparse por averiguar lo que se había dicho, el recién llegado gritó:

—¿Qué escucho, hermano? ¿Al señor Le Portier de Marigny —remarcó el Le Portier— le parece que todo ha sido para bien? ¡Y bien, hermano mío! ¡Con poco se contentan vuestros consejeros! ¡Me pregunto cuándo opinarán que todo anda mal!

Era dos años menor que Felipe el Hermoso y parecía el mayor. Era tan inquieto como tranquilo el rey. Carlos de Valois, de gruesa nariz y mejillas rubicundas por la vida al aire libre y los excesos en la mesa, marcaba barriga y vestía con una suntuosidad oriental que en cualquier otro hubiera resultado ridícula. Había sido guapo.

Nacido tan cerca del trono de Francia, y sin resignarse a no ocuparlo, este príncipe intrigante había recorrido el mundo en su incesante búsqueda de otro trono donde sentarse. Adolescente aún, recibió la corona de Aragón, que no pudo conservar. Después intentó reconstruir en provecho propio el reino de Arles. Luego fue candidato al Imperio alemán, pero fracasó en el intento. Viudo de una princesa de Anjou-Sicilia, fue emperador de Constantinopla por su segundo matrimonio con Catalina de Courtenay, heredera del Imperio romano de Oriente; pero sólo de forma nominal, porque el verdadero emperador, Andrónico II Paleólogo, reinaba entonces en Bizancio. En aquellos momentos, viudo nuevamente, aquel cetro ilusorio se le había escapado de las manos para recaer en uno de sus yernos, el príncipe de Tarento. Sus mejores títulos de gloria eran la campaña relámpago de Guyena en el año 1297 y su campaña de Toscana, donde luchando con los güelfos contra los gibelinos, había devastado Florencia y desterrado al poeta Dante. A raíz de sus victorias, el papa Bonifacio VIII lo había nombrado conde de Romaña. Valois vivía al estilo de un rey, tenía su corte y su propio canciller. Detestaba a Enguerrando de Marigny por mil razones: por su origen plebeyo, por su título de coadjutor, por su estatua colocada con las de los reyes en la galería Mercière, por su política hostil a los grandes señores feudales, por todo. Carlos de Valois, nieto de san Luis, no podía admitir que el reino fuera gobernado por un hombre surgido del pueblo. Aquel día vestía de azul y oro, del sombrero a los zapatos.

—Cuatro ancianos medio muertos —prosiguió—, cuyo destino estaba resuelto, ponen en jaque, ¡y de qué manera!, a la autoridad real... y todo anda bien. El pueblo escupe sobre el tribunal eclesiástico... ¡Vaya tribunal!, reclutado por las circunstancias... y todo anda bien. La multitud grita, pero, ¿contra quién? ¡Contra los prelados, contra el preboste, contra los arqueros, contra vos, hermano mío!... y todo va bien. Pues bien, que así sea. ¡Alegrémonos! ¡Todo va bien!

Alzó sus hermosas manos cargadas de anillos y se sentó, no en el sitio para él reservado sino en la primera silla que halló a mano, al otro extremo de la mesa, para afirmar, con esta lejanía, su desacuerdo.

Enguerrando de Marigny había permanecido en pie, con una mueca de ironía en la comisura de los labios.

Mi señor de Valois debe estar mal informado —dijo tranquilo—. De los cuatro ancianos que menciona, solamente dos han recusado la sentencia. En cuanto al pueblo, mis informes me aseguran que las opiniones están muy divididas.

—¡Divididas! —gritó Carlos de Valois. Eso es ya en sí un escándalo. ¿A quién le importa la opinión del pueblo? A vos, señor de Marigny, y se comprende el motivo. He aquí el resultado de vuestro hermoso invento de reunir a burgueses, villanos y otros ignorantes para que aprueben las decisiones del rey. ¡Ahora se arrogan el derecho de juzgar!

En cualquier época y lugar siempre han existido dos tendencias: la reaccionaria y la progresista. Ambas se enfrentaban en el consejo del rey. Carlos de Valois se consideraba jefe natural de los grandes barones. Encarnaba la reacción feudal y su evangelio político defendía ciertos principios con ensañamiento: el derecho de guerra privada entre los señores, el derecho de los grandes feudatarios de acuñar moneda en sus territorios,* el mantenimiento del orden moral y legal de la caballería, y la sumisión a la Santa Sede como supremo poder de arbitraje. Instituciones y costumbres heredadas todas ellas de los siglos pasados, pero que Felipe el Hermoso, inspirado por Marigny, había abolido o pugnaba por abolir.

Enguerrando de Marigny representaba el progreso. Sus grandes ideas eran la centralización del poder y la administración, la unificación de la moneda, la independencia del poder civil con respecto a la autoridad religiosa, la paz exterior mediante la fortificación de ciudades estratégicas y el establecimiento de guarniciones permanentes, la paz interior por el fortalecimiento de la autoridad real y el aumento de la producción asegurando los intercambios y el tráfico comerciales. Las disposiciones que dictaba o promovía eran llamadas «las innovaciones».

Pero la medalla tenía su reverso: el aumento de la fuerza policial constituía un gasto considerable, y lo mismo podía decirse de la construcción de las fortalezas.

Combatido de lleno por el poder feudal, Enguerran-

---

* Se llamaba así a los que tenían un feudo y debían, por lo tanto, fidelidad y respeto al soberano. (*N. de la T.*)

do se había esforzado por dar al rey el apoyo de una clase que, al desarrollarse, adquiría conciencia de su importancia: la burguesía. En varias ocasiones difíciles, principalmente a propósito de los conflictos con la Santa Sede, había convocado a los burgueses de París, juntamente con los barones y los prelados, al palacio de la Cité. Otro tanto había hecho en las ciudades de provincia. Tenía presente el ejemplo de Inglaterra, donde ya hacía medio siglo que funcionaba la Cámara de los Comunes.

Claro está que la misión de estas primeras asambleas francesas no era discutir, sino escuchar las razones de las medidas adoptadas por el rey y aprobarlas.[1]

Por intrigante que fuera Carlos de Valois, no tenía un pelo de tonto. No perdía una sola oportunidad para desacreditar a Marigny. Su oposición, sorda durante mucho tiempo, se había convertido en una lucha abierta desde hacía meses.

—Si los altos barones, mi señor —dijo Marigny—, se hubieran sometido de mejor grado a las ordenanzas reales, no habríamos tenido necesidad de apoyarnos en el pueblo.

—¡Hermoso apoyo, en verdad! —gritó el conde de Valois. Los motines de 1306, cuando el rey y vos mismo debisteis refugiaros en el Temple... sí, os lo recuerdo, en el Temple... ¡no os han servido de lección! Vaticino que, si continuamos así, los burgueses prescindirán del rey para gobernar y serán vuestras asambleas las que redactarán las ordenanzas en muy poco tiempo.

El rey callaba, la barbilla apoyada en la mano y los ojos muy abiertos, fijos delante de sí. Raramente parpadeaba; sus pestañas permanecían inmóviles durante largo tiempo, y eso confería a su mirada la extraña fijeza que amedrentaba a todo el mundo.

Marigny se volvió hacia él como pidiéndole que usara su autoridad para detener una discusión que tomaba otros derroteros.

Felipe el Hermoso, alzando levemente la cabeza, dijo:

—Hermano mío, hoy se trata de los templarios, no de las asambleas.

—Sea —dijo Carlos, golpeando la mesa—. Ocupémonos de los templarios.

—¡Nogaret! —murmuró el rey.

El canciller se puso en pie. Desde el inicio del consejo ardía en una cólera que sólo esperaba el momento de manifestarse. Fanático del bien público y de la razón de Estado, el caso de los templarios era «su caso» y a él dedicaba una pasión sin límites e inquebrantable. Por otra parte, a ese proceso del Temple debía su alto cargo desde el dramático consejo de 1307. Fue en aquel consejo cuando, habiéndose negado el arzobispo de Narbona, Giles Aycelin, canciller real, a sellar la orden de arresto de los templarios, Felipe el Hermoso, sin mediar palabra, tomó los sellos de manos del arzobispo para entregárselos a Nogaret, haciendo de éste el segundo personaje de la administración real. Huesudo, moreno, carilargo, de ojos muy juntos, continuamente jugueteaba con sus ropas o se roía las uñas de sus chatos dedos.

—Señor, la monstruosidad de lo ocurrido —comenzó diciendo con énfasis y apresuramiento— prueba que cualquier indulgencia, cualquier clemencia concedida a los secuaces del diablo, es flaqueza que se vuelve contra vos.

—Es verdad —dijo Felipe el Hermoso volviéndose hacia el conde de Valois—. La clemencia que vos me aconsejasteis, hermano mío, y que mi hija me pidió desde Inglaterra, no ha dado buen fruto... Proseguid, Nogaret.

—Se les da a esos perros inmundos una vida que no merecen, y en lugar de bendecir a sus jueces aprovechan para insultar enseguida a la Iglesia y al rey. Los templarios son herejes...

—Eran —subrayó Carlos de Valois.

—¿Decíais, mi señor? —preguntó Nogaret, impaciente.

—He dicho eran, señor, pues si la memoria no me falla, de los miles que había en Francia y que vos habéis desterrado, encarcelado, atormentado o quemado, sólo cuatro restan en vuestras manos... bastante molestos, os lo advierto, pues se atreven a proclamar su inocencia después de un proceso de siete años. Creo que antaño, señor de Nogaret, llevabais a cabo vuestra labor con mayor presteza, pues de un simple puñetazo hacíais desaparecer a un Papa.

Nogaret se estremeció y su tez se ensombreció aún más bajo el vello azul de la barba. Pues había sido él quien había conducido hasta el corazón del Lacio la siniestra expedición destinada a deponer al anciano Bonifacio VIII, al final de la cual aquel pontífice, de ochenta y ocho años, fue abofeteado cuando lucía todavía la tiara pontificia.

Nogaret fue excomulgado, y se necesitó toda la autoridad de Felipe el Hermoso sobre Clemente V para que le fuera levantada la sanción.

No era muy antiguo este penoso suceso. Solamente once años habían transcurrido, y los adversarios de Nogaret no perdían ocasión de recordárselo.

—Bien sabemos, mi señor —replicó Nogaret—, que siempre habéis apoyado a los templarios; sin duda contabais con sus huestes para reconquistar, aun a costa de la ruina de Francia, ese trono fantasma de Constantinopla en el que, al parecer, no os habéis sentado.

Devuelto ultraje por ultraje, su tez recobró el color.

—¡Maldición! —rugió Carlos de Valois, incorporándose y derribando su sillón.

Una zarabanda de ladridos surgida de debajo de la mesa sobresaltó a todos, excepto a Felipe el Hermoso y a Luis, rey de Navarra, que se reía a carcajadas. Los ladridos provenían del gran perro de caza que el rey de Francia había retenido y que aún no estaba acostumbrado a estos arranques.

—Luis, callaos —dijo Felipe el Hermoso, clavando una mirada glacial en su hijo. Luego hizo chasquear los dedos, diciendo—: Quieto, *Lombardo* —y acercó a su cadera la cabeza del perro.

Luis de Navarra, a quien ya empezaban a llamar Luis el Obstinado y Luis el Pendenciero, bajó la cabeza para sofocar su risa bobalicona.

Tenía veinticinco años, pero mentalmente no pasaba de los quince. Poseía algunos de los rasgos de su padre, pero su mirada era débil y huidiza y su cabello carecía de brillo.

—Señor —dijo Carlos de Valois, después de que Bouville, el chambelán, le hubiera alzado la silla—, Dios es testigo de que nunca soñé en otros intereses y otra gloria que los vuestros.

Felipe el Hermoso volvió sus ojos hacia él y Carlos de Valois se sintió menos firme en su discurso. Sin embargo, prosiguió:

—En vos únicamente pienso, hermano mío, cuando veo destruir aquello que forjó el poder del reino. Sin el Temple, refugio de la caballería, ¿cómo podríais emprender una cruzada, si fuera necesario?

Marigny se encargó de responder.

—Bajo el sabio gobierno de nuestro rey —dijo—, no se ha emprendido ninguna cruzada justamente porque la caballería estaba tranquila, monseñor, y no fue necesario llevarla más allá de los mares para que desahogara sus ardores.

—¿Y la fe, señor?

—El oro rescatado de manos de los templarios ha aumentado más el Tesoro, mi señor, que el gran comercio que se hacía bajo las banderas de la fe. Las mercancías también circulan sin cruzadas.

—¡Habláis como un descreído, señor!

—¡Hablo como servidor del reino, mi señor!

El rey dio un ligero golpe sobre la mesa.

—Hermano mío —dijo otra vez—, hoy nos ocupamos de los templarios... os pido vuestro consejo.

—Mi consejo... ¿mi consejo? —repitió el conde de Valois, tomado por sorpresa.

Se hallaba siempre dispuesto a reformar el universo, pero nunca a dar una opinión concreta.

—¡Pues bien, hermano mío! Que aquellos que han llevado tan bien el caso —designó a Marigny y a Nogaret— os inspiren el modo de terminarlo. En cuanto a mí... —Realizó el gesto de Pilatos.

—Luis... vuestro consejo —dijo el rey.

Luis de Navarra se sobresaltó y tardó un rato en responder.

—¿Y si confiáramos esos templarios al Papa? —dijo por fin.

—Callaos —dijo el rey, e intercambió con Marigny una mirada de conmiseración.

Devolver el gran maestre al Papa equivalía a comenzar de nuevo, revisar el fondo y la forma, renunciar al desentendimiento tan duramente arrancado a los concilios, anular siete años de esfuerzos, reiniciar los debates...

«¡Y pensar que este imbécil, esta pobre mente incompetente va a sucederme en el trono! —Se decía Felipe el Hermoso—. ¡En fin, esperemos que de aquí a entonces haya madurado!»

Un chaparrón de marzo crepitó sobre los vitrales emplomados.

—¡Bouville! —llamó el rey.

El gran chambelán, todo devoción, obediencia, fidelidad y afán de agradar, no tenía iniciativa. Como de costumbre, se preguntaba cuál sería la respuesta que Felipe el Hermoso deseaba escuchar.

—Reflexiono, señor, reflexiono —respondió.

—¿Vuestro consejo, Nogaret? —dijo el rey.

—Que aquellos que han reincidido en la herejía sufran el castigo de los herejes... y sin dilación —respondió el canciller.

—¿Y el pueblo? —preguntó Felipe el Hermoso dirigiéndose a Marigny.

—Su inquietud cesará en cuanto dejen de existir los que la causan —dijo el coadjutor.

Carlos de Valois hizo una última tentativa.

—Considerad, hermano mío, que el gran maestre tenía rango de príncipe soberano. Tocar su cabeza es atentar contra el principio que protege las cabezas reales...

La mirada del rey cortó su discurso.

Hubo una pausa de pesado silencio. Luego, Felipe el Hermoso pronunció su sentencia:

—Jacobo de Molay y Godofredo de Charnay serán quemados esta tarde en el islote de los Judíos, frente al jardín de palacio. La rebelión ha sido pública, el castigo será también público. El señor de Nogaret redactará el decreto. He dicho. —Se puso en pie, y todos los presentes lo imitaron—. Quiero que asistáis al suplicio, señores, y que también esté presente nuestro hijo Carlos. Que se le avise. —Luego llamó—: ¡*Lombardo*! —Y salió, seguido del perro.

En este consejo en el que participaron dos reyes, un ex emperador, un virrey y varios dignatarios, dos grandes señores de la guerra y la Iglesia al mismo tiempo eran condenados a morir en la hoguera. Pero en ningún momento se tuvo la sensación de que se trataba de vidas humanas; sólo de principios.

—Sobrino mío —dijo Carlos de Valois a Luis el Obstinado—, hoy hemos asistido al fin de la caballería.

NOTAS

1. Fue a partir de esas asambleas instituidas por Felipe el Hermoso que los reyes de Francia tomaron por costumbre recurrir a consultas nacionales, llamadas más tarde Estados Generales, de donde surgieron, después de 1789, las primeras instituciones parlamentarias.

7

La torre del amor

Había caído la noche. La brisa arrastraba el aroma de tierra mojada y savia, y nubarrones negros en un cielo sin estrellas.

Una barca acababa de separarse de la orilla, a la altura de la torre del Louvre, y avanzaba sobre el Sena, cuyas aguas relucían como una vieja coraza bien lustrada.

Dos pasajeros iban sentados a popa, con el rostro hundido en sus amplios mantos.

—¡Qué tiempo éste! —dijo el barquero, que movía lentamente los remos—. Por la mañana se despierta uno con una niebla que no le deja ver ni a dos pasos; hete aquí que luego a la tercia sale el sol. Entonces uno se dice que ya está la primavera encima. Nada de eso; empieza a llover y no para hasta las vísperas. Y ahora el viento se levanta y a buen seguro que va a soplar con fuerza... ¡Qué tiempo éste![1]

—Apresúrate, buen hombre —dijo uno de los pasajeros.

—Se hace lo que se puede. Soy viejo, ¿sabéis? Cumpliré cincuenta y tres años el día de San Miguel. No soy fuerte como vos —respondió el barquero.

Vestía unos harapos y parecía complacerse en adoptar un tono quejumbroso.

A corta distancia, hacia la izquierda, se veían unas luces saltarinas sobre el islote de los Judíos y, más lejos, las ventanas de palacio iluminadas. Por ese lado había gran movimiento de barcas.[2]

—Entonces, ¿no vais a ver cómo se asan los templarios? —prosiguió el barquero—. Parece que el rey irá con sus hijos. ¿Es verdad?

—Así parece —dijo el pasajero.

—Y las princesas... ¿estarán también?

—No lo sé... sin duda —dijo el pasajero, volviendo la cabeza para dar a entender que no le interesaba proseguir la conversación.

Luego se dirigió en voz baja a su compañero.

—Este hombre no me gusta, habla demasiado. El otro pasajero se encogió de hombros con indiferencia y tras un silencio murmuró:

—¿Quién te avisó?

—Juana, como siempre —respondió el primero.

—¡Querida condesa Juana, cuántos favores le debemos!

A cada golpe de remo se aproximaba la torre de Nesle, alta mole negra erguida contra el negro cielo.

El mayor de los pasajeros posó la mano sobre el brazo de su compañero.

—Gualterio —murmuró—. Esta noche me siento feliz, ¿y tú?

—Yo también, Felipe, me siento a gusto.

Así hablaban los hermanos de Aunay, Gualterio y Felipe, mientras acudían a la cita que Blanca y Margarita les habían dado en cuanto se enteraron de que el rey retendría a sus maridos aquella noche. Y la condesa de Poitiers, celestina una vez más, se había encargado de transmitir el mensaje.

Felipe de Aunay a duras penas contenía su alegría. Se había extinguido su angustia de la mañana, y sus sospechas le parecían vanas. Margarita lo había llamado; Margarita lo esperaba; en breve la tendría en sus brazos y se comprometía a ser el amante más tierno, el más feliz y ardiente que pudiera hallarse.

La barca se arrimó al talud sobre el que se elevaba el

enorme muro de la torre. La última crecida del río había dejado una capa de limo.

El barquero tendió el brazo a los dos jóvenes para ayudarlos a saltar a tierra.

—Entonces, buen hombre, recuerda lo convenido. Nos aguardarás sin alejarte y sin dejarte ver —dijo Gualterio.

—Toda la vida, si queréis, mi joven señor, puesto que me pagas por ello —respondió el barquero.

—Con la mitad de la noche bastará —dijo Gualterio.

Le dio una moneda de plata, doce veces el valor del viaje, y le prometió otra para el regreso. El barquero saludó con una profunda reverencia.

Cuidando de no resbalar ni embarrarse demasiado, los dos hermanos salvaron la corta distancia que los separaba de una pequeña puerta, que golpearon según una señal convenida. La puerta se abrió.

Una camarera que llevaba un cabo de vela en la mano los hizo pasar y, luego de haber echado el cerrojo, los precedió por una escalera de caracol.

La gran habitación redonda donde los hizo entrar estaba iluminada únicamente por los reflejos rojizos de un fuego de leña, en una chimenea de campana; reflejos que se perdían en el entrecruzado de las ojivas del techo.

Al igual que en el cuarto de Margarita, flotaba allí un olor a esencia de jazmín que lo impregnaba todo: las telas recamadas de oro que cubrían los muros, los tapices, las rústicas pieles esparcidas sobre los lechos bajos según la moda oriental.

Las princesas no se hallaban presentes, y la criada salió diciendo que iba a anunciarles su llegada.

Los dos jóvenes se despojaron de sus mantos y acercándose a la chimenea extendieron las manos hacia el calor de las llamas.

Gualterio de Aunay era veinte meses mayor que su hermano Felipe, al cual se parecía mucho, aunque era

103

más bajo, más sólido y más rubio. Tenía el cuello grueso, las mejillas sonrosadas y se tomaba la vida de manera festiva. No tenía, como su hermano, excesos de pasión o de desánimo. Estaba bien casado con una Montmorency, de la cual tenía ya tres hijos.

—Siempre me pregunto —dijo mientras se calentaba— por qué Blanca me ha tomado por amante e incluso por qué ha tomado uno. Lo de Margarita tiene fácil explicación; basta ver a Luis de Navarra, con su mirada gacha, sus pies lerdos y su pecho hundido, y mirarte a ti para comprenderlo al instante. Además, hay otras cosas que nosotros sabemos...

Hacía alusión a ciertos secretos de alcoba, al escaso vigor amoroso del joven rey de Navarra y al odio sordo que existía entre ambos esposos.

—Pero lo de Blanca no lo comprendo —prosiguió Gualterio de Aunay—. Su marido es apuesto, más que yo... Sí, Felipe, no protestes, lo es. Carlos es más guapo, se parece en todo al rey, su padre... La ama y creo que, a pesar de todo lo que diga, también ella lo ama. Entonces, ¿por qué? Aprovecho mi suerte, pero no veo la razón. ¿Será porque no quiere ser menos que su prima?

Se oyó un sordo ruido de pasos y cuchicheos en el corredor que unía la torre con el palacio, y aparecieron las dos princesas.

Felipe se adelantó hacia Margarita, pero se detuvo. Acababa de ver en la cintura de su amante la escarcela que tanto lo había irritado aquella mañana.

—¿Qué tienes, mi hermoso Felipe? —preguntó Margarita tendiéndole los brazos y ofreciéndole su boca—. ¿No eres feliz?

—Bien sabes que sí —respondió él fríamente.

—¿Qué pasa, ahora? ¿Qué nueva mosca...?

—¿Lo haces para molestarme? —preguntó Felipe señalando la escarcela.

Ella se rió con voz cantarina.

—¡Celoso mío! ¡Qué tonto eres y cuánto me gustas! ¿No has comprendido que lo hacía por jugar? Pero te la doy, si eso ha de tranquilizarte. —Y desprendió rápidamente la escarcela de su cintura.

El joven esbozó un gesto de protesta.

—Mirad este loco —continuó ella—, que se sulfura con el más mínimo detalle. —Y engrosando la voz, imitaba la cólera de Felipe—: ¡Un hombre! ¿Quién es? ¡Lo quiero saber! ¿Es Roberto de Artois...? ¿Es el señor de Fiennes...? —Nuevamente la risa brotó de su garganta—. Me la envió una parienta, señor desconfiado, ya que queréis saberlo. Y Blanca y Juana recibieron otra igual. Si fuera presente de amor, ¿te lo podría regalar? Ahora lo es, para ti.

Felipe de Aunay, avergonzado y satisfecho a la vez, admiraba la escarcela que Margarita le había puesto en las manos casi a la fuerza.

Volviéndose a su prima, Margarita agregó:

—Blanca, enseña a Felipe tu escarcela. Yo le he dado la mía. —Y al oído de Felipe murmuró—: Apuesto a que dentro de un momento tu hermano habrá recibido el mismo presente.

Blanca se había acostado en uno de los lechos del rincón más oscuro de la pieza; Gualterio estaba a su lado, rodilla en tierra, cubriéndole de besos la garganta y las manos.

Incorporándose a medias, con la voz fatigada y un poco ausente por la espera del placer, preguntó:

—¿No es muy imprudente, Margarita, lo que has hecho?

—No —respondió Margarita—, nadie lo sabe, y nosotras no las habíamos llevado todavía. Bastará advertir a Juana. Además, el regalo de una bolsa... ¿no es la mejor manera de agradecer a estos gentiles hombres el servicio que nos hacen?

—Entonces —exclamó Blanca—, no quiero que mi amante sea menos amado ni vaya menos engalanado que el tuyo.

Y desató su escarcela, que Gualterio aceptó sin muchos miramientos puesto que su hermano ya lo había hecho.

Margarita miró a Felipe como diciendo: «¿No te lo había anunciado?», Felipe le sonrió.

Nunca podría descifrar ni explicarse su conducta. ¿Era la misma mujer la que aquella mañana, cruel y coqueta, se las ingeniaba para matarlo de celos, y la que ahora, al ofrecerle un regalo de ciento cincuenta libras, se echaba en sus brazos, sumisa, tierna, casi temblorosa?

—Si te amo tanto —murmuró—, creo que es porque no te comprendo.

Ningún otro cumplido podía proporcionarle mayor placer a Margarita. Se lo agradeció hundiéndole los labios en el cuello. Luego se apartó y aguzando el oído dijo:

—¿Oís? Son los templarios; los conducen a la hoguera.

Con la mirada brillante y el rostro animado por una turbia curiosidad, arrastró a Felipe hasta la ventana, una alta tronera tallada como un embudo en el espesor de los muros, y abrió la estrecha vidriera.

Un gran rumor de turba penetró en la estancia.

—¡Blanca, Gualterio, venid a ver esto! —llamó Margarita.

Pero Blanca respondió con un gemido de gozo:

—¡Ah, no! No quiero moverme, estoy muy bien.

Entre las dos princesas y sus amantes hacía mucho tiempo que había desaparecido todo pudor y estaban habituados a entregarse, unos delante de otros, a todos los juegos de la pasión. Y si Blanca desviaba la mirada y ocultaba su desnudez en los rincones en sombra, Margarita, por el contrario, experimentaba doble placer al contemplar el amor de los demás.

Pero por el momento, a esta última la retenía el espectáculo que se desarrollaba en medio del Sena. Allá abajo, en el islote de los Judíos, cien arqueros dispuestos en círculo mantenían en alto sus antorchas encendidas. Y las llamas, vacilantes por el viento, formaban una concavidad luminosa en la que se veían con nitidez la enorme pira levantada y los ayudantes del verdugo que apilaban los haces de leña. Tras la fila de arqueros, el islote, destinado por lo general a pasto para el ganado, estaba abarrotado de gente. Muchas embarcaciones cargadas de personas que querían presenciar el suplicio surcaban el río.

Después de zarpar de la orilla derecha, acababa de atracar en el islote una barca más pesada que las demás y con hombres armados a bordo. Dos altas siluetas grises, tocadas con extraños sombreros, descendieron precedidas de un monje que portaba una cruz. Entonces el rumor de la multitud se convirtió en clamor. Casi al mismo tiempo se iluminó una galería de la torre, llamada del Agua, construida en la esquina del jardín del palacio, y en ella se perfilaron algunas sombras. El rey y su consejo acababan de ocupar sus sitios.

Margarita se puso a reír, con una risa larga y aguda que parecía no terminar nunca.

—¿Por qué te ríes? —preguntó Felipe.

—Porque Luis está allí —respondió ella—, y si fuera de día podría verme.

Sus ojos relucían; sus rizos negros danzaban sobre su frente pronunciada. Con un rápido movimiento descubrió sus hermosos hombros ambarinos y dejó caer al suelo la ropa hasta quedar completamente desnuda, como si quisiera, a través de la distancia y de la noche, mofarse del marido a quien detestaba. Atrajo sobre sus caderas las manos de Felipe.

En el fondo de la sala, Blanca y Gualterio yacían uno junto al otro, en un apretado abrazo. El cuerpo de Blanca tenía reflejos nacarados.

Allá abajo, en el centro del río, iba creciendo el griterío. Los templarios eran atados a la pira a la cual iban a aplicar el fuego al cabo de un momento.

El fresco nocturno hizo estremecer a Margarita, que se aproximó a la chimenea y permaneció un momento con la mirada fija en las llamas, exponiéndose al ardor de las brasas hasta que la caricia del calor se hizo insoportable. Las llamas proyectaban reflejos danzantes sobre su piel.

—Arderán, se abrasarán... —dijo con voz jadeante y ronca—. Mientras tanto, nosotros...

Sus ojos buscaban en el corazón del fuego infernales imágenes que alimentaran su placer.

Se volvió bruscamente de cara a Felipe y se ofreció a él. De pie, igual que las ninfas legendarias cuando se ofrecían a los deseos de los faunos.

En el muro, su sombra se proyectaba, inmensa, hasta las ojivas del techo.

NOTAS

1. En la Edad Media, la medición del tiempo era mucho menos precisa que en la actualidad; se usaba la división eclesiástica de prima, tercia, sexta, nona y vísperas.

La prima comenzaba hacia las seis de la mañana, con la tercia se designaban las horas de la media mañana. La nona era el mediodía y la mitad de la jornada. Las vísperas con distinción entre altas y bajas vísperas, indicaban el final del día hasta la puesta del sol.

2. Este islote, río abajo y en la punta de la isla de la Cité, conocido antiguamente como islote de las Cabras, se llamó después islote de los Judíos, a raíz de las ejecuciones de judíos parisinos allí efectuadas. Fue unido a otro islote vecino y a la isla misma para construir el Pont-Neuf, y es en la actualidad el jardín de Vert-Galant.

8

«Os emplazo ante el tribunal de Dios...»

El jardín de palacio sólo estaba separado del islote de los Judíos por un delgado brazo de río. La pira había sido levantada frente a la galería real de la torre del Agua.

Los curiosos no cesaban de afluir a ambas orillas del Sena y el islote desaparecía bajo los pies de la multitud. Los barqueros hacían su agosto.

Pero los arqueros mantenían la formación. Los guardias reales dispersaban cualquier reunión. Piquetes de hombres armados se hallaban apostados en los puentes y en las bocas de todas las calles que daban al río.

—Marigny —dijo el rey a su coadjutor, que se hallaba a su lado—, podéis felicitar al preboste.

La agitación que por la mañana se temía que acabara en revuelta terminó convertida en fiesta popular, en apoteosis, en trágica diversión ofrecida por el monarca a su capital. Reinaba una atmósfera de feria. Los truhanes se mezclaban con los burgueses que habían acudido con sus familias; las busconas, arregladas y teñidas, habían abandonado las callejuelas de detrás de Notre Dame donde ejercían su comercio, y los chiquillos se deslizaban por entre las piernas de la gente para ver el espectáculo desde primera fila. Algunos judíos, apretujados en tímidos grupos y con la divisa amarilla sobre sus mantos, se disponían a contemplar un suplicio que, por esta vez, no les estaba destinado. Hermosas damas con túnicas forradas de piel, deseosas de emociones fuertes, se apretaban contra sus galanes y lanzaban intermitentes chillidos nerviosos.

Casi hacía frío; de vez en cuando, una ráfaga estremecía la luz de las antorchas que proyectaban rojos jaspeados sobre el río.

El señor Alán de Pareilles, con la visera del casco levantada y su sempiterna cara de fastidio, montaba su corcel delante de los arqueros.

Alrededor de la pira de leña preparada para la hoguera, que sobrepasaba la altura de un hombre, el verdugo y sus ayudantes, vestidos y encapuchados de rojo, se afanaban acomodando los haces.

En lo alto de la pira, el gran maestre de los templarios y el preceptor de Normandía habían sido atados a sendos postes, uno junto al otro. Cubría sus cabezas la infamante mitra de papel de los herejes.

Un monje alzaba hacia ellos una gran cruz sujeta a una larga pértiga y les dirigía las últimas exhortaciones. La multitud calló para escuchar lo que decía.

—Dentro de un instante compareceréis ante Dios —gritaba el monje—. Aún es tiempo de que confeséis vuestras culpas y os arrepintáis... Por última vez os conmino...

En lo alto, los condenados, inmóviles entre el cielo y la tierra, agitada la barba por el viento, no respondieron.

—Rehúsan confesarse; no se arrepienten —murmuraban los presentes.

El silencio se hizo más denso, más profundo. El monje se había arrodillado y mascullaba unas oraciones en latín. El verdugo tomó de manos de uno de sus ayudantes el blandón de estopa encendida y lo hizo girar varias veces sobre su cabeza para avivar la llama.

Un niño se puso a llorar y se oyó chasquear una bofetada.

El capitán Alán de Pareilles se volvió hacia el palco

real como aguardando una orden. Y todas las cabezas se volvieron hacia el mismo lado. Contuvieron la respiración.

Felipe el Hermoso estaba en pie contra la balaustrada, con los miembros del consejo alineados a ambos lados, inmóviles. A la luz de las antorchas parecían un bajorrelieve esculpido en el flanco de la torre.

También los condenados habían elevado sus ojos hacia la galería. La mirada del rey y la del gran maestre se cruzaron, se midieron, se enzarzaron, se retuvieron. Nadie sabía qué sentimientos y recuerdos cruzaban en aquel momento la mente de los dos enemigos... Pero la muchedumbre percibió instintivamente que algo grandioso, terrible y sobrehumano acontecía en aquella muda confrontación entre los dos príncipes de la tierra: todopoderoso el uno; y, el otro, que lo había sido.

¿Por fin Jacobo de Molay se humillaría e imploraría piedad? Y el rey Felipe el Hermoso, con un gesto igual de clemencia, ¿concedería el perdón a los condenados?

El rey hizo un ademán y en su mano destelló una sortija. Alán de Pareilles repitió el gesto en dirección al verdugo, y éste hundió el blandón de estopa entre los haces de la hoguera. De miles de pechos escapó un profundo suspiro mezcla de alivio y horror, turbio gozo, espanto, angustia, repulsión y placer.

Numerosas mujeres chillaron. Algunos niños ocultaron el rostro entre los pliegues de la ropa de sus padres.

Una voz de hombre gritó:

—¡Ya te había dicho que no vinieras!

El humo comenzó a elevarse en espesas volutas empujadas hacia la galería por una ráfaga de viento.

El conde de Valois se puso a toser de la manera más ostensible. Retrocedió hasta situarse entre Nogaret y Marigny, y dijo:

—Sí esto sigue así, nos ahogaremos antes de que

vuestros templarios se hayan quemado. Por lo menos podríais haber usado leña seca.

Nadie respondió a su observación. Nogaret, con los músculos en tensión y la mirada ardiente, saboreaba ásperamente su triunfo. Aquella hoguera era la coronación de siete años de luchas y de viajes agotadores, de millares de palabras pronunciadas para convencer, de millares de páginas escritas para probar. «Arded, quemaos —pensaba—. Bastante tiempo me habéis tenido en jaque. La razón estaba de mi parte, os he derrotado.»

Enguerrando de Marigny, imitando la actitud del rey, se esforzaba en permanecer impasible y en considerar aquel suplicio como una necesidad de gobierno. «Era preciso, era preciso», se repetía. Pero viendo morir a los hombres no podía dejar de pensar en la muerte, en su muerte. Los dos condenados ya no eran abstracciones políticas.

Hugo de Bouville oraba con disimulo.

El viento cambió de dirección y la humareda, cada vez más espesa y alta, rodeó a los condenados y los ocultó casi a la multitud. Se oyó toser y carraspear a los dos ancianos sujetos a sus respectivos postes.

Luis de Navarra se echó a reír estúpidamente, frotándose los ojos enrojecidos.

Su hermano Carlos, el menor de los hijos del rey, desviaba la vista. El espectáculo le resultaba penoso. Tenía veinte años; era esbelto, rubio y sonrosado, y los que habían conocido a su padre a la misma edad decían que se le parecía de manera notable, aunque era menos vigoroso y menos autoritario, como una réplica disminuida de un gran modelo. Tenía la apariencia pero le faltaban el temple y el carácter.

—Acabo de ver luz en tu casa, en la torre —le dijo a Luis en un susurro.

—Es la guardia, seguramente, que también quiere alegrarse la vista.

—De buen grado les cedía mi lugar —murmuró Carlos.

—¿Cómo? ¿No te divierte ver asarse al padrino de Isabel? —preguntó Luis de Navarra.

—Es verdad. Molay era el padrino de nuestra hermana... —murmuró Carlos.

—Luis, callaos —dijo el rey.

Para disipar el malestar que lo invadía, el joven príncipe Carlos se esforzó por concentrar su pensamiento en un objeto placentero. Se puso a soñar con su mujer, Blanca, con la maravillosa sonrisa de Blanca, con el cuerpo de Blanca, con sus delicados brazos que se tenderían hacía él dentro de poco para hacerle olvidar esa atroz visión. Pero no pudo evitar que se interpusiera un doloroso recuerdo: los dos hijos que Blanca le había dado habían muerto recién nacidos, dos criaturas que veía ahora inertes con sus pañales bordados. ¿Tendría la suerte de que Blanca tuviera otros hijos y de que viviesen?

Los gritos de la multitud lo sobresaltaron. Las llamas acababan de brotar de la leña. A una orden de Alán de Pareilles, los arqueros apagaron sus antorchas en la hierba y la noche quedó iluminada solamente por la hoguera.

Las llamas alcanzaron primero al preceptor de Normandía. Hizo un patético gesto de retroceso cuando las lenguas de fuego comenzaron a lamerlo, y su boca se abrió como si tratara de aspirar el aire que huía de él. A pesar de las ligaduras su cuerpo casi se dobló en dos.

Cayó la mitra de papel y se consumió en un instante. El fuego iba envolviéndolo. Luego una nube de humo gris lo engulló. Cuando se hubo disipado, Godofredo de Charnay ardía, agitando y jadeando, y tratando de desprenderse de aquel poste fatal que temblaba sobre su base. Se veía que el gran maestre lo alentaba, pero la turba rugía con tal fuerza para sobreponerse al horror, que no pudo percibirse más que la palabra «¡hermano!» pronunciada dos veces.

Los ayudantes del verdugo corrían de un lado para otro dándose empellones, en busca de nuevos haces de leña, y atizando la fogata con largos garfios de hierro.

Luis de Navarra, cuyo pensamiento funcionaba siempre con retraso, preguntó a su hermano:

—¿Estás seguro de que había luz en la torre de Nesle? Ya no la veo. —Y por un momento una preocupación pareció cruzar su mente.

Enguerrando de Marigny se había cubierto los ojos con la mano para protegerse del fulgor de las llamas.

—¡Hermosa imagen del infierno nos dais, Nogaret! —dijo el conde de Valois—. ¿Acaso pensáis en vuestro futuro?

Guillermo de Nogaret no respondió.

La hoguera se había convertido en un horno y Godofredo de Charnay no era más que un bulto ennegrecido, crepitante, henchido de burbujas que se deshacía lentamente en cenizas.

Algunas mujeres se desvanecieron. Otras se acercaron presurosas a la ribera, para vomitar casi en las mismas narices del rey. La turba, después de tanto griterío, se había calmado. Algunos comenzaban a creer en un milagro porque el viento se obstinaba en soplar del mismo lado de modo que el gran maestre no había sido tocado aún. ¿Cómo podía resistir tanto tiempo? A sus pies, la hoguera parecía intacta.

Luego, de pronto, un hundimiento en el brasero hizo que las llamas, reavivadas, brincaran hacia él.

—¡Ya está! ¡Ahora le toca a él! —gritó Luis de Navarra.

Los grandes y fríos ojos de Felipe el Hermoso tampoco pestañearon en ese momento.

De pronto, la voz del gran maestre atravesó la cortina de fuego y produjo a todos y cada uno de los presentes el efecto de una bofetada en pleno rostro. Con irresistible fuerza, como lo había hecho en Notre Dame, Jacobo de Molay gritó:

—¡Oprobio, oprobio! ¡Estáis viendo morir a inocentes! ¡Caiga el oprobio sobre vosotros! ¡Dios os juzgará!

Las llamas lo flagelaron, quemaron su barba, calcinaron en un segundo la mitra de papel y encendieron sus blancos cabellos.

La multitud, aterrorizada, había enmudecido. Se diría que estaban quemando a un profeta loco.

De su rostro en llamas, surgió espantosa su voz para decir:

—¡Papa Clemente! ¡Caballero Guillermo! ¡Rey Felipe! ¡Antes de un año yo os emplazo para que comparezcáis ante el tribunal de Dios, para recibir vuestro justo castigo! ¡Malditos, malditos! ¡Malditos hasta la decimotercera generación de vuestro linaje!

Las llamas penetraron en la boca del gran maestre y sofocaron su último grito. Luego, durante un tiempo que pareció interminable, se debatió contra la muerte.

Por fin se dobló en dos, la cuerda que lo sujetaba se rompió y Jacobo de Molay se hundió en la hoguera. Sólo se veía su mano, que permanecía alzada entre las llamas, y ahí estuvo hasta quedar ennegrecida.

Aterrorizada por la maldición, la muchedumbre permanecía clavada en su lugar, toda hecha suspiros, murmullos, espera, consternación, angustia. Todo el peso de la noche y el horror había caído sobre ella; el último crepitar de las brasas la hacía estremecer, y las tinieblas invadían la luz menguante de la hoguera.

Los arqueros instaban a la gente, pero nadie se decidía a alejarse.

—No nos maldijo a nosotros, sino al rey —susurraban.

Y las miradas se dirigían hacia la galería. Felipe seguía apoyado contra la palaustrada. Miraba la negra mano del gran maestre clavada en la ceniza. Una mano quemada: sólo eso quedaba de la ilustre Orden de los Caballeros del Temple. Pero aquella mano había quedado inmovilizada en un gesto de condena.

—¡Bien, hermano mío! —dijo Carlos de Valois con una sonrisa—. Supongo que estaréis contento.

Felipe el Hermoso se volvió.

—No hermano, no estoy contento —dijo—. He cometido un error.

El conde de Valois se alborozó, dispuesto a gozar de su triunfo.

—Entonces, ¿reconocéis...?

—Sí, he cometido un error. Antes de quemarlos debí arrancarles la lengua.

Y, seguido de Nogaret, de Marigny y de su chambelán, bajó la escalera de la torre para regresar a sus habitaciones.

La pira se había convertido en una masa gris con algunas chispas que saltaban y se extinguían. La galería estaba llena de humo e invadida por un acre olor a carne quemada.

—Esto apesta —dijo Luis de Navarra—. Realmente apesta. Vámonos.

El joven príncipe Carlos se preguntaba si en los brazos de Blanca conseguiría olvidar.

9

Los salteadores

Los hermanos de Aunay, que acababan de salir de la torre de Nesle, vacilaban, indecisos, en el limo y escrutaban la oscuridad.

Su barquero había desaparecido.

—Te dije que el hombre no me gustaba —dijo Felipe—. No debimos confiar.

—Le di demasiado dinero —respondió Gualterio—. El desgraciado habrá juzgado que se había ganado el jornal y se habrá ido a ver el suplicio.

—¡Ojalá sólo se trate de eso!

—¿Y qué otra cosa podría ser?

—No lo sé. Pero me da mala espina. El hombre se nos ofrece para cruzar el río, quejándose de que no ha ganado nada en todo el día, le decimos que aguarde y se va.

—¿Qué queríais? No podíamos elegir, era el único.

—Justamente —dijo Felipe. Además, hacía demasiadas preguntas.

Afinó el oído para intentar percibir cualquier ruido de chapoteo de remos, pero sólo se oía el rumor del río y el más disperso de la gente que regresaba a sus casas en París. Más allá, en el islote de los Judíos, que desde el día siguiente comenzaría a ser llamado el islote de los templarios, todo se había apagado. El olor a humo se entremezclaba con el perfume rancio del Sena.

—No nos queda otro remedio que regresar a pie —dijo Gualterio—. Nos embarraremos las calzas hasta los muslos, pero, con todo, vale la pena.

Avanzaron a lo largo de la muralla del palacio de Nesle, dándose el brazo para evitar un resbalón.

—Me pregunto quién se las habrá dado —dijo Felipe.

—¿Quién les habrá dado qué?

—Las escarcelas.

—¡Ah, todavía sigues con eso! —respondió Gualterio—. Te confieso que a mí no me preocupa en absoluto. ¿Qué importa su procedencia si el regalo te gusta? —Al mismo tiempo acariciaba la escarcela que pendía de su cintura, sintiendo bajo sus dedos el relieve de las piedras preciosas.

—No pueden ser de nadie de la corte —replicó Felipe—. Margarita y Blanca no se hubieran arriesgado a que nos vieran con esas joyas. A menos que hayan fingido que se las han regalado y las hayan pagado de su bolsillo.

Ahora estaba dispuesto a atribuir a Margarita cualquier delicadeza de espíritu.

—¿Qué prefieres? —preguntó Gualterio—. ¿Saber o tener?

Felipe iba a responderle cuando sonó un apagado silbido delante de ellos. Sobresaltados, ambos echaron mano a la daga; un encuentro en tal lugar y a tal hora era, seguramente, un mal encuentro.

—¿Quién va? —preguntó Gualterio.

Oyeron otro silbido y ni siquiera tuvieron tiempo de ponerse en guardia.

Seis hombres surgidos de la noche se lanzaron sobre ellos. Tres de los asaltantes atacaron a Felipe y, sujetando sus brazos contra la pared, le impidieron servirse de la daga. Los tres restantes hicieron otro tanto con Gualterio. Éste había derribado a uno de los agresores, o mejor dicho, uno de los agresores se había desplomado al esquivar uno de los golpes de su daga. Pero los otros dos sujetaron a Gualterio de Aunay por la espalda y, retorciendo su muñeca, le obligaron a soltar el arma. Felipe notó que trataban de robarle la escarcela.

Era imposible pedir socorro. Si los guardias del palacio de Nesle acudían, podían luego exigirles que explicaran su presencia en aquel lugar. Ambos decidieron callar. Era preciso salir del trance por sí mismos, o sucumbir.

Felipe, arqueado contra el muro, se debatía con la energía de la desesperación. No quería que le quitaran la escarcela. De pronto, el objeto se había convertido en su más preciado tesoro y estaba decidido a todo para no perderlo. Gualterio se sentía más inclinado a parlamentar. Que les robaran, pero que los dejaran con vida. Porque lo más probable era que arrojaran sus cadáveres al Sena después de despojarlos de cuantas prendas de valor llevaran.

En ese momento surgió otra sombra de la noche.

Uno de los agresores lanzó un grito.

—¡Alerta compañeros, alerta!

El recién llegado se había arrojado al centro mismo de la refriega. Su espada corta refulgía como un relámpago.—¡Canallas! ¡Patanes! —gritaba con su poderosa voz, distribuyendo golpes al azar.

Los forajidos huían como moscas ante sus molinetes. Como uno de ellos quedó al alcance de su mano libre, lo asió del cuello y lo lanzó contra el muro. El grupo entero huyó a toda prisa. Se oyó el ruido de la precipitada carrera a lo largo de los fosos y luego reinó el silencio.

Jadeando, vacilante, Felipe se acercó a su hermano.

—¿Herido? —preguntó.

—No —dijo Gualterio, sin aliento, frotándose el hombro—. ¿Y tú?

—Tampoco, es un milagro haber salido con vida.

Al mismo tiempo se volvieron hacia su salvador, que se acercaba a ellos enfundando su espada. Era muy alto, fornido, fuerte; las ventanas de su nariz dejaban escapar un soplido de bárbaro.

—Y bien, señor —dijo Gualterio—, os estamos muy agradecidos. Sin vos, no habríamos tardado en flotar en el río, panza al cielo. ¿A quién debemos el favor?

El hombre se reía de manera estentórea, aunque un poco forzada. Luego la luna surgió de entre las nubes y los dos hermanos reconocieron al conde Roberto de Artois.

—¿Eh? ¡Por Dios, mi señor, sois vos! —exclamó Felipe.

—¿Eh? ¡Por el diablo, jovencitos! —respondió el hombre—. ¡También yo os reconozco! ¡Los hermanos Gualterio y Felipe de Aunay! —exclamó—. Los más apuestos mozos de la corte. ¡Voto al diablo que no lo esperaba! Pasaba por la orilla, oí el ruido que hacíais, y me dije: «Algún pacífico burgués está en apuros. Lo que es ese Ployebouche como preboste... ¡Mejor será llamarlo Ployecul!... ¡Más se preocupa de lamer los escarpines de Marigny que de sanear la ciudad!

—Monseñor —dijo Felipe—, no sabemos cómo agradeceros...

—No tiene importancia —dijo Roberto de Artois abatiendo su zarpa sobre el hombro de Felipe, que trastabilló—. ¡Ha sido un placer! El impulso natural de todo gentilhombre es acudir en socorro de los desvalidos. Pero la complacencia es mayor si se trata de señores de nuestro conocimiento. Estoy encantado de haber conservado a mis primos de Valois y de Poitiers. Es una pena, sin embargo, que estuviera tan oscuro. ¡Por Dios! Si la luna se hubiera mostrado antes, me habría gustado destripar a alguno de esos bribones. No me atreví a hacerlo por temor a mataros... Pero, decidme, donceles, ¿qué diablos buscáis en este fangal?

—Nos... paseábamos —dijo Felipe de Aunay.

El gigante estalló en una carcajada.

—¡Paseabais! ¡Bonito lugar y bonita hora para ello! Paseabais con el barro hasta las nalgas. ¡Ah, los jóvenes! Siempre la respuesta pronta... Amoríos, ¿verdad? ¡Asuntos de mujeres! —dijo jovialmente, aplastando otra vez el hombro de Felipe—. ¡Siempre con los calzones en llamas! Bella edad la vuestra...

De pronto vio las escarcelas que centelleaban a la luz de la luna.

—¡Ah, pillastres! —exclamó—. ¡Con calzones en llamas, pero a buen precio! Hermoso adorno, donceles míos, hermoso adorno.

Sopesaba la escarcela de Gualterio.

—Flecos de oro, trabajo fino... italiano, o inglés. Y flamante... No hay paga de escudero que permita tales lujos. ¡No andaban errados los salteadores!

Se agitaba, gesticulaba, sacudía a empujones a los jóvenes. En la penumbra se le veía rojizo, enorme, alborotador, licencioso. Comenzaba a atacar los nervios de ambos hermanos. Pero, ¿cómo decirle a un hombre que acababa de salvarle a uno la vida que no se meta en lo que no le concierne?

—El amor vale la pena, jovencitos —prosiguió Roberto en tanto que echaba a andar en medio de los dos—. Preciso será creer que vuestras amantes son de alcurnia y muy generosas... ¡Ah, estos pillastres de Aunay! ¿Quién lo hubiera creído?

—Mi señor, se equivoca —dijo Gualterio fríamente—. Las escarcelas son recuerdo de familia...

—Justamente, de eso estaba seguro —dijo de Artois—. ¡De una familia a quien acabáis de visitar, cerca de medianoche, bajo los muros de la torre de Nesle! Bien, bien, callaremos. Yo os apruebo, mocitos. ¡Hay que guardar el buen nombre de las damas con quien uno se acuesta! Id en paz. Y no salgáis más de noche con toda vuestra joyería encima.

Soltó otra carcajada, aplastó a ambos hermanos uno

contra otro en un amplio abrazo y los dejó plantados allí mismo, inquietos, contrariados, sin darles tiempo de reiterarle su gratitud. Cruzó el puentecito sobre el foso y se alejó por los campos en dirección a Saint-Germain-des-Prés. Los hermanos subieron hacia la puerta de Buci.

—Más nos valdría que no contara a la corte dónde nos encontró —dijo Gualterio—. ¿Crees que será capaz de mantener cerrada su bocaza?

—Claro está que sí —dijo Felipe—. No es mal sujeto. La prueba es que sin su bocaza, como tú dices, y sin sus manazas, no estaríamos aquí. No seamos ingratos, por lo menos tan pronto.

—Además, también nosotros hubiéramos podido preguntarle qué hacía él por estos andurriales.

—Juraría que andaba tras alguna buscona. Ahora debe de encaminarse hacia el burdel —dijo Felipe.

Se equivocaba. Roberto de Artois sólo había dado un rodeo por el Pré-aux-Clercs. Al poco rato volvió por la ribera a las cercanías de la torre de Nesle. Emitió entonces el mismo silbido corto que precedió la batahola.

Seis sombras, como antes, se apartaron de la pared, y una séptima se alzó de una barca. Pero ahora las sombras mantenían una actitud respetuosa.

—Buen trabajo —dijo Roberto de Artois—. Todo ha salido como yo os había pedido. Toma, Carl-Hans —agregó, llamando al jefe de los bribones—, repartíos esto. —Le arrojó una bolsa.

—Mi señor, me diste un fuerte golpe en el hombro —dijo uno de los salteadores.

—¡Bah! Estaba incluido en la paga, respondió el conde de Artois riendo—. Desapareced, ahora. Si vuelvo a necesitaros os avisaré.

Luego subió a la barca que lo aguardaba, que se hundió bajo su peso. El hombre que asía los remos era el mismo barquero que condujera a los hermanos de Aunay.

—Entonces, mi señor, ¿estáis satisfecho? —preguntó.

Había perdido el tono quejumbroso, parecía diez años más joven y no escatimaba sus fuerzas.

—¡Completamente, mi viejo Lormet! Has desempeñado tu papel a las mil maravillas —dijo el gigante—. Ahora sé lo que quería saber.

Se echó hacia atrás en la barca, estiró las monumentales piernas y dejó que su gran zarpa pendiera sobre el agua negra.

Segunda parte

LAS PRINCESAS ADÚLTERAS

1

La banca Tolomei

Maese Spinello Tolomei adoptó una expresión altamente reflexiva y luego, bajando la voz, como si temiera que alguien estuviera escuchando detrás de la puerta, dijo:

—¿Dos mil libras de adelanto? ¿Os conviene esta cantidad, señor?

Su ojo izquierdo estaba cerrado; su ojo derecho brillaba, inocente y tranquilo.

Aunque hacía años que se había establecido en Francia, no había podido desprenderse de su acento italiano. Era un hombre grueso, con doble papada y tez morena. Sus cabellos grises, cuidadosamente recortados, caían sobre el cuello de su traje fino de paño, bordado de piel y estirado en la cintura sobre su vientre en forma de pera. Cuando hablaba, alzaba las manos regordetas y puntiagudas, y las frotaba suavemente una contra otra. Sus enemigos aseguraban que el ojo abierto era el de la mentira y que mantenía cerrado el de la verdad.

Aquel banquero, uno de los más poderosos de París, tenía modales de obispo, y más en ese momento en que se dirigía a un prelado.

El prelado era Juan de Marigny, hombre joven y delgado, elegante, el mismo que la víspera, en el tribunal episcopal formado ante el portal de Notre Dame, se había hecho notar por sus posturas lánguidas antes de enfurecerse contra el gran maestre. Hermano de Enguerrando de Marigny y arzobispo de Sens, jurisdicción eclesiástica de la que dependía la diócesis de París, intervenía de cerca en los asuntos del reino.[1]

—¿Dos mil libras? —preguntó a su vez. Fingió arreglar sobre sus rodillas la preciosa tela de su hábito violeta para ocultar la feliz sorpresa que le causaba la cifra dada por el banquero—. A fe mía que esa cifra me conviene bastante —respondió fingiendo indiferencia—. Prefería, pues, que las cosas quedaran arregladas lo antes posible.

El banquero lo acechaba como un gato acecha a un hermoso pájaro.

—Podemos hacerlo ahora mismo —respondió.

—Muy bien —dijo el joven arzobispo—. ¿Y cuándo queréis que os traiga los...?

Se interrumpió pues había creído oír ruido detrás de la puerta. Pero no. Todo estaba tranquilo. Sólo se percibían los rumores habituales de la mañana en la calle Lombards: los gritos de afiladores, aguadores, vendedores de cebollas, berros, requesón y carbón de leña. «¡Leche, comadres, leche...!» «¡Tengo queso fresco de Champaña!» «¡Carbón! ¡Un saco por un denario!» A través de las ventanas de tres ojivas, construidas según la moda de Siena, se filtraba la luz que iluminaba suavemente los ricos tapices de los muros con sus motivos bélicos, los muebles de roble encerado, el gran cofre herrado...

—¿Los... objetos? —dijo Tolomei concluyendo la frase del arzobispo—. Como mejor os convenga, señor, como mejor os convenga.

Se había acercado a una larga mesa de trabajo cubierta de plumas de ganso, pergaminos enrollados, tablillas y estiletes. Sacó dos bolsas del cajón.

—Mil en cada una —dijo—. Tomadlas ahora mismo si así lo deseáis. Estaban preparadas para vos. Tened a bien firmarme este recibo.

Tendió a Juan de Marigny una hoja de papel y una pluma de ganso.

—De buena gana —dijo el arzobispo tomando la pluma sin quitarse los guantes.

Pero cuando se disponía a firmar tuvo una leve vacilación. El recibo enumeraba los «objetos» que debía entregar a Tolomei para que él los negociara: material eclesiástico, copones de oro, cruces de piedras preciosas, armas exóticas, cosas todas ellas provenientes de los bienes de los templarios y custodiadas por su archidiócesis. Aquellos bienes tendrían que haber ido a parar en parte al Tesoro real y en parte a los Hospitalarios. El joven arzobispo, por consiguiente, cometía un desfalco, una malversación en toda regla y sin pérdida de tiempo. Poner la firma al pie de aquella lista cuando el gran maestre había sido quemado apenas la noche anterior...

—Preferiría... —dijo.

—¿Que los objetos no fueran vendidos en Francia? —dijo el banquero de Siena—. Por supuesto, Monseñor, *non sono pazzo*, como se dice en mi país, no estoy loco.

—Me refería... a este recibo.

—Nadie más que yo lo verá. Redunda tanto en mi interés como en el vuestro. Nosotros, los banqueros, somos un poco como curas, Monseñor. Vos confesáis las almas; nosotros, las bolsas, y también estamos obligados al secreto. Y, puesto que estos fondos sólo servirán para alimentar vuestra inagotable caridad, no diré ni una palabra. Sólo es por si nos ocurriera alguna desgracia, tanto a mí como a vos. Que Dios nos guarde...

Se persignó y, rápidamente, bajo la mesa hizo los cuernos con los dedos de la mano izquierda.

—¿No os pesará mucho? —prosiguió, señalando las bolsas, como si el asunto ya estuviera zanjado.

—Gracias, mis criados aguardan abajo —respondió el arzobispo.

—Entonces... aquí... os lo ruego —dijo Tolomei, señalando con el dedo el lugar donde debía firmar el arzobispo. Éste no podía echarse atrás. Cuando uno se ve obligado a buscarse cómplices, fuerza es que tenga confianza en ellos—. Por otra parte, Monseñor, bien veis por el monto, que no quiero aprovecharme de vos. Muchas serán las penas y pocos los beneficios. Pero quiero favoreceros porque sois hombre poderoso y la amistad de los poderosos es más preciosa que el oro.

Había dicho esto con un acento bonachón, y su ojo izquierdo seguía cerrado.

«Al fin y al cabo el buen hombre tiene razón», se dijo Juan de Marigny. Y firmó el recibo.

—A propósito, Monseñor —dijo Tolomei—. ¿Sabéis cómo recibió el rey los perros de caza que le mandé ayer?

—¡Ah! ¿Cómo? ¿Procede, pues, de vos ese gran perro que no lo abandona nunca y al que llama *Lombardo*?

—¿Lo llama *Lombardo*? Me alegro de saberlo. El rey es hombre de ingenio —dijo Tolomei, riendo—. Figuraos, Monseñor, que ayer por la mañana...

Iba a contar la historia cuando llamaron a la puerta. Apareció un dependiente para anunciar que el conde Roberto de Artois pedía ser recibido.

—Bien, lo veré —dijo Tolomei, despachando con un ademán al dependiente.

Juan de Marigny puso cara de disgusto.

—Preferiría... no encontrarme con él —dijo.

—Claro, claro... —replicó el banquero, con voz suave—. El conde de Artois es un charlatán impenitente.

Agitó una campanilla. Al poco rato se movió una colgadura y entró en la pieza un joven vestido con traje ajustado. Era el muchacho que la víspera había estado a punto de derribar al rey de Francia.

—Sobrino mío —le dijo el banquero—, acompaña a Monseñor sin pasar por la galería, cuidando de que no se encuentre con nadie. Y llévale esto hasta la calle —agregó, poniéndole las bolsas de oro en los brazos—. ¡Hasta la vista, Monseñor!

Maese Spinello Tolomei hizo una profunda reverencia para besar la amatista que el prelado lucía en un dedo. Luego apartó la colgadura.

Cuando Juan de Marigny hubo salido, el banquero de Siena volvió a su mesa, tomó el recibo que el otro había firmado y lo plegó cuidadosamente.

—¡Imbécil! —murmuró—. Vanidoso, ladrón, pero sobre todo imbécil.

Su ojo izquierdo se abrió fugazmente. Metió el documento en el cajón y salió a recibir al otro visitante.

Descendió a la planta baja y atravesó la gran galería iluminada por seis ventanas donde estaban instalados los mostradores. Pues Tolomei no era solamente banquero, sino también importador y comerciante de mercancías exóticas de todas clases, desde especias y cueros de Córdoba, hasta paños de Flandes, tapices de Chipre bordados de oro y esencias de Arabia.

Una decena de dependientes se ocupaba de los clientes que entraban y salían sin cesar. Los contables hacían sus cálculos con ayuda de unos tableros especiales, colocados sobre las cajas, donde apilaban fichas de cobre. La galería entera resonaba con el sordo zumbido del comercio.

Mientras avanzaba rápidamente, el obeso banquero de Siena saludaba a alguien, rectificaba alguna cifra, reprendía a algún empleado u obligaba a rechazar, con un *niente* pronunciado entre dientes, una solicitud de crédito.

Roberto de Artois estaba inclinado sobre un mostrador de armas de Levante y sopesaba un puñal damasquinado.

El gigante se volvió con brusco movimiento cuando el banquero le apoyó la mano sobre el brazo, y adoptó el aire rústico y jovial que por lo general tenía.

—Decid, pues —dijo Tolomei—. ¿Me necesitáis?

—Sí —dijo el gigante—. Dos cosas tengo que pediros.

—La primera, imagino, es dinero.

—¡Chitón! —gruñó de Artois—. ¿Acaso debe enterarse todo París, usurero del demonio, de que os debo una fortuna? Vayamos a conversar a vuestras habitaciones.

Salieron de la galería. Una vez en su gabinete y con la puerta cerrada, Tolomei dijo:

—Señor mío, si venís por un nuevo préstamo, me temo que no es posible.

—¿Por qué?

—Mi querido señor Roberto —replicó Tolomei con aplomo—. Cuando entablasteis proceso contra vuestra tía Mahaut, por la herencia del condado de Artois, yo pagué los gastos. Y perdisteis...

—Fue una infamia, lo sabéis bien —exclamó el conde de Artois—. Lo perdí por las intrigas de esa perra de Mahaut... ¡Ojalá reviente! ¡Ladrones! Se le dio el Artois para que el Franco Condado volviera a la corona a través de su hija. Mercado de canallas. Pero si hubiera justicia, yo sería par del reino y el más rico barón de Francia. ¡Y lo seré, Tolomei, lo seré!

Su enorme puño golpeaba la mesa.

—Os lo deseo, mi buen amigo —dijo Tolomei, con calma—. Pero, entretanto, tenéis perdido el proceso.

Había abandonado sus modales beatos y trataba al conde con más familiaridad que al arzobispo.

—De todos modos, recibí la castellanía de Conches, y la promesa del condado de Beaumont-le-Roger, con cinco mil libras de renta —dijo el gigante.

—Pero lo del condado no ha prosperado, y no me habéis reembolsado los gastos. Al contrario.

—No consigo hacerme pagar mis rentas. El Tesoro me debe los atrasos de varios años.

—De los cuales habéis pedido en préstamo buena parte. Necesitasteis dinero para reparar los tejados de Conches y los establos...

—Se habían incendiado —dijo Roberto.

—Y luego necesitasteis dinero para mantener a vuestros partidarios en Artois.

—¿Qué haría sin ellos? Gracias a esos fieles amigos, gracias a Fiennes, a Souastre, a Caumont y a los demás ganaré mi causa alguna vez, si es preciso con las armas en la mano... Además, decidme maese banquero...

Ahora el gigante cambió de tono, como si estuviera harto de jugar al escolar reprendido. Asió al banquero del traje con el pulgar y el índice y comenzó a levantarlo en vilo suavemente.

—Decidme... me pagasteis mi proceso, mis establos y todo el condenado resto, de acuerdo; pero, ¿acaso no realizasteis alguna operación gracias a mí? ¿Quién os anunció hace siete años que los templarios iban a ser atrapados como conejos y os aconsejó pedirles préstamos que jamás tuvisteis que devolver? ¿Quién os anunció la bajada de la moneda, cosa que os permitió invertir todo vuestro oro en mercancías que luego vendisteis a doble precio? ¿Eh? ¿Quién?

Pues Tolomei, fiel a la tradición de la alta banca, tenía sus informadores en los consejos de gobierno, y uno de los principales era Roberto de Artois, amigo y comensal del hermano del rey, Carlos de Valois, miembro del consejo privado, que nada le ocultaba.

Tolomei se zafó, desarrugó el pliegue de su traje y dijo, con el párpado izquierdo perpetuamente entornado:

—Lo reconozco, señor, lo reconozco. Me habéis informado muy útilmente en estos últimos tiempos... Pero, ¡ay!

—¿Por qué, ay?

—¡Ay! Los beneficios obtenidos gracias a vos están

muy lejos de compensar las sumas que os he adelantado.

—¿Es verdad eso?

—Verdad es, señor conde —dijo Tolomei con la cara más inocente.

Mentía, y estaba seguro de poder hacerlo impunemente, porque Roberto de Artois, hábil para las intrigas, entendía muy poco de cálculos de dinero.

—¡Ah! —exclamó éste, despechado.

Se rascó la papada y movió la barbilla de izquierda a derecha.

—De todos modos... Los templarios... Debéis estar muy contento esta mañana —dijo.

—Sí y no, mi señor, sí y no. Hacía mucho tiempo que no perjudicaban nuestro negocio. ¿A quién le tocará el turno ahora? A nosotros, los Lombardos, como se nos llama... No es fácil el oficio de mercader de oro. Y no obstante, nada podría hacerse sin nosotros... A propósito —agregó Tolomei—, ¿os informó el conde de Valois de si se iba a cambiar de nuevo el curso de la libra, como he oído decir?

—No, no, nada de eso —respondió Roberto de Artois, quien no se apartaba de su propia idea—. Pero esta vez tengo sujeta a Mahaut. Está en mis manos porque tengo a sus hijas y a su sobrina. Voy a retorcerles el pescuezo... *crac*... como a dañinas comadrejas.

El odio endurecía sus rasgos, componiéndole una máscara casi hermosa. Se había acercado otra vez a Tolomei.

«Para vengarse es capaz de cualquier cosa... De todos modos, estoy dispuesto a darle quinientas libras.» Luego dijo:

—¿De qué se trata?

Roberto de Artois bajó la voz. Sus ojos brillaban.

—Las zorritas tienen amantes y, desde anoche sé de quiénes se trata. Pero, ¡punto en boca! No quiero que se divulgue... aún.

El banquero reflexionaba. Se lo habían dicho, pero no lo había creído.

—¿Y de qué puede serviros eso? —preguntó.

—¿Servirme? —gritó de Artois—. Vamos, banquero, ¿imagináis qué vergüenza? La futura reina de Francia y sus cuñadas descubiertas con sus jóvenes amantes. ¡Es un escándalo inaudito! Las dos familias de Borgoña están hundidas en el fango hasta las narices; Mahaut perderá todo su favor en la corte; desaparecerán las herencias, junto con las esperanzas de la corona. ¡Y yo hago reabrir el proceso, y lo gano!

Se paseaba por la estancia y sus pasos hacían vibrar el pavimento, los muebles, los objetos.

—¿Y seréis vos quien dé a conocer tal vergüenza? —dijo Tolomei—. ¿Iréis a ver al rey?

—No, maese, no. No me escucharía. No iré yo, sino otra persona más indicada para hacerlo... pero que no está en Francia. Y esto es lo segundo que venía a pediros. Necesitaría alguien de toda confianza y poco conocido para que fuera a Inglaterra con unos menajes.

—¿Para quién?

—Para la reina Isabel.

—¡Ah, vamos! —murmuró el banquero.

Hubo un silencio durante el cual no se oía más que el ruido de la calle.

—Es verdad que doña Isabel tiene fama de no profesar gran afecto a sus hermanas políticas de Francia —dijo por fin Tolomei, quien no necesitaba saber más para enterarse de cómo había tramado Artois su intriga—. Vos sois buen amigo suyo y tengo entendido que estuvisteis allí hace pocos días.

—Regresé el viernes pasado y enseguida me puse manos a la obra.

—Pero, ¿por qué no enviar a doña Isabel uno de vuestros hombres o un caballero del conde de Valois?

—Mis hombres son conocidos y también los del conde de Valois. En este país donde todo el mundo vigila a todo el mundo, bien pronto se desbaratarían mis planes. He pensado que sería más conveniente un mercader, digno de confianza, claro está. Tenéis a muchas personas que viajan por vuestra cuenta. Por otra parte, el mensaje no contendrá nada que pueda inquietar al portador.

Tolomei miró cara a cara al gigante, meditó un momento y, por fin, agitó la campanilla de bronce.

—Trataré de seros útil una vez más —dijo.

La colgadura se apartó y apareció el mismo joven que había acompañado al arzobispo. El banquero lo presentó:

—Guccio Baglioni, mi sobrino recién llegado de Siena. No creo que los prebostes y guardias de nuestro amigo Marigny lo conozcan aún... aunque ayer por la mañana —agregó Tolomei a media voz mirando al joven con fingida severidad—, se hizo notar por una bella proeza frente al rey de Francia... ¿Qué os parece?

Roberto de Artois examinó a Guccio.

—¡Buena planta! —dijo, riendo—. Bien formado, pantorrilla delgada, talle fino, ojos de trovador. ¿Lo enviaréis a él, Tolomei?

—Es mi álter ego... —dijo el banquero—. Menos grueso y más joven. En otro tiempo fui como él, figuraos, pero ahora soy el único que lo recuerda.

—Si le echa el ojo el rey Eduardo, que sabemos cómo es, corremos el riesgo de que ese jovencito no regrese.

El gigante soltó una carcajada, y tío y sobrino lo corearon.

—Guccio —dijo Tolomei, cesando de reír—, conocerás Inglaterra. Partirás mañana al alba. En Londres visitarás a nuestro primo Albizzi, y con su ayuda irás a Westminster para entregar a la reina, y sólo a ella, el mensaje que el conde escribirá para ti. Más tarde te explicaré mejor lo que debes hacer.

—Preferiría dictar —dijo Artois—. Me las compongo mejor con la espada que con vuestras condenadas plumas de ganso.

Tolomei pensó: «Y además, el mozo desconfía. No quiere dejar rastro.»

—Como gustéis, mi señor.

Y tomó al dictado la siguiente carta:

Señora:

Las cosas que habíamos intuido son verídicas y más vergonzosas de lo que cabía suponer. Sé de quiénes se trata y los he descubierto tan bien que no lograrán escapar si nos damos prisa. Pero sólo vos tenéis poder suficiente para llevar a cabo lo que pensamos. Poned término con vuestra venida a tanta villanía, que ennegrece el honor de vuestros parientes más próximos. No tengo más deseo que ser vuestro servidor en cuerpo y alma.

—¿La firma, mi señor? —preguntó Tolomei.

—Hela aquí —dijo Roberto de Artois tendiendo al joven una sortija de plata que sacó de la bolsa. Llevaba otra igual en el pulgar, pero de oro—. Entregarás esto a doña Isabel... Ella comprenderá. Pero, ¿estás seguro de poder verla en cuanto llegues?

—¡Bah! —dijo Tolomei—, no somos del todo desconocidos para los soberanos de Inglaterra. Cuando el año pasado vino el rey Eduardo con doña Isabel, tomó veinte mil libras en préstamo a nuestro grupo. Para procurárselas nos asociamos todos y aún no nos las ha devuelto.

—¿También él? —exclamó de Artois—. A propósito, banquero, ¿y qué hay de lo primero que os he pedido?

—¡Ah, mi señor, jamás podré resistirme a vos! —dijo Tolomei suspirando.

Fue a buscar una bolsa de quinientas libras que le entregó diciendo:

—Añadiremos esto a vuestra cuenta, así como el viaje de vuestro mensajero.

—¡Ah, banquero, banquero! —exclamó Roberto de Artois con una amplia sonrisa que iluminó su cara—. Eres un amigo. Cuando haya recobrado mi condado paterno, haré de ti mi tesorero.

—Así lo espero, señor conde —dijo el otro, inclinándose.

—Y si no, te llevaré conmigo a los infiernos para que me consigas el favor del diablo.

El gigante salió, más ancho que la puerta y haciendo saltar la bolsa en la mano como una pelota.

—Tío, ¿le habéis dado dinero otra vez? —dijo Guccio moviendo la cabeza con reproche—. Sin embargo, dijisteis que...

—Guccio, hijo mío —respondió suavemente el banquero con los dos ojos bien abiertos—, recuerda siempre esto: los secretos que nos revelan los grandes de este mundo son los intereses que nos rinde el dinero que les prestamos. Esta mañana, Monseñor Juan de Marigny y el conde de Artois me han dado garantías que valen más que el oro y que sabremos negociar a su debido tiempo. Y en cuanto al oro... procuraremos recuperar una parte. —Permaneció un momento pensativo y luego añadió—: A tu vuelta de Inglaterra darás un rodeo. Pasarás por Neauphle-le-Vieux.

—Bien, tío —respondió Guccio sin entusiasmo.

—Nuestro representante no consigue cobrar una suma que nos deben los castellanos de Cressay. El padre acaba de morir. Los herederos se niegan a pagar. Según parece, nada tienen ya.

—¿Y qué hacer si no tienen nada?

—¡Bah! Les quedan las paredes, las tierras, tal vez parientes. Les basta con tomar prestado en otra parte lo que nos deben. Si no pagan, te vas a ver al preboste de Montfort, los haces embargar y los obligas a vender. Es duro, lo sé; pero un banquero debe habituarse a ser duro. No hemos de tener piedad con los pequeños clientes, o no podremos servir a los grandes. ¿En qué piensas, hijo mío?

—En Inglaterra, tío —respondió Guccio.

El regreso por Neauphle le parecía una tarea penosa, pero la aceptaba de buen grado. Su curiosidad, sus sueños de adolescente, volaban ya hacia Londres. Iba a cruzar el mar por vez primera... La vida de un mercader lombardo era agradable y reservaba hermosas sorpresas. Viajar, recorrer los caminos, llevar mensajes a los príncipes...

El anciano contempló a su sobrino con expresión de profunda ternura. Guccio era el único afecto de su astuto y gastado corazón.

—Vas a hacer un hermoso viaje y te envidio —le dijo—. Pocas personas tienen, a tu edad, oportunidad de ver tantos países. Instrúyete, husmea, huronea, míralo todo, haz hablar y habla poco. Cuidado con el que te ofrece de beber; no des a las mujeres más dinero del que valen y no olvides descubrirte ante las procesiones... Y si te cruzas con un rey en tu camino, procura que esta vez no me cueste un caballo o un elefante.

—¿Es verdad, tío —preguntó Guccio, sonriendo— que doña Isabel es tan hermosa como dicen?

NOTAS

1. En la división de jurisdicciones eclesiásticas establecida en la alta Edad Media, París sólo figuraba como obispado. Por esto no aparece entre las veintiuna «metrópolis» del Im-

perio enumeradas en el testamento de Carlomagno. París dependía, y siguió dependiendo hasta el siglo XVIII, de la archidiócesis de Sens. El obispo de París dependía del arzobispo de Sens; es decir, que las decisiones y sentencias pronunciadas por el primero podían recurrirse ante el segundo.

París no fue arzobispado hasta el reinado de Luis XIII.

2

El camino de Londres

Hay personas que sueñan permanentemente con viajes y aventuras para darse ante los demás y ante sí mismas aires de héroes. Luego, cuando están en pleno baile y sobreviene un peligro, se ponen a pensar: «¿Necesitaba realmente venir a meterme en esto? ¡Qué idea más estúpida he tenido!» Ése era el caso del joven Guccio Baglioni. Nada había deseado tanto como conocer el mar. Pero ahora que navegaba por él, hubiera dado cualquier cosa por estar en otra parte.

Era la época de las mareas equinocciales y pocos navíos habían levado anclas aquel día. Haciéndose un poco el fanfarrón por los muelles de Calais, la espada al cinto y la capa recogida al hombro, Guccio había encontrado por fin un patrón de barco que consintió en embarcarlo. Partieron por la tarde y la tormenta se levantó en cuanto dejaron el puerto. Encerrado en un recinto bajo el puente, cerca del mástil de la mayor («el lugar donde esto se mueve menos», había dicho el patrón) y en un banco de madera adosado a la pared a modo de litera, Guccio se disponía a pasar la peor noche de toda su vida.

Las olas golpeaban el barco con topetazos de carnero, y Guccio sentía que el mundo se balanceaba a su alrededor. Rodaba del banco al suelo y se debatía largo rato en la completa oscuridad, chocando contra el maderamen, o contra los cabos endurecidos por el agua, o contra las cajas mal sujetas que caían con estrépito, y trataba de aferrarse a invisibles cosas huidizas que escapaban a sus manos. Entre dos resoplidos de la borrasca, Guccio oyó el crepitar de las velas y de grandes masas de agua que se abatían sobre el puente. Se preguntaba si la tripulación entera no habría sido barrida y sería él el único superviviente a bordo en un navío abandonado, lanzado por el viento contra el cielo, para ser proyectado luego hacia los abismos.

«Seguramente moriré —se decía Guccio—. ¡Qué estupidez acabar así, tragado por el mar! ¡No volveré a ver París ni Siena, ni a mi familia! ¡No volveré a ver el sol! ¿Por qué no habré esperado un par de días en Calais? ¡Qué estúpido he sido! Si salgo con vida, me quedo en Londres. Me haré estribador, mozo de carga, cualquier cosa, pero jamás vuelvo a pisar un barco.»

Por fin rodeó con ambos brazos la base de un mástil y, de rodillas, en la oscuridad, fuertemente agarrado, tembloroso, con el estómago revuelto y completamente empapado, permaneció allí aguardando su fin y haciendo promesas a Santa Maria delle Nevi, Santa Maria della Scala, Santa Maria dei Servi, Santa Maria del Carmine, es decir, a todas las iglesias de Siena que conocía.

Con el alba, la tormenta se calmó. Guccio, agotado, miró a su alrededor: las cajas, las velas, las anclas, los cabos se amontonaban en espantoso desorden y, en el fondo del barco, bajo el pavimento de tablas desunidas, había un palmo de agua.

Se abrió la escotilla que daba acceso al puente y una voz ruda gritó:

—¡Hola, señor! ¿Habéis podido dormir?

—¿Dormir? —respondió Guccio con rencor—. Poco faltó para que me encontrarais muerto.

Le arrojaron una escala de cuerda y lo ayudaron a subir al puente. Una ráfaga de aire frío lo envolvió, haciéndolo temblar bajo la ropa mojada.

—¿No pudisteis advertirme de que habría tormenta? —preguntó Guccio al patrón del barco.

—¡Bah, caballero! Es cierto que ha sido mala la noche; pero parecíais tener tanta prisa... Además, para nosotros es cosa corriente. Ahora estamos ya cerca de la costa.

Era un anciano robusto de pelo gris cuyos ojillos negros miraban a Guccio de manera un tanto burlona.

Tendiendo el brazo hacia una línea blanquecina que surgía de la bruma, el viejo marino agregó:

—Allí está Dover.

Guccio suspiró y se ajustó la capa al cuerpo.

—¿Cuánto tiempo tardaremos en llegar?

El otro se encogió de hombros y respondió:

—Unas dos o tres horas, no más, porque sopla levante.

Sobre el puente yacían tres marineros, rendidos por la fatiga. Otro, colgado del brazo del timón, mordía un trozo de carne salada sin apartar los ojos de la proa del navío y de la costa de Inglaterra.

Guccio se sentó junto al viejo marino, al abrigo de un pequeño cortavientos de tablas. A pesar del día, del frío y del oleaje, se quedó dormido.

Cuando despertó, el puerto de Dover se ofrecía ante su vista con su dársena rectangular y sus hileras de casas bajas, de muros rústicos y techos cubiertos de piedras.

A la derecha del embarcadero se encontraba la casa del *sheriff*, vigilada por hombres armados. En el muelle, con sus cobertizos colmados de mercancías, hormigueaba una bulliciosa multitud. La brisa traía olores de pescado, alquitrán y madera podrida. Algunos pescadores transitaban con sus redes y sus pesados remos al hombro. Unos chiquillos empujaban por el suelo sacos más grandes que ellos.

El barco, arriadas las velas, entró en la dársena a remo.

La juventud recupera pronto sus fuerzas y sus ilusiones. Los peligros superados sólo sirven para darle mayor confianza en sí misma y para impulsarla a nuevas empresas. El sueño de dos horas había bastado a Guccio para hacerle olvidar sus temores nocturnos. Poco faltaba para que se atribuyera todo el mérito de haber dominado la tempestad; veía en ello un signo de buena suerte. De pie sobre el puente, en una postura de conquistador, con la mano aferrada a un cabo, miraba con apasionada curiosidad el reino de Isabel.

El mensaje de Roberto de Artois cosido a la ropa y la sortija de plata en el índice le parecían las prendas de un gran porvenir. Iba a penetrar en la intimidad del poder, conocería a reyes y reinas, sabría el contenido de los tratados más secretos. Se adelantaba a los acontecimientos con embriaguez: ya se veía como prestigioso embajador, confidente escuchado por los poderosos de la tierra, ante quienes se inclinaban los más altos personajes. Participaría en el consejo de los príncipes... ¿Acaso no tenía un ejemplo en sus compatriotas Biccio y Musciato Guardi, los famosos financieros toscanos, a quienes los franceses llamaban Biche y Mouche,* y que fueron durante más de diez años tesoreros, embajadores, y favoritos del austero Felipe el Hermoso? Él lograría aún más. Y algún día se narraría la historia del ilustre Guccio Baglioni, que se había iniciado en la vida derribando casi al rey de Francia en una esquina de París... Ya el rumor del puerto llegaba hasta él como una aclamación.

El viejo marino tendió una planchada entre el muelle y el barco. Guccio pagó el precio del pasaje y por fin dejó el mar por la tierra firme.

Como no llevaba mercancías no tuvo que pasar por la aduana. Al primer chiquillo que se ofreció para llevar

* «Cierva» y «mosca», pero también, popularmente, «golfa» y «soplón». (N. de la T.)

su equipaje le pidió que lo condujera a casa del lombardo del lugar.

Los banqueros y mercaderes italianos de esa época poseían su propia organización de correos y transporte.

Reunidos en grandes «compañías» que llevaban el nombre de su fundador, tenían sucursales en las principales ciudades y puertos. Dichas sucursales eran a la vez banco, oficina privada de correos y agencia de viajes.

El agente de la sucursal de Dover pertenecía a la compañía Albizzi. Se alegró mucho de recibir al sobrino del jefe de la compañía Tolomei y lo trató lo mejor que pudo. Le dieron con qué lavarse; sus ropas fueron secadas y planchadas; le cambiaron el oro francés por oro inglés y le sirvieron una abundante comida mientras le preparaban un caballo.

Mientras comía, Guccio contó la terrible tormenta que había soportado, atribuyéndose un papel importante.

Había también allí un hombre llegado la víspera, llamado Boccaccio, viajante por cuenta de la compañía Bardi. Venía de París, donde había asistido al suplicio de Jacobo de Molay y con sus propios oídos había escuchado la maldición. Para describir la tragedia se servía de una ironía precisa y macabra que encantó a los comensales italianos. Este personaje, de unos treinta años, era de rostro inteligente y vivo, labios finos y mirada que parecía divertirse con todo. Puesto que iba también a Londres, Guccio y él decidieron hacer el camino juntos.

Partieron hacia el mediodía.

Recordando los consejos de su tío, Guccio hizo hablar a su compañero, quien, por otra parte, no quería otra cosa. El señor Boccaccio parecía haber corrido mucho. Había estado en todas partes, en Sicilia, Venecia, España, Flandes, Alemania y hasta en Oriente, y había salido ileso de muchas aventuras. Conocía las costumbres de esos países, tenía su opinión personal sobre el valor comparado de las religiones, despreciaba bastante a los monjes y detestaba la Inquisición. Al parecer, las mujeres le interesaban en gran manera. Daba a entender que las había frecuentado mucho y que, de muchas de ellas, unas oscuras y otras ilustres, sabía gran cantidad de curiosas anécdotas. Poco caso hacía de su virtud, y su lenguaje se adornaba, al hablar de ellas, con imágenes que dejaban a Guccio meditabundo. Espíritu libre el tal señor Boccaccio, y muy por encima del nivel común.

—Si hubiera tenido tiempo —dijo a Guccio— me habría gustado poner por escrito esta cosecha de historias y de ideas recogidas a lo largo de mis viajes.

—¿Por qué no lo hacéis, señor? —respondió Guccio.

El otro suspiró como si confesara un sueño incumplido.

—Es un poco tarde. Uno no se hace escritor a mi edad —dijo—. Cuando el oficio de uno es ganar oro, después de los treinta años no se puede hacer otra cosa. Además, si escribiera todo esto, quién sabe, tal vez correría el riesgo de que me quemaran.

Este viaje, estribo contra estribo, a través de una hermosa campiña verde con un compañero tan interesante, encantó a Guccio. Aspiraba con placer el aire primaveral, las herraduras de los caballos parecían a sus oídos una feliz canción y pensaba tan bien de sí mismo como si hubiera compartido las aventuras de su compañero.

Por la noche se detuvieron en una posada. Los altos en el camino inducen a las confidencias. Ante una jarra de cerveza fuerte aromatizada con jengibre, pimienta y clavo, el señor Boccaccio contó a Guccio que tenía una amante francesa que le había dado un niño el año anterior, bautizado con el nombre de Giovanni.*

* Ese niño sería más tarde el ilustre Boccaccio, autor del *Decamerón*. (N. de la T.)

—Se dice que los niños nacidos fuera del matrimonio son más listos y vigorosos que los otros —hizo notar Guccio sentenciosamente, pues disponía de algunas trivialidades para nutrir la conversación.

—Sin duda alguna. Dios les otorga dones de espíritu y de cuerpo para compensarlos por lo que les quita en herencia y respeto —respondió Boccaccio.

—En todo caso, este niño tendrá un padre que podrá enseñarle muchas cosas.

—A menos que no le guarde rencor por haberlo traído al mundo en tan malas condiciones —dijo el viajante de los Bardi.

Durmieron en el mismo cuarto. Al amanecer reanudaron la marcha. Jirones de bruma se adherían aún a la tierra. El señor Boccaccio callaba; no era hombre de amaneceres.

Hacía fresco y el cielo se aclaró pronto. Guccio descubría a su alrededor una campiña cuya hermosura lo hechizaba. Los árboles todavía estaban desnudos, pero el aire olía a savia y la tierra verdeaba ya de hierba fresca y tierna. Innumerables setos cortaban el campo y las colinas. El paisaje, con sus valles y collados orlados de florestas, el resplandor verde y azul del Támesis entrevisto desde lo alto de un monte, una jauría seguida por un grupo de caballeros... Todo seducía a Guccio. «La reina Isabel tiene en verdad un hermoso reino», se repetía.

A medida que pasaban las leguas, aquella reina ocupaba mayor espacio en sus pensamientos. ¿Por qué no agradarle al mismo tiempo que cumplía su misión? La historia de los príncipes y de los imperios ofrecía numerosos ejemplos de cosas más sorprendentes. «Por ser reina, no es menos mujer —se decía Guccio—. Tiene veintidós años y su esposo no la ama. Los señores ingleses no han de atreverse a cortejarla por temor a disgustar al rey. En tanto que yo, mensajero secreto que ha desafiado la tempestad para venir hasta aquí, llego, doblo la rodilla en tierra, la saludo con un gran vuelo de mi sombrero, beso el ruedo de su vestido...»

Ya pulía las palabras con las cuales colocaría su corazón, su astucia y su brazo al servicio de la joven reina de cabellos de oro... «Señora, no soy noble, mas sí un ciudadano libre de Siena que vale tanto como cualquier hidalgo. Tengo dieciocho años y es mi mayor deseo contemplar vuestra belleza y ofrendaros mi alma y mi sangre.»

—Estamos a punto de llegar —dijo el señor Boccaccio.

Se hallaban ya en los arrabales de Londres sin que Guccio se hubiera dado cuenta de ello. Las casas se espesaban a lo largo de la ruta. Había desaparecido el buen aroma del bosque y el aire olía a turba quemada.

Guccio miraba a su alrededor, con sorpresa. Su tío Tolomei le había hablado de una ciudad extraordinaria y sólo veía una interminable sucesión de caseríos de negros muros, callejuelas sucias por donde pasaban flacas mujeres cargadas con pesados fardos, niños andrajosos y soldados de mal aspecto.

De pronto, junto con un grupo de gente, caballos y carros, los viajeros se encontraron frente al puente de Londres. Dos torres cuadradas guardaban su entrada, y entre las cuales, por la noche, se tendían cadenas, y que se cerraban con enormes puertas. Lo primero que Guccio observó fue una cabeza humana, ensangrentada, clavada en una de las picas que erizaban las puertas. Los cuervos revoloteaban en torno a aquel rostro de cuencas vacías.

—La justicia de los reyes de Inglaterra ha funcionado esta mañana —dijo Boccaccio—. Así terminan aquí los criminales o los que son llamados de ese modo para desembarazarse de ellos.

—Curiosa acogida para los extranjeros —dijo Guccio.

—Una manera de prevenirlos de que no llegan a una ciudad de florecillas y ternuras.

Este puente era, por entonces, el único tendido sobre el Támesis. Formaba una verdadera calle construida encima del agua, y sus casas de madera, apretadas unas contra otras, albergaban toda clase de tiendas.

Veinte arcos de dieciocho metros de altura sostenían aquella extraordinaria edificación. Casi cien años habían sido precisos para construirlo, y los londinenses lo mostraban con orgullo.

Un agua turbia hacía remolinos alrededor de las arcadas; en las ventanas se secaba ropa blanca y las mujeres vaciaban sus baldes en el río.

Comparado con el puente de Londres, el Ponte Vecchio de Florencia le parecía a Guccio un juguete, y el Arno, al lado del Támesis, sólo un arroyo. Así se lo dijo a su compañero.

—Pero somos nosotros quienes se lo enseñamos todo a los otros pueblos —respondió éste.

Tardaron veinte minutos en cruzar el puente, porque la multitud era muy densa y los mendigos que se les colgaban de las botas muy insistentes.

Al llegar a la orilla opuesta, Guccio vio a su derecha la torre de Londres cuya enorme masa blanca se recortaba sobre el cielo gris. Luego, detrás del señor Boccaccio, penetró en la ciudad. El ruido y la animación que reinaban en las calles, el rumor de voces extranjeras, el cielo plomizo, el pesado olor del humo que flotaba sobre las casas, los gritos que salían de las tabernas, la audacia de las descaradas mujeres, la brutalidad de los escandalosos soldados... Todo sorprendió a Guccio.

Al cabo de unos trescientos pasos, los viajeros doblaron a la izquierda y desembocaron en la calle Lombard, donde los banqueros italianos tenían sus establecimientos. Las casas eran de aspecto exterior modesto, de un piso o dos a lo sumo, pero muy bien cuidadas, con puertas lustrosas y rejas en las ventanas. El señor Boccaccio dejó a Guccio delante del banco Albizzi. Los dos compañeros de viaje se separaron con grandes muestras de amistad, se felicitaron mutuamente por el placer de la buena compañía y prometieron volver a verse muy pronto en París.

3

Westminster

El maestro Albizzi era un hombre alto, delgado, de larga cara morena, con espesas cejas y mechones de cabello negro que asomaban por debajo de su bonete. Recibió a Guccio con plácida benevolencia y afabilidad de gran señor. En pie, con su flaco cuerpo ceñido por un traje de terciopelo azul oscuro, la mano sobre el escritorio, Albizzi parecía un príncipe toscano.

Mientras intercambiaban los cumplidos de rigor, la mirada de Guccio iba de los altos tronos de roble a los tapices de Damasco, de los taburetes con incautaciones de marfil a las ricas alfombras que cubrían el suelo, de la monumental chimenea a los hachones de plata maciza. Y el joven no podía evitar hacer una rápida evaluación: «Esos tapices... sesenta libras cada uno, seguramente; los hachones, el doble; la casa, si cada habitación está a la altura de ésta, vale tres veces más que la de mi tío...» Pues, aunque soñara con ser embajador y caballero andante de la reina, Guccio no olvidaba que era mercader, hijo, nieto y biznieto de mercaderes.

—Debiste haber embarcado en uno de mis navíos... porque también somos armadores, y tomar el camino de Boulogne —dijo el maestro Albizzi—. De este modo, primo mío, habrías hecho una travesía más confortable.

Hizo servir hipocrás, un vino aromatizado que se acompañaba con almendras garrapiñadas. Guccio explicó el objeto de su viaje.

—Tu tío Tolomei, a quien mucho estimo, sabe lo

que hace al enviarte a mí —dijo Albizzi jugueteando con el grueso rubí que llevaba en la mano derecha—. Uno de mis principales clientes, y el más agradecido, se llama Hugh Le Despenser. Por él arreglaremos la entrevista.

—¿Te refieres al íntimo amigo del rey Eduardo? —inquirió Guccio.

—La amiga, querrás decir, la favorita del rey. No, hablo del padre. Su influencia es más velada, pero igualmente grande. Se sirve hábilmente de la desfachatez del hijo, y si las cosas siguen como van, pronto gobernará el reino.

—Pero es a la reina a quien quiero ver, no al rey.

—Mi joven primo —le explicó Albizzi con una sonrisa—, aquí, como en todas partes, hay quienes juegan ambas cartas sin pertenecer a uno ni a otro partido. Yo sé lo que puedo hacer.

Llamó a su secretario y escribió rápidamente unas líneas en un papel que selló.

—Irás a Westminster hoy mismo, después de comer, primo mío —dijo después de despachar al secretario portador del billete—, y espero que la reina te conceda una audiencia. A todos los efectos serás un mercader de piedras preciosas y orfebrería, venido expresamente de Italia y recomendado por mí. Al presentarle las alhajas a la reina, podrás cumplir la misión. —Fue hasta un gran cofre, lo abrió y sacó una caja de madera noble con herrajes de cobre.

—Aquí tienes tus credenciales —agregó.

Guccio levantó la tapa: sortijas con piedras centelleantes, pesados collares de perlas y un espejo cercado de esmeraldas y diamantes reposaban sobre un lecho de terciopelo.

—Y si la reina quisiera adquirir alguna de estas joyas, ¿qué debo hacer?

Albizzi sonrió.

—La reina no te comprará nada directamente, pues no tiene dinero reconocido y supervisan sus gastos. Si desea algo, me lo hará saber. El mes pasado le hice confeccionar tres escarcelas que aún se me deben.

Después de la comida, por cuyo menú Albizzi se excusó diciendo que era de diario, pero que resultó digno de la mejor mesa, Guccio se encaminó a Westminster. Lo acompañaba un lacayo del banco, una especie de guardia con aspecto de búfalo, que llevaba el cofre atado con una cadena a la cintura.

El corazón de Guccio rebosaba de orgullo. Iba con la barbilla levantada y aire orgulloso, contemplando la ciudad como si fuera a convertirse en su propietario al día siguiente.

El palacio, imponente por sus gigantescas proporciones, aunque sobrecargado de florituras, le pareció de bastante mal gusto, comparado con los que en aquellos años se construían en Toscana y, especialmente, en Siena. «Esta gente anda escasa de sol y, sin embargo, parece hacer todo lo posible para impedir el paso del poco que tiene», pensó.

Entró por la puerta de honor. Los soldados de la guardia se calentaban alrededor de un fuego de gruesos troncos. Un escudero se aproximó.

—¿Señor Baglioni? Os aguardan. Voy a presentaros —dijo en francés.

Escoltado siempre por el lacayo con el cofre de las joyas, Guccio siguió al escudero. Atravesaron un patio rodeado de arcadas, luego otro, subieron una amplia escalera de piedra y penetraron en las habitaciones. Las bóvedas eran muy altas y llenas de extraños ecos. A medida que avanzaba por una sucesión de salas heladas y oscuras, Guccio se esforzaba vanamente por mantener su osada apariencia; pero se sentía disminuido. Vio un grupo de hombres jóvenes cuyos ricos atavíos y trajes adornados con pieles le llamaron la atención; en el costado izquierdo de cada uno de ellos brillaba el puño de una espada. Era la guardia de la reina.

El escudero dijo a Guccio que aguardara y lo dejó allí, en medio de los gentilhombres que lo examinaban con aire burlón e intercambiaban comenarios que él no comprendía.

De pronto, se sintió invadido por una sorda angustia. ¿Y si se producía algún imprevisto? ¿Y si en esa corte que sabía desgarrada por las intrigas, pasaba por sospechoso? ¿Y si, antes de ver a la reina, se abalanzaban sobre él, lo registraban y descubrían el mensaje?

Cuando el escudero regresó en su busca y le tiró de la manga, Guccio se sobresaltó. Tomó el cofre de manos del criado de Albizzi y, en su apresuramiento, olvidó que estaba atado por una cadena a la cintura del hombre, que del tirón salió proyectado hacia delante. Hubo risas, y Guccio se sintió ridículo. Tanto que entró en las habitaciones de la reina humillado, petrificado, confundido, y se halló ante ella antes de haberla visto.

Isabel estaba sentada. Una mujer joven, de cara larga y rígida postura, se hallaba en pie a su lado. Guccio hincó la rodilla en tierra y en vano buscó un cumplido que no acudió a su mente. La presencia de una tercera persona acababa de ahuyentar sus bellas esperanzas. Se había figurado —¿cómo pudo imaginarlo?— que la reina estaría sola.

La reina habló primero:

—Lady Le Despenser —dijo—, veamos las joyas que nos trae este joven italiano, a ver si son tan maravillosas como dicen.

El apellido Le Despenser acabó de turbar a Guccio. ¿Qué podía hacer una Le Despenser en las habitaciones de la reina?

Habiéndose levantado a un gesto de la reina, abrió el cofre y se lo presentó. Lady Le Despenser le dedicó apenas una mirada y dijo con voz displicente:

—Son muy hermosas, en efecto, señora, pero no son para nosotras; no podríamos comprarlas.

La reina hizo un gesto de malhumor:

—Entonces, ¿por qué me ha presionado vuestro suegro para que recibiera a este mercader?

—Creo que para favorecer a Albizzi, pero ya le debemos demasiado como para comprarle más cosas.

—Sé, señora —dijo entonces la reina—, que vos, vuestro marido y todos vuestros parientes veláis con sumo cuidado por la fortuna del reino, tanto que bien podría creerse que es vuestra. Pero aquí tendréis que tolerar que disponga de mis bienes particulares, o al menos de lo que me han dejado. Por otra parte, me admira, señora, que cuando viene a palacio algún forastero o algún mercader, mis damas francesas se hallen alejadas como por casualidad, a fin de que vuestra madre política o vos misma podáis hacerme compañía de tal modo que parece más bien vigilancia. Imagino que si estas mismas alhajas fueran presentadas a mi esposo o al vuestro, uno y otro encontrarían la forma de adornarse con ellas como no osarían hacerlo las mujeres.

El tono era tranquilo y frío, pero en cada palabra se traslucía el resentimiento de Isabel contra la abominable familia que, al mismo tiempo que ridiculizaba la corona, disponía del Tesoro. Pues no solamente los Le Despenser, padre y madre, se aprovechaban del amor que el rey profesaba a su hijo, sino que la propia mujer de este último consentía el escándalo y le prestaba su apoyo.

Humillada por las duras palabras, Eleanor Le Despenser se levantó y se retiró a un rincón de la sala, sin dejar de observar a la reina y al joven sienés.

Guccio, recobrando en parte el aplomo que le era natural y que tanto y tan extrañamente le faltaba aquel día, osó por fin mirar a Isabel. Había llegado el instante de darle a entender que la compadecía por sus desdichas y que sólo deseaba servirla. Mas encontró en ella tal frialdad, tal indiferencia, que se le heló el corazón. Sus ojos azules tenían la misma fijeza helada que los de Felipe el Hermoso. Cómo podía declarar a semejante mujer: «Señora, os hacen sufrir, y yo quiero amaros.»

Lo único que Guccio pudo hacer fue indicar la gran sortija de plata que había colocado en un rincón del cofre, y decir:

—Señora, ¿me concederéis el favor de examinar esta sortija y mirar su grabado?

La reina la tomó, reconoció los tres castillos de Artois grabados en el metal y miró a Guccio.

—Me agrada —dijo—. ¿Tenéis otros objetos tallados por la misma mano?

Sacando de sus ropas el mensaje, dijo Guccio:

—Aquí están los precios.

—Acerquémonos a la luz para que yo los vea mejor —dijo Isabel.

Se levantó y acompañada de Guccio fue hasta el alféizar de una ventana, donde pudo leer el mensaje a su entera satisfacción.

—¿Regresáis a Francia? —murmuró luego.

—Cuando os plazca ordenármelo, señora —respondió Guccio en el mismo tono.

—Decid entonces al conde de Artois que estaré en Francia dentro de poco y que todo se hará como habíamos convenido.

Su semblante se había animado un poco. Concentraba toda su atención en el mensaje y ninguna en el mensajero. No obstante, la preocupación real por pagar bien a los que la servían le hizo agregar:

—Diré al conde de Artois que os recompense por vuestros afanes mejor de lo que yo podría hacerlo en este momento.

—El honor de veros y de serviros, señora, constituye ciertamente mi mejor recompensa.

Isabel agradeció estas palabras con un leve movimiento de cabeza, y Guccio comprendió que entre una biznieta de san Luis y el sobrino de un banquero había una distancia infranqueable.

En voz bien alta, de manera que Le Despenser pudiera oírla, la reina dijo:

—Os haré saber por Albizzi lo que decida con respecto a estas joyas. Adiós, señor.

Y lo despidió con un gesto.

4

El crédito

A pesar de la cortesía de Albizzi, que lo invitó a permanecer en Londres varios días, Guccio partió a la mañana siguiente muy temprano, bastante irritado consigo mismo. No obstante, había cumplido perfectamente su misión, y por este lado sólo merecía elogios. Pero no se perdonaba, como ciudadano libre de Siena que era y, por tanto, igual a cualquier gentilhombre de Inglaterra, haberse dejado impresionar por la presencia de una reina. Pues era inútil engañarse; nunca podría negarse a sí mismo que se había quedado sin habla al verse frente a la reina de Inglaterra, la cual ni siquiera lo había honrado con una sonrisa. «¡Al fin y al cabo es una mujer como todas! ¿Por qué he temblado?», se decía enfadado. Mas cuando se decía esto, estaba ya lejos de Westminster.

No habiendo encontrado compañero como a la ida, hacía solitario su camino, remachando su despecho. Tal estado de ánimo no lo abandonó durante todo el viaje de regreso y fue exasperándolo a medida que pasaban las leguas.

Como no tuvo en la corte de Inglaterra la acogida esperada, y como por su linda cara no le habían rendido honores de príncipe, cuando pisó tierra de Francia se había formado la opinión de que los ingleses eran una nación bárbara. En cuanto a la reina Isabel, si era desdichada, si su marido se mofaba de ella, bien merecido lo tenía. «¡Vaya! ¡Uno atraviesa el mar, arriesga su vida, y se lo agradecen menos que si fuera un lacayo!

Esa gente ha aprendido a darse grandes aires, pero no tienen sentimientos y desprecian la mejor dedicación. No deben sorprenderse si son tan poco queridos y tan traicionados.»

La juventud no renuncia fácilmente a sus ansias de grandeza. Por las mismas rutas por las que la semana antepasada se creía ya embajador y amante real, Guccio se decía rabioso: «Ya me vengaré.» Con quién y cómo no lo sabía aún, pero necesitaba desquitarse.

Puesto que el destino y el desdén de los reyes requerían que fuese un banquero lombardo, demostraría serlo como rara vez se había visto. Un banquero poderoso, audaz y retorcido, un prestamista despiadado. ¿Su tío le había encargado que pasara por la sucursal de Neauphle-le-Vieux para cobrar un crédito? ¡Pues bien! No sospechaban los deudores la tormenta que se les venía encima.

Guccio tomó por Pontoise para desviarse a través de Île-de-France y llegó a Neauphle el día de San Hugo.

La sucursal de Tolomei estaba en una casa contigua a la iglesia, en la plaza de la ciudad. Guccio entró como dueño, hizo que le mostraran los libros de registro y amonestó a todo el mundo. ¿Para qué servía el delegado principal? ¿Era acaso necesario que él, Guccio Baglione, el propio sobrino del director de la «compañía», tuviera que molestarse por cada crédito o dificultad? Ante todo, ¿quiénes eran esos castellanos de Cressay, deudores de trescientas libras? Se le informó: el padre había muerto. Sí, eso Guccio lo sabía. ¿Y luego? Tenía dos hijos de veinte y veintidós años. ¿Qué hacían? Cazaban... Evidentemente, eran unos holgazanes. Había también una hija de dieciséis años... Seguramente fea, decidió Guccio... Y luego la madre que dirigía la casa desde la muerte del señor de Cressay. Gentes de buena cuna, pero arruinadas por completo. ¿Cuánto valían el castillo y las tierras? Entre ochocientas y novecientas libras. Poseían un molino y una treintena de siervos.

—¿Y con esto no conseguís hacerlos pagar? —exclamó Guccio—. ¡Ya veréis si conmigo dura mucho esta situación! ¿Cómo se llama el preboste de Montfort?[1] ¿Portefruit? Bien. ¡Si esta tarde no han pagado, voy en busca del preboste y los hago embargar! ¡Eso es!

Montó de nuevo a caballo y partió al trote hacia Cressay, como si fuera a conquistar, él solo, una plaza fuerte. «Mi oro o el embargo, mi oro o el embargo —se repetía—. Tendrán que encomendarse a Dios o a sus santos.»

Cressay, a una media legua de Neauphle, era una aldea construida en un extremo del valle, al borde del Mauldre, arroyo que un caballo puede vadear de un salto.

El castillo que Guccio divisó no era, en realidad, más que una casa solariega bastante deteriorada, sin foso puesto que el arroyo le servía de defensa, con torres bajas y rodeada de fango. La pobreza y la mala conservación eran evidentes. Los techos se desplomaban en muchas partes; el palomar parecía vacío; los muros, llenos de musgo, tenían grietas, y en los bosques cercanos los profundos claros dejaban adivinar abundantes talas.

«Peor para ellos. Mi oro o el embargo», se repetía Guccio al franquear la puerta.

Pero alguien había tenido la misma idea antes que él, y ése era precisamente el preboste Portefruit.

Había un gran trajín en el patio. Tres guardias reales, esgrimiendo el bastón de la flor de lis, enloquecían con sus órdenes a algunos siervos harapientos y los obligaban a reunir el ganado, a juntar los bueyes y a traer del molino los sacos de grano que eran arrojados dentro del carro del prebastazgo. Los gritos de los guardias, las carreras de los aterrorizados labriegos, los balidos de unas veinte ovejas, los cacareos de las aves de corral producían una tremenda algarabía.

Nadie se ocupó de Guccio; nadie acudió a sujetar su caballo, cuya brida él mismo ató a una anilla. Un viejo campesino le dijo simplemente:

—La desgracia ha caído sobre esta casa. Si el amo estuviera presente, reventaría por segunda vez. ¡No hay justicia!

La puerta de la mansión estaba abierta y por ella salían los gritos de una violenta discusión.

«Parece que llego en mal día», pensó Guccio, cuyo malhumor se acrecentaba.

Subió los escalones del pórtico y, guiándose por las voces, entró en una sala larga y oscura con muros de piedra y techo de vigas.

Una jovencita, a quien no se tomó el trabajo de mirar, le salió al encuentro.

—Vengo por negocios y quisiera hablar con la señora de Cressay —dijo él.

—Soy María de Cressay. Mis hermanos están ahí y mi madre también —respondió la jovencita con voz titubeante, indicando el fondo de la estancia—. Pero ahora están muy ocupados...

—No importa, aguardaré —dijo Guccio.

Y para afirmar su decisión, se plantó delante de la chimenea y aproximó su bota al fuego, a pesar de que no sentía frío.

En el otro extremo de la sala se gritaba a voz en cuello. Entre sus dos hijos, barbudo uno, lampiño el otro, altos y coloradotes ambos, la señora de Cressay se esforzaba por hacer frente a un nuevo personaje, a quien Guccio reconoció enseguida como el preboste Portefruit en persona.

La señora de Cressay, doña Eliabel para todos los del lugar, tenía los ojos brillantes y el pecho abundante, y llevaba su cuarentena entrada en carnes muy bien enfundada en su traje de viuda.[2]

—Señor preboste —gritaba—, mi esposo se endeudó en la guerra del rey, de donde sacó más magulladuras que provecho, en tanto que la propiedad, sin hombre, andaba a la buena de Dios. Hemos pagado siempre nuestros tributos y ayudando a la Iglesia. Decidme, ¿quién hizo más en toda la comarca? ¡Y todo para engordar a gente de vuestra calaña, señor Portefruit, cuyos abuelos andaban descalzos por estos contornos... y por eso venís a saquearnos!

Guccio miró a su alrededor. Algunas banquetas rústicas, dos sillas de respaldo, bancos pegados a los muros, cofres y un gran camastro con cortina que dejaba entrever el colchón de paja constituían el mobiliario. Sobre la chimenea pendía un viejo escudo desteñido, sin duda la enseña de guerra del señor de Cressay.

—Me quejaré al conde de Dreux —proseguía diciendo doña Eliabel.

—El conde de Dreux no es el rey y yo cumplo órdenes reales —respondió el preboste.

—No os creo, señor preboste. No creo que el rey ordene que se trate como malhechores a quienes poseen título de caballería desde hace doscientos años. ¿O quizá las cosas no andan bien en el reino?

—¡Por lo menos dadnos tiempo! —dijo el hijo barbudo—. Pagaremos mediante pequeñas sumas.

—Terminemos esta discusión. Os he concedido tiempo suficiente y no habéis pagado —interrumpió el preboste. Tenía brazos cortos, cara redonda y voz cortante—. Mi labor no consiste en escuchar vuestras quejas, sino en cobrar las deudas —prosiguió diciendo—. Debéis aún al Tesoro trescientas treinta libras. Si no las tenéis, tanto peor. Tomo y vendo.

Guccio pensó: «Este hombre habla con el mismo lenguaje que yo me disponía a usar. Cuando haya cumplido con su misión no quedará nada. Decididamente, ha sido un mal viaje. ¿No sería mejor intervenir enseguida?»

Le ponía de mal humor ver que el preboste, llegado en mala hora, le pasaba la mano por la cara.

La jovencita que había salido a recibirlo no estaba lejos de allí. La miró mejor. Era rubia, con hermosos cabellos ondulados que le salían de la cofia, de tez luminosa, grandes ojos oscuros y cuerpo fino, esbelto, bien formado. Guccio tuvo que reconocer que la había juzgado precipitadamente.

María de Cressay, por su parte, parecía muy incómoda de que un forastero asistiera a la escena. No era cosa de todos los días que un joven caballero, de rostro agradable y cuya vestimenta anunciaba riqueza, pasara por aquellos campos. ¡Qué mala suerte que aquello sucediera cuando la familia se mostraba en su peor aspecto!

La discusión proseguía en el otro extremo de la sala.

—¿No basta con haber perdido al esposo y tener que pagar además seiscientas libras para conservar su casa? ¡Me quejaré al conde de Dreux! —repetía doña Eliabel.

—Os hemos entregado ya doscientas setenta, que tuvimos que pedir prestadas —añadió el hijo barbudo.

—Embargarnos es reducirnos al hambre, es vendernos, es querer nuestra muerte —dijo el segundo hijo.

—Órdenes son órdenes —replicó el preboste—. Conozco mis derechos. Hago el embargo y haré la venta.

Vejado, como un actor desposeído de su papel, Guccio dijo a la chica:

—Este preboste me resulta odioso. ¿Qué quiere de vosotros?

—No lo sé, ni tampoco lo saben mis hermanos. Poco comprendemos de esas cosas —respondió María de

Cressay—. Dice que es por la sucesión, después de la muerte de nuestro padre.

—¿Y por eso reclama seiscientas libras? —dijo Guccio arrugando el entrecejo.

—¡Ah, señor, la desgracia ha caído sobre nosotros! —murmuró ella.

Sus miradas se cruzaron, se retuvieron por un instante, y Guccio creyó que la jovencita iba a echarse a llorar. Pero no. Soportaba con entereza la adversidad y sólo por pudor desvió sus hermosas pupilas de color azul oscuro.

Guccio reflexionaba. De pronto, dando un gran rodeo a la sala, se plantó ante el agente de la autoridad y exclamó:

—¡Permitid, señor preboste! ¿No estaréis a punto de cometer un robo?

Estupefacto, el preboste le hizo frente y le preguntó quién era.

—No viene a cuento —repitió Guccio—. Desead mejor no enteraros pronto si tenéis la desdicha de que vuestras cuentas no sean justas. Pero tengo algunas razones para interesarme en la sucesión de Cressay. Dignaos a decirme en cuánto estimáis esta propiedad.

Como el otro intentaba imponerle su autoridad y amenazaba con llamar a sus guardias, Guccio prosiguió:

—¡Cuidado! Habláis con un hombre que hace cinco días era huésped de la reina de Inglaterra y que tiene poder para presentarse mañana ante el señor Enguerrando de Marigny a fin de hacerle conocer el comportamiento de sus prebostes. Responded, señor... ¿cuánto vale esta propiedad?

Sus palabras causaron efecto. El preboste se turbó al oír el nombre de Marigny; la familia callaba, atenta, asombrada. Guccio tenía la impresión de haber crecido un palmo.

—El bailiazgo estima que Cressay tiene un valor de tres mil libras —respondió por fin el preboste.

—¿Tres mil, habéis dicho? —exclamó Guccio—. ¿Tres mil libras esta casa de campo cuando el palacio de Nesle, uno de los más hermosos de París y morada del rey de Navarra, está tasado en cinco mil libras? Tasa caro vuestro bailiazgo.

—Están las tierras.

—El total vale novecientas libras a lo sumo, y lo sé de buena tinta.

El preboste tenía en la frente, encima del ojo izquierdo, un defecto de nacimiento, una gruesa fresa que se ponía violácea por efecto de la emoción. Y Guccio, mientras hablaba, fijaba los ojos en dicha fresa, cosa que acababa por hacerle perder al preboste su presencia de ánimo.

—¿Queréis decirme, ahora, cuáles son los derechos reales sobre la transmisión de bienes?

—Cuatro sueldos por cada libra registrada en el bailiazgo.

—Mentís vilmente, señor Portefruit. El impuesto es de dos sueldos para nobles, en todos los bailiazgos. No sois el único en conocer la ley; yo también la sé. Este hombre se aprovecha de vuestra ignorancia para embaucaros como un tunante —dijo Guccio, dirigiéndose a la familia Cressay—. Afirma que actúa en nombre del rey, pero no os dice que se ha cobrado ya el impuesto y que, después de pagar al Tesoro del rey lo que prescriben las ordenanzas, se echará al bolsillo lo restante. Y si os hace vender, ¿quién comprará, no por tres mil libras, sino por mil quinientas o, incluso por el importe de la deuda, el castillo de Cressay? ¿No seréis vos, señor preboste, quien tiene esa hermosa intención?

Toda la irritación de Guccio, todo su rencor y su cólera hallaban ahora salida. Se acaloraba al hablar; había encontrado, por fin, la oportunidad de ser importante, de hacerse respetar y de jugar al hombre fuerte. Pasándose alegremente al bando que venía a atacar, asumía la defensa de los débiles y se presentaba como el salvador de los desposeídos.

En cuanto al preboste, su gruesa cara redonda se había vaciado de sangre y sólo la fresa violeta, encima del ojo, se destacaba como una mancha oscura. Agitaba los cortos brazos con movimientos de pato. Afirmó su buena fe. No era él quien había hecho las cuentas. Podía haberse cometido un error... sus asistentes o bien los del bailiazgo.

—¡Muy bien! Reharemos vuestras cuentas —dijo Guccio.

En un momento le demostró que los Cressay sólo debían, todo junto, capital e intereses, cien libras y unos sueldos.

—Y ahora, ¡dad orden a vuestros guardias para que desaten los bueyes, lleven de vuelta el trigo al molino y dejen en paz a esta honrada gente!

Y asiendo al preboste por el cuello del traje lo llevó hasta la puerta. El otro obedeció y gritó a los guardias que había un error que era necesario verificar, que regresarían en otro momento y que, por ahora, dejaran todo en su lugar. Creía que la cosa había terminado, pero Guccio lo condujo de nuevo al centro de la sala, y le dijo:

—Y ahora, devolvednos ciento setenta libras.

Guccio había tomado de tal modo partido por los Cressay, que ya decía «nosotros» al defender su causa.

El preboste se enfureció, pero Guccio lo calmó enseguida.

—¿No acabo de oír que habíais percibido anteriormente doscientas setenta libras?

Los dos hermanos asintieron.

—Entonces, señor preboste... ciento setenta libras —dijo Guccio, alargando la mano.

169

El gordo Portefruit quiso resistirse. Lo pagado, pagado estaba. Sería preciso examinar las cuentas del prebostazgo. Por otra parte, no llevaba tanto oro encima. Volvería más tarde.

—Más os valdrá que tengáis ese oro. ¿Estáis seguro de no haber cobrado alguna suma en el día de hoy? Los recaudadores del señor de Marigny son eficientes —declaró Guccio—. Os conviene concluir este negocio al momento.

El preboste dudó unos instantes. ¿Llamar a sus guardias? El joven tenía aspecto vivaz y llevaba su buena espada al cinto. Además, estaban los dos hermanos Cressay, de sólida talla, con las armas de caza al alcance de sus manos sobre un cofre. Seguramente los labriegos se sumarían a sus amos. Más valía no aventurarse en aquel asunto, sobre todo con el nombre de Marigny suspendido sobre su cabeza. Se rindió y, sacando de entre sus ropas una vieja bolsa, contó y entregó el exceso de lo percibido. Sólo entonces Guccio lo dejó ir.

—¡Recordaremos vuestro nombre, señor Portefruit! —le gritó desde la puerta.

Y regresó riendo a mandíbula batiente, mostrando sus dientes hermosos, blancos y bien alineados.

Al instante, la familia lo rodeó colmándolo de bendiciones, tratándolo como a su bienhechor. En el entusiasmo general, la bella María de Cressay tomó la mano de Guccio y la llevó a sus labios; pareció aterrada de su acción.

Guccio, encantado consigo mismo, se sentía a sus anchas en el nuevo papel. Se había conducido de acuerdo con el ideal mismo de la caballería: era el caballero andante que llega a un castillo desconocido para socorrer a la joven doncella afligida y proteger de los malvados a la viuda y a los huérfanos.

—Pero, en fin, ¿quién sois, señor, y a quién debemos tanto? —dijo Juan de Cressay, el que llevaba barba.

—Me llamo Guccio Baglioni. Soy sobrino del banquero Tolomei, y vengo por el crédito.

Cayó el silencio en la estancia. Toda la familia se miró presa de angustia y consternación. Guccio se sintió como despojado de una bella armadura.

Doña Eliabel fue la primera en recobrarse. Tomó el oro dejado por el preboste y, componiendo una sonrisa de circunstancias, dijo, con voz jovial, que ante todo ella insistía en que su bienhechor les hiciera el honor de compartir su cena.

Comenzó a afanarse, mandó a sus hijos a diferentes tareas, y reuniéndolos luego en la cocina, les dijo:

—Cuidado, de todos modos es un lombardo. Es preciso desconfiar de esa gente, sobre todo cuando os han prestado un servicio. ¡Cuán lamentable es que nuestro padre tuviera que recurrir a ellos! Mostremos a éste, que por otra parte tiene buen aspecto, que no disponemos de dinero, pero procedamos de tal forma que no olvide que somos nobles.

Por fortuna, el día anterior los hijos habían cazado abundantes provisiones. Se retorció el cuello a algunas aves y, de este modo, se pudo elaborar el doble servicio de cuatro platos que exigía la etiqueta señorial. El primero fue un caldo ligero a la alemana, huevos fritos, ganso, guiso de conejo y una liebre asada; el segundo, una cola de jabalí en salsa, un capón, leche agria y gelatina de carne blanca.

Comida sencilla, pero todo un cambio en comparación con las gachas de harina y las lentejas con tocino con las que la familia, a semejanza de los campesinos, se contentaba con mucha frecuencia.

Preparar la comida llevó tiempo. Subieron de la bodega aguamiel, sidra y hasta las últimas redomas de vino, ya un poco picado. La mesa fue puesta sobre caballetes en la gran sala, contra uno de los bancos. Un mantel blanco caía hasta el suelo, y los comensales lo sostenían sobre las rodillas para limpiarse las manos. Había escudillas de estaño para cada dos personas. Las fuentes se depositaban en el centro de la mesa y todos se servían de ellas con la mano.

Tres campesinos, que por lo general se ocupaban del corral, se encargaron del servicio. Olían un poco a puerco y a conejera.

—Nuestro escudero trinchante —dijo doña Eliabel en tono de excusa con ironía, designando al cojo que cortaba las rebanadas de pan, gruesas como piedras de afilar, sobre las cuales se comía la carne—. Debo aclararos, señor Baglioni, que su oficio es cortar leña. Eso explica que...

Guccio comió y bebió en abundancia. El escanciador tenía la mano pesada y se hubiera dicho que daba de beber a los caballos.

La familia impulsó a Guccio a hablar, lo que no resultó difícil. El joven se puso a relatar la tempestad del canal de la Mancha, con tal énfasis, que sus huéspedes dejaron la cola de jabalí en la salsa. Se explayó con todo: con los acontecimientos del día, con el estado de los caminos, con el puente de Londres, con los templarios, con Italia, con la administración de Marigny...

De creer en sus palabras, era íntimo de la reina de Inglaterra, y tanto insistió sobre el misterio que envolvía su misión, que cualquiera hubiera creído que iba a estallar una guerra entre ambos países. «No puedo deciros más, pues es un secreto del reino y no me pertenece.» Cuando uno se luce delante de un grupo, acaba de convencerse a sí mismo, y Guccio, viendo las cosas de otra manera que por la mañana, consideraba su viaje como un gran triunfo.

Los dos hermanos Cressay, buenos muchachos aunque no muy listos, que jamás se habían alejado diez leguas de la finca natal, contemplaban con admiración y envidia a aquel mozo, menor que ellos, que ya había visto y hecho tanto.

Doña Eliabel, un poco apretada dentro de su vestido, se complacía en mirar con ternura al joven toscano y, no obstante su prevención contra los lombardos, encontraba encantadores los cabellos rizados, los dientes relucientes, las negras pupilas y aun su hablar ceceante.

Habilidosamente lo adulaba con cumplidos.

«Guárdate de las lisonjas —le había dicho a menudo Tolomei a Guccio—. La lisonja es el mayor peligro para un banquero. Uno difícilmente se resiste al elogio, y por ello más te vale un ladrón que un adulador.» Pero esa noche Guccio paladeaba los elogios como si bebiera aguamiel.

En realidad, hablaba principalmente para María de Cressay; la jovencita no le quitaba los ojos de encima y alzaba hacia él sus hermosas pestañas doradas. Tenía una manera de escuchar, con los labios entreabiertos como una granada madura, que inspiraba a Guccio el deseo de hablar.

Cuando se vive apartado, uno ennoblece fácilmente a las personas. Para María, Guccio era como un príncipe extranjero que estaba de viaje. Representaba lo imprevisto, lo inesperado, lo imposible soñado con harta frecuencia que llama de golpe a la puerta, dotado de un rostro, un cuerpo bellamente vestido, una voz.

El arrobamiento que leía en la mirada y en los rasgos de María de Cressay hizo que Guccio la considerara muy pronto como la más hermosa y deseable joven que viera en el mundo. A su lado, la reina de Inglaterra le parecía fría como una losa sepulcral. «Si compareciera en la corte, vestida como es debido —se decía—, sería la más admirada al cabo de una semana.»

Cuando se enjuagaron las manos todos estaban un poco ebrios y había caído la noche.

Doña Eliabel decidió que el joven no podía partir a aquella hora, y le rogó que aceptara un lecho, por modesto que fuera.

Le aseguró que su cabalgadura estaría bien atendida en los establos. El caballero andante continuaba existiendo y Guccio hallaba esta vida estupenda.

Muy pronto, doña Eliabel y su hija se retiraron. Los hermanos condujeron al viajero a la habitación destinada a los huéspedes, la cual parecía no haber sido usada en mucho tiempo. Apenas acostado, Guccio cayó en el sueño, pensando en una boca parecida a una granada madura sobre la cual apretaba sus labios para beber todo el amor del mundo.

NOTAS

1. Los *prebostes* eran funcionarios reales que acumulaban funciones repartidas hoy entre prefectos, jefes de divisiones militares, comisarios de distrito, agentes del Tesoro, inspectores fiscales y registradores. No hace falta decir que no eran apreciados. Pero ya entonces, en algunas regiones, compartían sus atribuciones con los recaudadores de impuestos.

2. La vestimenta de una viuda de la nobleza, muy parecida al hábito de las religiosas, constaba de una larga túnica negra, sin adornos ni joyas, una toca blanca que enmarcaba el cuello y mentón y un velo blanco sobre los cabellos.

5

El camino de Neauphle

Lo despertó una mano que se posó suavemente sobre su hombro. Estuvo a punto de tomarla y apretarla contra su mejilla...

Abrió un ojo y vio ante sí la abundante pechera y el rostro sonriente de doña Eliabel.

—¿Habéis dormido bien, señor?

Era un día claro. Guccio, un tanto confuso, aseguró que había pasado la mejor noche del mundo y que tenía prisa por asearse y vestirse.

—¡Me avergüenza mostrarme así delante de vos! —dijo.

Doña Eliabel llamó al labriego cojo que había servido la mesa la noche anterior y le ordenó que avivara el fuego y trajera un cuenco de agua caliente y algunas «telas», es decir, toallas.

—Antaño teníamos en el castillo una buena estufa, con una habitación de baños y otra para sudar —dijo ella—, pero se caía a pedazos, pues databa de los tiempos del abuelo de mi difunto y nunca tuvimos bastante para ponerla en buen estado. Ahora sirve para guardar leña. ¡Ah, la vida no es fácil para nosotros, la gente del campo!

«Ya comienza a trabajar por el crédito», se dijo Guccio.

Tenía la cabeza algo pesada por el vino de la víspera. Preguntó por Pedro y Juan de Cressay. Habían salido de casa al alba. Con mayor vacilación inquirió por

María. Doña Eliabel explicó que su hija había tenido que ir a Neauphle a efectuar algunas compras para la casa.

—Yo voy a salir para allá ahora mismo —dijo Guccio—. De haberlo sabido, la hubiera llevado a caballo y le habría evitado la dureza del camino.

Guccio se preguntó si la castellana no había alejado deliberadamente a su gente, para quedarse a solas con él. Y más cuando el cojo trajo la vasija, de cuyo contenido derramó un buen tercio sobre el piso, y doña Eliabel no se movió de la pieza y se puso a calentar las telas ante el fuego. Guccio aguardaba a que se retirara.

—Lavaos, mi joven señor —dijo ella—. Nuestras criadas son tan torpes que os arañarían al secaros. Y lo menos que puedo hacer es ocuparme de vos.

Tartamudeando frases de agradecimiento, Guccio se decidió a desnudarse hasta la cintura, y evitando mirar a la dama, se roció con agua tibia la cabeza y el torso. Era bastante delgado, como es frecuente a su edad, pero bien formado. «Menos mal que no ha hecho traer una cuba; a lo mejor hubiera tenido que meterme de cuerpo entero y desnudo ante sus ojos. Esta gente del campo tiene unas maneras muy curiosas.»

Cuando hubo terminado, ella se le acercó con las toallas calientes y se puso a secarlo. Guccio pensaba que, partiendo enseguida y al galope, todavía encontraría a María por el camino de Neauphle o en el burgo.

—¡Qué hermosa piel tenéis, señor! —dijo de pronto doña Eliabel con voz un poco temblorosa—. Muchas mujeres envidiarían esta suavidad... e imagino que habrá muchas a las que apetezca. Ese hermoso color moreno ha de parecerles agradable.

Al mismo tiempo le acariciaba la espalda con la punta de los dedos a lo largo de las vértebras. La caricia hizo cosquillas a Guccio, que se volvió riendo.

Doña Eliabel respiraba agitadamente. Su mirada

era turbia y una rara sonrisa cambiaba su semblante. Guccio se puso rápidamente la camisa.

—¡Ah! ¡Qué hermosa es la juventud! —prosiguió diciendo doña Eliabel—. Al veros, apuesto que la disfrutáis bien y que sacáis provecho de las licencias que otorga.

La señora de Cressay calló un instante; luego, en el mismo tono de voz, le preguntó:

—Y bien, mi señor, ¿qué pensáis hacer con nuestro crédito?

«Ya salió», se dijo Guccio.

—Podéis pedirnos lo que os plazca —continuó ella—. Sois nuestro bienhechor y os bendecimos. Si queréis el oro que habéis hecho devolver a ese tunante de preboste, vuestro es, llevadlo. Cien libras, si queréis. Pero bien veis nuestro estado, y nos habéis demostrado que tenéis corazón.

Al mismo tiempo lo contemplaba mientras él abotonaba sus calzas, circunstancia que no resultaba muy adecuada para discutir asuntos de negocios.

—Quien nos salva, no puede perdernos —continuó diciendo doña Eliabel—. Vosotros, los de la ciudad, no sabéis cuán angustiosa es nuestra situación. Si no hemos pagado todavía a vuestro banco es porque no pudimos hacerlo. La gente del rey nos saquea, vos lo habéis comprobado. Los siervos no trabajan como antes. Desde las ordenanzas del rey Felipe,* que los incitan a liberarse, la idea de su liberación les ronda la cabeza; nada se obtiene de ellos, y esos palurdos están dispuestos a considerarse de la misma raza que vos y que yo.

Hizo una pequeña pausa, que permitiera al joven lombardo apreciar todo lo que ese «vos y yo» tenía de lisonjero para él.

* El autor se refiere a las ordenanzas de Felipe el Hermoso sobre la liberación de los siervos en ciertos bailiazgos y senescalías. Se habla de ello en los últimos capítulos. *(N. de la T.)*

—Agregad a eso que hemos tenido dos años de malas cosechas. Pero bastará, lo que quiera Dios, que la próxima sea buena...

Guccio, que sólo tenía la idea de encontrarse con María, trató de eludir la cuestión.

—No soy yo sino mi tío quien decide —dijo.

Pero se sabía ya derrotado.

—Podríais convencer a vuestro tío de que no es una mala inversión. No encontrará deudores más honrados. Concedednos un año más, y os pagaremos cumplidamente los intereses. Hacedlo por mí y os quedaré muy agradecida —dijo doña Eliabel, asiendo las manos de Guccio.

Luego, con ligera turbación, agregó:

—Sabed, gentil señor, que desde vuestra llegada, ayer, ¡vaya, tal vez no debería decirlo, pero qué importa!, siento afecto por vos y no hay cosa que de mí dependa que no hiciera por veros contento.

Guccio no tuvo presencia de ánimo suficiente para decirle: «Pues bien, pagad la deuda, y me veréis contento.»

Era evidente que la viuda estaba dispuesta a pagar más bien con su persona, y cabía preguntarse si se prestaba al sacrificio para alargar el crédito o si utilizaba el crédito para tener oportunidad de sacrificarse.

Y como buen italiano, Guccio pensó que sería placentero poseer a madre e hija. Doña Eliabel tenía aún sus encantos, sus manos eran suaves y acariciadoras, y su pecho, aunque abundante, parecía conservar su firmeza. Pero sólo podía representar una diversión de propina por la que no había que perder la otra presa.

Guccio se zafó de las atenciones de doña Eliabel asegurándole que se esforzaría por arreglar el asunto pero que, para ello, era preciso que corriera a Neauphle y hablara con el delegado.

Salió al patio, se encontró con el cojo, a quien apremió para que le ensillara el caballo, montó y partió hasta el burgo. No vio rastro de María por el camino. Mientras galopaba, se preguntaba si verdaderamente la jovencita era tan hermosa como la viera la víspera, si no se habría equivocado con respecto a las promesas que había creído leer en sus ojos y si por todo aquello, que tal vez sólo fueran ilusiones de sobremesa, valía la pena apresurarse tanto.

Pues existen mujeres que cuando miran a uno parecen entregarse desde el primer momento, y luego resulta que es su expresión natural. Miran un árbol o un muelle de la misma manera, y al fin nada conceden.

Guccio no vio a María en la plaza del burgo. Lanzó una ojeada a las callejuelas, entró en la iglesia, permaneció solamente el tiempo de persignarse y comprobar que no estaba allí y luego se dirigió a la sucursal. Allí acusó a los dependientes de haberle informado mal. Los Cressay eran gente de calidad, solvente y honorable. Era preciso prolongarles el crédito. En cuanto al preboste, era un rematado canalla... Mientras gritaba, Guccio no dejaba de mirar por la ventana. Los empleados movían la cabeza al contemplar a aquel joven loco, que se desdecía hoy de lo dicho ayer, y pensaban que sería una gran pena si el banco llegaba a caer en sus manos.

—Puede que venga a menudo; esta sucursal necesita ser vigilada de cerca —les dijo, a manera de despedida.

Saltó a la silla y los guijarros salieron disparados bajo las herraduras. «Tal vez haya tomado por un atajo —se decía—. En tal caso la encontraré en el castillo, pero será difícil verla a solas.»

A poco de salir del burgo divisó una silueta que caminaba deprisa en dirección a Cressay, y reconoció en ella a María. Entonces, de golpe, oyó que los pájaros cantaban, notó que brillaba el sol y que en todos los árboles habían brotado tiernas hojitas. A causa de aquel vestido que caminaba entre dos verdes praderas, la primavera, desconocida por Guccio desde hacía tres días, acababa de florecer para él.

Acortó el paso del caballo al alcanzar a María. Ella lo miró, no con la sorpresa de encontrarlo, sino como si acabara de recibir el más hermoso presente del mundo. La marcha había coloreado su rostro y Guccio la halló más bella aún de lo que le había parecido la noche anterior.

Le ofreció llevarla a la grupa. Sonrió al asentir y sus labios volvieron a abrirse como un fruto. Guccio acercó su caballo al talud y se inclinó para ofrecer a María su brazo y su hombro. La joven era ligera, montó ágilmente y partieron al paso. Caminaron un rato en silencio. A Guccio le faltaba el habla. Charlatán como era, de pronto no encontraba nada que decir.

Sintió que María apenas osaba agarrarse a él para sostenerse. Le preguntó si estaba acostumbrada a montar de ese modo a caballo.

—Con mi padre y mis hermanos... solamente —respondió ella.

Nunca se había encontrado así, flanco contra espalda con un extraño. Se animó un poco y se afirmó fuertemente sobre los hombros del joven.

—¿Tenéis prisa por regresar? —preguntó él.

Ella no respondió y Guccio guió su caballo por un sendero.

—Vuestro país es hermoso —prosiguió tras un nuevo silencio—, tan hermoso como mi Toscana.

No era sólo cumplido de enamorado. Guccio descubría, embelesado, la dulzura de la campiña de Île-de-France. Su mirada se perdía en la azulada lejanía, en el horizonte de colinas cuyos perfiles se perdían en la tenue niebla, luego volvía a la hierba tupida de las praderas de los alrededores, a las grandes manchas de un verde más claro de los cultivos de cebada recién cosechada y a los setos de majuelo donde se abrían las yemas.

¿Qué torres eran aquellas que se veían hacia el sur, en el límite del paisaje, destacándose en medio de las ondulaciones verdes? María tuvo que hacer un esfuerzo para responder que eran las torres de Monfort-L'Amaury.

Experimentaba una mezcla de angustia y felicidad que le impedía hablar y pensar. ¿Adónde conducía aquel sendero? No lo sabía. ¿Hacia qué la llevaba aquel caballero? Tampoco lo sabía. Obedecía a algo que aún no tenía nombre, más fuerte que el temor de lo desconocido, más fuerte que los preceptos de la familia y las recomendaciones del confesor. Se sentía a merced de una voluntad extraña. Sus manos se crispaban un poco más sobre aquella capa, sobre la espalda de aquel hombre que, en aquel momento, representaba, en medio de su zozobra, lo único cierto del universo.

El caballo, que iba a rienda suelta, se detuvo por su propia cuenta para comer un retoño.

Guccio se apeó, tendió los brazos a María y la depositó en tierra. Pero no la soltó, y dejó las manos en torno a su cintura, que se asombró de encontrar tan estrecha y delgada. La jovencita permaneció inmóvil, prisionera, inquieta, entre las manos que la aferraban. Guccio comprendió que le era preciso hablar, pero sólo acudieron a sus labios las palabras italianas para expresar el amor:

—*Ti voglio bene, ti voglio tanto bene*.

A María le bastó oír el tono de su voz para comprender el significado de lo que decía.

Bajo el sol, y viéndola de tan cerca, Guccio notó que sus pestañas no eran doradas como le había parecido la víspera. María era castaña con reflejos rojizos, con tez de rubia y grandes ojos azules oscuros de amplio dibujo bajo el arco de las cejas. ¿De dónde provenía, pues, aquel reflejo dorado que emanaba de ella? A cada instante, María se volvía a los ojos de Guccio más exacta, más real, y esa realidad mostraba su belleza cada vez con mayor perfección. La apretó más estrechamente entre sus brazos y deslizó su mano, despacio, lentamente, a lo largo de la cadera, luego del corpiño, para seguir descubriendo la verdad de aquel cuerpo.

—No... —murmuró ella, apartándole la mano.

Pero como si temiera decepcionarlo, volvió un poco el rostro hacia el suyo. Había entreabierto los labios y sus ojos estaban cerrados... Guccio se inclinó sobre aquella boca, sobre aquel fruto que tanto codiciaba. Permanecieron así largo rato, unidos uno al otro, en medio del piar de los pájaros, los ladridos lejanos de los perros y el gran latido de la naturaleza que parecía levantar la tierra bajo sus pies.

Cuando sus labios se separaron, Guccio observó el tronco negro y retorcido de un manzano que crecía cerca de allí, y el árbol le pareció hermoso y lleno de vida, como no había visto otro hasta aquel día. Una urraca saltaba por la cebada que germinaba y el muchacho de ciudad estaba sorprendido de aquel beso en pleno campo.

—Habéis venido, por fin habéis venido —murmuraba María.

Quiso volver a besarla pero ella lo apartó.

—No, es preciso regresar —dijo.

Tenía la certeza de que el amor había entrado en su vida y por el momento se sentía colmada. No deseaba nada más.

Cuando de nuevo se halló en la grupa del caballo, detrás de Guccio, pasó el brazo por el pecho del joven sienés, posó la cabeza sobre el hombro y se abandonó de este modo al ritmo de la cabalgadura, unida al hombre que Dios le había enviado.

Paladeaba el milagro y sentía lo absoluto. Ni por un momento pensó que Guccio podía estar en un estado de ánimo diferente al suyo, ni que el beso que habían intercambiado pudiera tener para él un significado distinto del que ella le atribuía.

Sólo se enderezó y adoptó la postura conveniente cuando los tejados de Cressay aparecieron en el valle.

Los dos hermanos habían regresado de la caza. A doña Eliabel no le satisfizo mucho ver aparecer a María en compañía de Guccio. Aunque se esforzaran en no dejarlo traslucir, ambos jóvenes mostraban un semblante de felicidad que despechó a la gruesa castellana y le inspiró duros pensamientos sobre su hija. Pero no osó hacer ningún comentario en presencia del joven banquero.

—Encontré a vuestra hija María y le rogué que me hiciera conocer los alrededores de vuestra hacienda —dijo Guccio—. Poseéis una tierra rica. —Luego agregó—: He ordenado que aplacen el cobro de vuestra deuda hasta el próximo año. Espero que mi tío lo apruebe. ¡No se puede rehusar nada a tan noble dama!

Doña Eliabel se mostró complacida y adoptó un aire de discreto triunfo.

Renovaron a Guccio sus muestras de gratitud, pero cuando éste anunció su intención de partir, nada hicieron por retenerlo. El joven lombardo era un caballero encantador y les había prestado un gran servicio... Pero, al fin y al cabo, no lo conocían. El crédito había sido prolongado y esto era lo esencial. Doña Eliabel no tendría que hacer un gran esfuerzo para convencerse de que sus encantos personales habían contribuido a ello.

La única persona que deseaba de verdad que Guccio se quedara no podía ni osaba decirlo.

Para disipar la vaga tirantez que se produjo, obligaron a Guccio a llevarse un cuarto del corzo muerto por los hermanos, y le hicieron prometer que volvería. Él se lo aseguró mirando a María.

—Volveré por el crédito, estad seguros de ello —dijo con una voz jovial con la que pretendía disimular sus sentimientos.

Viéndolo alejarse bajando hacia el Mauldre, la señora de Cressay lanzó un hondo suspiro y dijo a sus hijos, menos para ellos que para dejar volar sus ilusiones:

—Hijos míos, vuestra madre sabe aún cómo hablar a los jóvenes. Con éste realicé una buena faena. Si no llego a hablarle a solas, hubierais visto cuán áspero se volvía.

María había entrado ya en la casa por temor a traicionarse.

Galopando por la ruta de París, Guccio se consideraba un irresistible seductor a quien le bastaba presentarse en los castillos para robar corazones. Tenía grabada en su mente la imagen de María en el campo de manzanos, cerca de la ribera. Y se proponía regresar a Neauphle muy pronto, tal vez al cabo de pocos días.

Llegó a la calle Lombards a la hora de cenar, y habló con su tío Tolomei hasta hora avanzada. Éste aceptó, sin más, las explicaciones que Guccio le dio respecto al crédito. Tenía otras preocupaciones en la mente, pero pareció interesarse mucho por los manejos del preboste Portefruit.

Durante toda la noche, en sueños, Guccio tuvo la sensación de que sólo podía pensar en María. A la mañana siguiente ya pensaba en ella un poco menos.

Conocía en París a dos esposas de mercaderes, lindas burguesitas de veinte años, que no se mostraban esquivas con él. Al cabo de pocos días había olvidado su conquista de Neauphle.

Pero los destinos se forjan lentamente y nadie sabe cuál de sus actos sembrados al azar ha de germinar para desarrollarse como un árbol. Nadie podía imaginar que el beso intercambiado a orillas del Mauldre conduciría a la bella María hasta la cuna de un rey.

En Cressay, María empezaba a esperar.

6

El camino de Clermont

Veinte días después, la pequeña ciudad de Clermont-de-l'Oise era centro de una extraordinaria animación. Desde el castillo hasta las puertas de la ciudad, desde la iglesia al prebostazgo, la gente se empujaba por las calles y las tabernas con alegre rumor. Todas las ventanas lucían los tapices de las procesiones. Porque los pregoneros habían anunciado aquella mañana temprano que Felipe, conde de Poitiers, segundo hijo del rey, y su tío, el conde de Valois, acudirían a recibir, en nombre del soberano, a su hermana y sobrina la reina Isabel de Inglaterra.

Ésta, que había desembarcado tres días antes en suelo francés, se dirigía hacia allí a través de Picardía. Había salido de Amiens aquella mañana y, si todo corría bien, llegaría a Clermont hacia media tarde. Dormiría allí y, al día siguiente, sumada su escolta de Inglaterra a la de Francia, iría a Pontoise, donde su padre, Felipe el Hermoso, la aguardaba en el castillo de Maubuisson.

Poco antes de vísperas, prevenidos de la pronta llegada de los príncipes franceses, el preboste, el capitán y los concejales salieron por la puerta de París para presentarles las llaves. Felipe de Poitiers y Carlos de Valois, cabalgando a la cabeza de la comitiva, recibieron la bienvenida y entraron en Clermont.

Tras ellos avanzaban más de cien gentilhombres, escuderos, lacayos y soldados, cuyos caballos levantaron gran polvareda.

Una cabeza sobresalía sobre todas las demás: la del colosal Roberto de Artois. A caballero gigante, cabalgadura gigantesca. Aquel colosal señor, montado sobre un enorme percherón tordillo, con botas y capa rojas y cota de malla de seda roja, atraía poderosamente las miradas. En tanto que muchos caballeros mostraban huellas de fatiga, él se mantenía erguido en su silla de montar, como si acabara de emprender la marcha.

En realidad, desde la salida de Pontoise, Roberto de Artois se conservaba fresco y lozano gracias a su agudo sentimiento de venganza. Era el único que conocía el verdadero motivo del viaje de la reina de Inglaterra; el único que sabía el futuro desarrollo de los acontecimientos. Y de ello extraía, por adelantado, un placer violento y secreto.

Durante todo el trayecto no había cesado de vigilar a Gualterio y a Felipe de Aunay, que formaban parte del cortejo, el primero como escudero de la casa de Poitiers y el otro como escudero de Carlos de Valois. Los dos jóvenes estaban encantados con el viaje y con la pompa real. En su afán de brillar, vanidosos, habían colgado de la cintura de sus atavíos de gala, con toda la inocencia, las bellas escarcelas obsequio de sus amantes. Cada vez que miraba esas limosneras, Roberto de Artois sentía en su pecho el embate de una alegría cruel y apenas lograba contener la risa. «Vamos, hermosos patitos, mis queridos necios —se decía—, sonreíd pensando en los hermosos senos de vuestras queridas. No dejéis de pensar en ellos, pues a buen seguro que no volveréis a tocarlos. Respirad el aire de este día, pues no creo que gocéis de muchos más.»

Al mismo tiempo, jugueteando con su presa como un tigre feroz que escondiera las uñas, saludaba a los hermanos con gesto cordial y les dedicaba bromas en voz alta. Desde que los había salvado del falso asalto de la torre de Nesle, los dos le demostraban amistad, pues se consideraban sus deudores.

Cuando el cortejo se detuvo, invitaron a Roberto a beber en su compañía una jarra de vino en la bodega de una posada.

—Por vuestros amores —brindó, levantando su vaso—, y conservad bien el sabor de este vinillo.

Por la calle principal circulaba una densa multitud que dificultaba el avance de los caballos. La brisa agitaba suavemente los multicolores tapices que adornaban las ventanas. Un mensajero, llegado a galope, anunció que el cortejo de la reina de Inglaterra estaba a la vista; enseguida se armó un gran alboroto.

—Reunid a nuestra gente —ordenó Felipe de Poitiers a Gualterio de Aunay. —Luego, volviéndose a Carlos de Valois comentó—: Hemos llegado a tiempo, tío.

Carlos de Valois, vestido completamente de azul, un tanto congestionado por la fatiga, se contentó con inclinar la cabeza. De buena gana hubiera renunciado a aquella cabalgata, que le había puesto de mal humor.

El cortejo avanzaba por el camino de Amiens.

Roberto de Artois se adelantó y se puso a la altura de Carlos. Aunque desposeído de su patrimonio de Artois, no dejaba de ser primo del rey, y estaba a la altura de las primeras cabezas de Francia. Mirando la mano de Felipe de Poitiers cerrada sobre las riendas de su negro caballo, Roberto pensaba: «Por ti, mi flaco primo, para darte el Franco Condado, me quitaron mi Artois. Pero antes de que concluya el día de mañana recibirás una herida de la cual no se recobran fácilmente el honor ni la fortuna de un hombre.»

Felipe, conde de Poitiers y marido de Juana de Borgoña, tenía veintiún años. Tanto por su físico como por su manera de ser se diferenciaba del resto de la familia real. No era hermoso y dominador como su padre, ni obeso e impetuoso como su tío. Había salido a su madre: era delgado de cuerpo y de rostro, de alta talla y miembros extrañamente largos, gestos siempre mesurados, voz precisa y un tanto seca; todo en él, la sencillez en el vestir, la medida cortesía de sus frases, indicaba una naturaleza reflexiva, decidida, en que la cabeza triunfaba sobre los impulsos del corazón. Representaba en el reino una fuerza con la cual era preciso contar.

Ambos cortejos se encontraron a una legua de Clermont. Cuatro heraldos de la casa de Francia, agrupados en medio del camino, enarbolaron sus largas trompas y les arrancaron notas graves. Los ingleses respondieron con otros instrumentos parecidos pero de tonalidad más aguda. Se adelantaron los príncipes, y la reina Isabel, menuda y erguida sobre su jaca blanca, recibió la breve bienvenida de boca de su hermano, Felipe de Poitiers. Después, Carlos de Valois vino a besar la mano de su sobrina. Cuando le llegó el turno al conde de Artois, éste saludó a su prima con una gran inclinación de cabeza y con una mirada supo darle a entender que no había obstáculos en el desarrollo de sus maquinaciones.

Mientras intercambiaban cumplidos, preguntas y noticias, las dos escoltas aguardaban y se observaban. Los caballeros franceses juzgaban los trajes de los ingleses; éstos, inmóviles y dignos y con el sol dándoles en los ojos, llevaban orgullosamente sobre la pechera las armas de Inglaterra. Aunque la mayoría eran franceses de origen y de nombre, se los veía preocupados por hacer un buen papel en tierra extranjera.[1]

De la gran litera pintada de azul y oro que seguía a la reina se elevó la voz de un niño.

—Hermana mía —dijo Felipe de Poitiers—, ¿habéis traído, pues, de nuevo a nuestro sobrino? ¿No es muy duro para una persona tan joven?

—Me guardaría de dejarlo en Londres sin mí —respondió Isabel.

Felipe de Poitiers y Carlos de Valois le preguntaron por el objeto de su venida. Ella contestó simplemente que quería ver a su padre, y ambos comprendieron que no sabrían nada más, de momento.

Isabel, algo fatigada por el viaje, se apeó de la jaca y se instaló en la gran litera arrastrada por dos mulas con arneses de terciopelo. Ambas escoltas reanudaron la marcha hacia Clermont.

Aprovechando que los condes de Poitiers y Valois cabalgaban a la cabeza del cortejo, Roberto de Artois colocó su caballo a la altura de la litera.

—Estáis más bella cada vez que os veo, prima mía —dijo.

—No mintáis. No puedo estar más bella después de una semana de camino y de polvo —respondió la reina.

—Cuando se os ha amado en el recuerdo, durante largas semanas, sólo se ven vuestros ojos y no el polvo.

Isabel se hundió en los cojines. De nuevo se sentía presa de aquella singular flaqueza que la había dominado en Westminster, frente a Roberto. «¿Será verdad que me ama? —pensaba—. ¿O bien me dirige simplemente sus cumplidos como lo hará con cualquier otra mujer?» Por entre las cortinas de la litera, veía, sobre el flanco del caballo tordillo, la inmensa bota roja y la espuela de oro del conde de Artois. Veía el muslo del gigante cuyos músculos se marcaban bajo la tela y se preguntaba si, cada vez que se hallara frente a aquel hombre, experimentaría la misma turbación, el mismo deseo de abandono. Hizo un esfuerzo por dominarse. No estaba allí para pensar en sí misma.

—Primo mío —dijo—, aprovechemos el momento en que podemos hablar y ponedme rápidamente al corriente de lo que tenéis que decirme.

En pocas palabras y fingiendo que le comentaba el paisaje, él le contó lo que sabía y lo que había hecho, la vigilancia de que había rodeado a las princesas reales, el asalto cerca de la torre de Nesle.

—¿Quiénes son esos hombres que así deshonran a la corona de Francia? —preguntó Isabel.

—Cabalgan a poca distancia de vos. Forman parte de la escolta que os sigue.

Le informó brevemente sobre los hermanos de Aunay, sobre sus feudos, su parentela y sus alianzas.

—Quiero verlos —dijo Isabel.

Roberto llamó a los hermanos a grandes voces.

—¡La reina se ha fijado en vosotros! —les dijo, haciéndoles un guiño.

Las caras de los jóvenes irradiaron orgullo y placer.

—Señora, ved aquí a Gualterio y a Felipe de Aunay, los más leales escuderos de vuestro hermano y de vuestro tío. Les recomiendo a vuestra benevolencia. En cierto modo, son mis protegidos.

Isabel examinó fríamente a los dos hermanos, y se preguntó qué tenían en su cara o en su persona que hubiera podido desviar de su deber a las hijas de un rey. Eran apuestos, no cabía duda; pero la belleza masculina incomodaba un poco a Isabel. De pronto vio las escarcelas en la cintura de los caballeros y su mirada fue de ellas a los ojos de Roberto. Éste le sonrió brevemente. Ya podía volver a la sombra. No necesitaba hacer el desagradable papel de delator ante la corte. «Buen trabajo, Roberto, buen trabajo», se decía.

Los hermanos de Aunay, con la cabeza llena de ensueños, regresaron a su puesto en la comitiva.

Con las campanas al vuelo de todas las iglesias, de todas las capillas, de todos los conventos de Clermont, subía de la pequeña ciudad llena de alegría un prolongado clamor de bienvenida dirigido a la hermosa reina de veintidós años, que traía a la corte de Francia la más inesperada desdicha.

NOTAS

1. Desde finales del siglo XI, con el establecimiento de la dinastía normanda, la nobleza de Inglaterra era, en su mayor parte, de origen francés. Constituida en un primer momento por los barones normandos compañeros de Guillermo el Conquistador, y sustituida después por los angevinos y aquitanos Plantagenet, esta aristocracia conservó la lengua y las costumbres de origen.

En el siglo XIV, el francés seguía siendo el idioma habitual de la corte, así lo atestigua el *«Honni soit qui mal y pense»* pronunciado por el rey Eduardo III en Calais, al atar la liga de la condesa de Salisbury, dicho que se convirtió en la divisa de la Orden de la Jarretera.

La correspondencia de los reyes se redactaba en francés y muchos señores ingleses tenían en aquel entonces feudos en ambos países.

Vale la pena recordar, en este punto del relato, que el rey Eduardo III visitó Francia dos veces en sus primeros dos años de vida. En el primer viaje, en el año 1313, estuvo a punto de morir asfixiado en la cuna por el humo de un incendio que se declaró en Maubuisson. Aquí se relata el segundo, que efectuó acompañado únicamente de su madre.

7

De tal padre, tal hija

Un candelabro de plata esmaltada, rematado por un grueso cirio rodeado de una corona de velas, alumbraba la mesa repleta de pergaminos que el rey acababa de examinar. Al otro lado de los ventanales el parque se hundía en el crepúsculo; e Isabel, contemplando la noche, observaba cómo las sombras iban cubriendo los árboles.

Desde la época de Blanca de Castilla, Maubuisson, en las cercanías de Pontoise, era morada real. Felipe lo había convertido en una de sus residencias habituales. Tenía afición a ese señorío silencioso, encerrado entre altas murallas, por su parque y su abadía, donde unas monjas benedictinas llevaban una vida apacible, entregadas a los oficios religiosos. El castillo no era grande, pero Felipe el Hermoso apreciaba su tranquilidad.

—Allí me aconsejo a mí mismo —había declarado cierto día a sus familiares.

Isabel había llegado después del mediodía, al término de su viaje. Se había enfrentado a sus tres cuñadas, Margarita, Juana y Blanca con rostro risueño, y había respondido con voz de circunstancias a sus palabras de bienvenida.

La cena había sido breve. Y ahora Isabel se hallaba encerrada con su padre en la sala donde a él le gustaba aislarse. El rey Felipe la miraba con la helada expresión que dedicaba a cualquier criatura humana, así fuera su propio hijo. Aguardaba que ella hablara, mas Isabel no osaba hacerlo. «¡Le haré tanto daño!», pensaba. Y de pronto, de resultas de estar frente a su padre, junto a aquel parque, aquellos árboles, en aquel silencio, Isabel se sintió invadida por una oleada de recuerdos de la infancia, y una amarga compasión de sí misma atenazó su garganta.

—Padre mío —dijo—, padre mío, soy desdichada. ¡Ah! ¡Cuán lejana me parece Francia desde que soy reina de Inglaterra! ¡Cómo echo de menos los días pasados!

Estaba luchando contra la tentación de las lágrimas.

—¿Acaso habéis emprendido este viaje para comunicarme esto? —dijo el rey serenamente.

—¿A quién sino a mi padre puedo confesar que no soy feliz?

El rey miró hacia la ventana, ahora oscura, cuyos cristales vibraban por el viento, luego a las velas y por fin al fuego.

—Ser feliz... —dijo lentamente—. ¿Y qué es la felicidad, hija mía, sino ajustarse al propio destino?

Estaban sentados frente a frente en tronos de roble.

—Soy reina, es verdad —dijo Isabel en voz baja—, pero, ¿acaso se me trata allá como tal?

—¿Os han causado algún daño?

Su pregunta no implicaba ignorancia; sabía demasiado lo que ella respondería.

—¿Ignoráis, acaso, con quién me casasteis? —dijo ella—. ¿Acaso es marido aquél que deserta de mi lecho desde el primer día? ¿Lo es aquél a quien ni los cuidados, ni las atenciones, ni las sonrisas que provienen de mí arrancan una sola palabra? ¿Aquél que huye de mí como si estuviera leprosa, y distribuye no entre favoritas sino entre hombres, padre mío, ¡entre hombres!, los favores que a mí me niega?

Felipe el Hermoso estaba enterado de todo ello desde hacía mucho tiempo y desde entonces tenía preparada su respuesta.

—No os casé con un hombre —dijo—, sino con un rey. No os sacrifiqué por error. ¿Tengo que enseñaros, Isabel, que nos debemos a nuestro Estado y que no hemos nacido para abandonarnos a nuestros dolores humanos? No vivimos nuestras propias vidas sino la de nuestro reino, y sólo en esto podemos buscar nuestra satisfacción... en ajustarnos a nuestro destino.

Al hablar, se había acercado al candelabro y la luz hacía resaltar los marfileños relieves de su rostro.

«Sólo hubiera podido amar a un hombre como él —pensó Isabel—, y jamás amaré porque no encontraré otro igual.» Y luego, en voz alta, exclamó:

—No he venido a Francia a llorar por mi desgracia, padre mío; pero os agradezco que me hayáis recordado ese respeto por sí mismas que conviene a las personas reales, y que, para nosotros, nada cuenta la felicidad. Ojalá que a vuestro alrededor todos piensen igual que vos.

—¿Por qué habéis venido?

Ella tomó aliento.

—Porque mis hermanos se han casado con tres zorras, padre mío; porque lo he sabido y estoy tan ávida como vos de defender el honor.

Felipe el Hermoso suspiró.

—Sé que no amáis a vuestras cuñadas, pero lo que os separa...

—Lo que me separa de ellas, padre mío, es la honestidad. Sé ciertas cosas que os han ocultado. Escuchadme, pues no traigo solamente palabras. ¿Conocéis al joven Gualterio de Aunay?

—Son dos hermanos a quienes siempre confundo. Su padre estuvo conmigo en Flandes. Ése de quien me habláis casó con Inés de Montmorency, ¿no es cierto?, y está con mi hijo el conde de Poitiers, en calidad de escudero...

—Está también con vuestra nuera, Blanca, pero en

calidad de otra cosa. Su hermano menor, Felipe, que está al servicio de mi tío de Valois...

—Sí —dijo el rey—, ya sé...

Un ligero pliegue horizontal marcaba su frente desprovista ordinariamente de toda arruga.

—¡Pues bien! Ése está con Margarita, a quien elegisteis para que sea un día reina de Francia. En cuanto a Juana, no se le conoce amante; pero por lo menos se sabe que encubre los placeres de su hermana y de su prima, protege las visitas de los galanes a la torre de Nesle y cumple de maravilla un oficio que tiene un nombre muy antiguo... Y sabed que toda la corte está al corriente de esto, excepto vos.

Felipe el Hermoso alzó la mano.

—¿Vuestras pruebas, Isabel?

—Las hallaréis al cinto de los hermanos de Aunay. Allí veréis, colgando, las limosneras que envié el mes pasado a mis cuñadas, las cuales reconocí ayer sobre esos gentilhombres, en la escolta que me acompañó aquí. No me ofende el poco aprecio que vuestras nueras hacen de mis obsequios. Pero tales joyas entregadas a escuderos no pueden ser sino pago de un servicio. Imaginad vos cuál. Si necesitáis otros hechos creo poder suministrároslos fácilmente.

Felipe el Hermoso miró a su hija. Había lanzado su acusación sin vacilar, sin flaquear, con determinación irreducible en sus pupilas, en las que se reconoció a sí mismo. En verdad, era hija suya.

El rey se levantó y permaneció largo rato de pie ante la ventana.

—Venid —dijo al fin—. Vamos a sus habitaciones.

Abrió la puerta, atravesó una habitación oscura y empujó otra puerta que daba al camino de ronda. De golpe, el viento de la noche los envolvió y agitó e hizo flotar tras ellos sus amplios ropajes. Las ráfagas sacudían la pizarra de la techumbre. De abajo subía olor a tierra húmeda. Al paso del rey y de su hija se levantaban los soldados a lo largo de las almenas.

Las habitaciones de las tres nueras estaban en la otra ala del castillo. Cuando se halló frente a la puerta de las princesas, Felipe el Hermoso se detuvo un instante. Escuchó risas y chillidos de alegría. Llegaban hasta él a través de la hoja de roble. Miró a Isabel.

—Es preciso —dijo.

Isabel inclinó la cabeza en silencio y el rey abrió la puerta.

Margarita, Juana y Blanca lanzaron un grito de sorpresa, y su risa se cortó en seco. Se entretenían jugando con títeres, con los que reconstruían una escena inventada por ellas. La escena las divirtió mucho; pero irritó al rey.

Los títeres reproducían a los principales personajes de la corte. El pequeño escenario representaba la cámara del monarca, donde éste estaba acostado en un lecho bajo un dosel de oro. El conde de Valois llamaba a la puerta y pedía hablar con su hermano. Hugo de Bouville, el chambelán, respondía que el rey no podía verlo y que había prohibido que lo molestaran. El conde de Valois se alejaba furioso. Acudían luego las figuras de Luis de Navarra y de su hermano Carlos. Bouville daba idéntica respuesta a los hijos del rey. Por último, precedido de tres guardias con sendos mazos, se presentaba Enguerrando de Marigny. Al instante se abría la puerta de par en par, diciéndole: «Sed bienvenido, Monseñor, el rey tiene grandes deseos de veros.»

Esta sátira de las costumbres de la corte había irritado enormemente a Felipe el Hermoso, quien prohibió que se repitiera; pero las jóvenes princesas lo desobedecían en secreto y se divertían mucho más sabiendo que estaba prohibido.

Variaban el texto y lo enriquecían con innovaciones

y burlas, sobre todo cuando manejaban las figuras que representaban a sus respectivos maridos.

Al entrar el rey e Isabel, se sintieron como escolares sorprendidos en falta.

Rápidamente, Margarita tomó una túnica que yacía sobre una silla y se la echó encima para cubrir su escote demasiado amplio. Blanca echó para atrás su cabellera, que se le había soltado al simular el enojo del tío Valois.

Juana, que era la que conservaba más calma, dijo con viveza:

—Hemos terminado, señor, hemos terminado. Lo habríais podido oír todo sin sentiros ofendido. Enseguida arreglaremos las cosas. —Y dio unas palmadas—. ¡Señoras! Comminges, Beaumont...

—Es inútil que llaméis a vuestras damas —dijo secamente el rey.

Apenas había mirado el juego, las miraba a ellas. La más joven, Blanca, tenía dieciocho años; las otras dos, veintiuno. Las había visto crecer, embellecerse desde que llegaron a la corte a los doce o trece años para casarse con sus hijos. Pero no parecían haberse vuelto más sensatas que entonces. Jugaban aún con muñecas. ¿Sería verdad lo que había dicho Isabel? ¿Podían albergar tan gran malicia femenina aquellos seres que le seguían pareciendo criaturas? «Tal vez no conozco a las mujeres», se dijo.

—¿Dónde están vuestros esposos? —preguntó.

—En la sala de armas, señor —dijo Juana.

—Ya veis, no he venido solo —dijo el rey—. A menudo decís que vuestra cuñada no os quiere. Sin embargo, me he enterado de que os ha hecho a cada una de vosotras un muy hermoso presente...

Isabel vio extinguirse la luz de los ojos de Margarita y de Blanca.

—¿Queréis mostrarme esas limosneras que habéis

recibido de Inglaterra? —prosiguió diciendo Felipe el Hermoso lentamente.

El silencio que siguió abrió un profundo abismo. De un lado estaban Felipe el Hermoso, Isabel, la corte, los barones, el reino; del otro, tres mujeres culpables y descubiertas para las cuales empezaba una espantosa pesadilla.

—¿Y bien, hijas mías? —dijo el rey—. ¿Por qué ese silencio?

Continuaba mirándolas fijamente, con aquellos ojos inmensos cuyos párpados jamás se entornaban.

Por fin habló Juana:

—Dejé la mía en París.

—Yo también, yo también, yo también —dijeron las otras dos, al instante.

Felipe el Hermoso se encaminó despacio hacia la puerta. Sus nueras, lívidas, observaban sus movimientos.

La reina Isabel se había recostado contra la pared y respiraba agitadamente.

El rey, sin volverse, exclamó:

—Puesto que dejasteis las limosneras en París, enviaremos a dos escuderos que vayan a buscarlas inmediatamente.

Abrió la puerta, llamó a un guardia y le dio orden de ir en busca de los hermanos de Aunay.

Blanca no resistió más. Se dejó caer sobre un taburete. Vacía de sangre la cabeza, paralizado el corazón, su frente se inclinó hacia un lado como si fuera a desplomarse al suelo. Juana la sacudió con fuerza para obligarla a recobrarse.

Margarita, con sus pequeñas manos morenas, retorcía maquinalmente el cuello de un títere.

Isabel no se movía. Sentía sobre sí las miradas de Margarita y Juana. Le pesaba su papel de delatora, y de pronto experimentó una gran fatiga. «Seguiré hasta el final», pensó.

Los hermanos Aunay entraron presurosos, confundidos, casi empujándose, en su deseo de servir y de hacerse valer.

Isabel extendió la mano.

—Padre mío —dijo—, estos caballeros parecen haber adivinado vuestro deseo puesto que traen colgadas de su cintura las limosneras que queríais ver.

Felipe el Hermoso se volvió hacia sus nueras.

—¿Podéis explicarme por qué esos escuderos se adornan con los regalos que os ha hecho vuestra cuñada?

Nadie respondió.

Felipe de Aunay miró asombrado a Isabel, como un perro que no comprende por qué es apaleado, y luego volvió sus ojos hacia su hermano mayor en busca de protección. Gualterio tenía la boca entreabierta.

—¡Ah de la guardia! ¡Al rey! —gritó Felipe el Hermoso.

Su voz erizó los cabellos de todos los presentes y resonó, insólita y terrible, a través del castillo y de la noche. Hacía diez años, desde la batalla de Mons-en-Pévèle exactamente, en la que había reagrupado sus tropas y forzado la victoria, que no se le había oído gritar. Nadie recordaba que tuviera tal fuerza en su garganta. Por otra parte, fueron las únicas palabras que pronunció de ese modo.

—¡Llamad a vuestro capitán! —dijo a uno de los hombres que acudieron.

A los otros les mandó que se quedaran a la puerta. Se oyó un pesado galope por el camino de ronda y, al cabo de un momento, apareció el señor Alán de Pareilles, con la cabeza descubierta, terminando de componerse.

—Señor Alán —dijo el rey— haceos cargo de esos dos escuderos. Calabozo y cadenas. Tendrán que responder ante mi justicia.

Gualterio de Aunay quiso encontrar una salida.

—Señor —balbuceó—, señor...

—Basta —dijo Felipe el Hermoso—. Desde ahora os dirigiréis al señor de Nogaret. Señor de Pareilles —prosiguió—, las princesas permanecerán bajo vuestra custodia hasta nuevo aviso. Prohíbo que ninguna de ellas salga de aquí. Prohíbo que nadie, ni sus criadas, ni sus parientes, ni siquiera sus maridos entren en esta sala o hablen con ellas. Respondéis de ello ante mí.

Por sorprendentes que fueran tales órdenes, Alán de Pareilles las escuchó sin pestañear. El hombre que había arrestado al gran maestre de los templarios no se asombraba de nada. La voluntad del rey era su única ley.

—Vamos, caballeros... —apremió a los hermanos de Aunay, señalándoles la puerta.

Al ponerse en marcha, Gualterio dijo por lo bajo a su hermano:

—Oremos, hermano mío. Todo está perdido...

Y luego, sus pasos, confundidos con los de los soldados, fueron apagándose sobre las losas.

Margarita y Blanca escucharon aquellos pasos que se llevaban sus amores, su honor, su fortuna, su vida entera. Juana se preguntaba si lograría disculparse alguna vez. Bruscamente, Margarita arrojó al fuego el muñeco destrozado.

Blanca estaba a punto de desvanecerse de nuevo.

—Ven, Isabel —dijo el rey.

Salieron. La joven reina de Inglaterra había ganado, pero se sentía cansada y extrañamente conmovida porque su padre le había dicho: «Ven, Isabel.» Era la primera vez que la tuteaba desde su infancia.

Rehicieron el camino por el camino de ronda. El viento del este empujaba enormes nubes oscuras. El rey pasó por sus habitaciones y, tomando un candelabro de plata, se fue en busca de sus hijos.

Su enorme sombra se hundió en la escalera de caracol. El corazón le pesaba dentro del pecho y ni siquiera notaba cómo la cera goteaba en su mano.

8

Mahaut de Borgoña

Hacia medianoche, dos caballeros que habían formado parte de la escolta de Isabel se alejaban del castillo de Maubuisson: eran Roberto de Artois y su fiel e inseparable Lormet, a la vez criado, compañero de armas y de camino, confidente y ejecutor de cualquier faena.

Desde que Roberto había tomado a su servicio a Lormet, huido de la casa de los condes de Borgoña por algún delito capital, no se había apartado de él ni un minuto. Era asombroso ver a aquel hombrecito regordete, encorvado y ya encanecido, preocuparse en todo momento por su joven y gigantesco amo y seguirlo paso a paso, secundarlo en cualquier empresa, como había hecho recientemente en la celada tendida a los hermanos de Aunay.

Clareaba el día cuando los dos jinetes llegaron a las puertas de París. Pusieron los sudorosos caballos al paso y Lormet bostezó su buena docena de veces. A sus cincuenta años resistía mejor que un joven escudero las largas cabalgatas, pero no soportaba la falta de sueño.

En la plaza de Grève tenía lugar la habitual reunión de jornaleros en busca de trabajo. Capataces de los astilleros reales y patronos de barcos circulaban entre los grupos contratando peones, estribadores y mozos de cuerda. Roberto de Artois atravesó la plaza y tomó por la calle Mauconseil, donde vivía su tía Mahaut de Artois.

—Verás, Lormet —dijo el gigante—. Quiero que esa perra sebosa se entere de su desdicha por mi boca.

Se acerca uno de los momentos más placenteros de mi vida. Quiero ver la cara que pone mi tía cuando le cuente lo que pasa en Maubuisson. Quiero que acuda a Pontoise y que contribuya a su ruina yendo a implorar al rey, y que reviente de despecho.

Lormet soltó un largo bostezo.

—Reventará, Monseñor, reventará. Estad seguro de ello —dijo—, hacéis todo lo posible para que eso suceda.

Por fin, llegaron al espléndido palacio de los condes de Artois.

—¿No es una villanía que ella viva en este gran palacio que construyó mi abuelo? —prosiguió Roberto—. ¡Yo soy quien debería vivir aquí!

—Viviréis, mi señor, viviréis.

—Y te nombraré portero, con cien libras al año.

—Gracias, mi señor —respondió Lormet, como si ya tuviera el alto cargo y el dinero en el bolsillo.

Artois saltó de su percherón, arrojó las bridas a Lormet y asió la aldaba con la que descargó unos golpes como para tirar la puerta abajo.

Se abrió el claveteado batiente para dar paso a un guardián de elevada estatura, bien despierto, que llevaba en la mano un garrote como el brazo.

—¿Quién va? Preguntó el guardián, indagando ante tanto alboroto.

Pero Roberto de Artois lo apartó de un empujón y entró en el palacio. Una decena de criados y sirvientes se afanaban en la limpieza matinal de la morada. Roberto, abriéndose paso entre todos, subió al piso de las habitaciones, y lanzó un estentóreo:

—¡Ah, de la casa!

Acudió un lacayo, muy asustado, con un balde en la mano.

—¡Mi tía, Picard! ¡Necesito ver a mi tía inmediatamente!

Picard, de ralos cabellos y cabeza chata, depositó su balde en el suelo y dijo:

—Está comiendo, mi señor.

—¡Bueno! ¡No importa! ¡Anúnciale mi llegada, deprisa!

Roberto de Artois iba componiendo rápidamente en su rostro una máscara de pesar y de angustia mientras seguía al lacayo hasta la habitación.

La condesa Mahaut de Artois, par del reino, antigua regente del Franco Condado, era una mujer robusta de unos cuarenta y cinco años, sólida, maciza, de caderas anchas. Su rostro gordo denotaba fuerza y voluntad. Tenía la frente alta, ancha y combada, los cabellos aún castaños, el labio un poco bigotudo y la boca roja.

Todo era grande en aquella mujer: sus rasgos, sus miembros, su apetito, su cólera, su avidez, sus ambiciones y su ansia de poder. Con energía de soldado y tenacidad de abogado manejaba su corte de Arras, como había manejado la de Dole, supervisando la administración de sus territorios, exigiendo la obediencia de sus vasallos, controlando la fuerza ajena y aniquilando sin piedad al enemigo en cuanto se presentaba.

Doce años de lucha con su sobrino le habían enseñado a conocerle bien. Cada vez que surgía una dificultad, cuando los señores de Artois se insubordinaban, cuando una villa protestaba contra los impuestos, Mahaut podía estar segura de que Roberto andaba detrás de ello.

—Es un lobo salvaje, un gran lobo falso y cruel —decía—. Pero yo tengo la cabeza más firme y sé que acabará por destruirse a sí mismo a fuerza de abarcar demasiadas cosas.

Hacía meses que apenas se dirigían la palabra y sólo se veían, por obligación, en la corte.

Aquella mañana, sentada ante una mesita puesta a los pies de la cama, Mahaut consumía, tajada tras tajada, un pastel de liebre que constituía el entrante de su desayuno.

Así como Roberto se esforzaba por fingir inquietud y tristeza, ella, al verlo entrar, simuló naturalidad e indiferencia.

—¡Vaya! Os veo muy despierto a hora tan temprana, mi sobrino. ¡Llegáis como la tormenta! ¿A qué se debe tanta prisa?

—¡Tía, tía mía! —exclamó Roberto—. ¡Todo está perdido!

Mahaut, sin cambiar de actitud, escanció tranquilamente en la copa un vino de Artois, color rubí, proveniente de sus tierras y cuyo sabor prefería a cualquier otro.

—¿Qué habéis perdido, Roberto? ¿Otro proceso? —preguntó.

—Tía, os juro que no es éste el momento de mortificarnos con ironías. La desdicha que se abate sobre nuestra familia no admite bromas.

—¿Qué desdicha para uno puede serlo para el otro? —dijo Mahaut, con tranquilo cinismo.

—Tía, estamos en manos del rey.

Mahaut dejó traslucir cierta inquietud en su mirada. Se preguntaba qué trampa le estaría tendiendo y el porqué de aquel preámbulo. Con un gesto muy propio de ella se recogió las mangas enseñando un brazo grueso y carnoso. Luego, golpeando la mesa con la mano, llamó:

—¡Thierry!

—Tía, no podría hablar delante de nadie que no seáis vos —exclamó Roberto—. Lo que tengo que deciros concierne a nuestro honor.

—¡Bah! Podéis decirlo todo delante de mi canciller. —Desconfiaba y quería tener un testigo.

Por unos instantes ambos se midieron con la mirada; ella a la expectativa, él deleitándose con la comedia que representaba. «Llámalos, anda, llama a todo el mundo y que se enteren», pensaba.

Resultaba curioso ver a aquellos dos seres, que tantos rasgos tenían en común, a aquellos dos toros de la misma sangre que tanto se asemejaban entre sí y que tanto se detestaban, observarse.

Se abrió la puerta y apareció Thierry de Hirson. Canónigo capitular de la catedral de Arras, canciller de Mahaut en la administración de Artois y también un poco su amante, aquel hombrecito rechoncho, de cara redonda y nariz puntiaguda y blanca no carecía de dignidad ni de autoridad.

Saludó a Roberto y le dijo, mirándole con los párpados entornados, lo que le obligaba a echar la cabeza muy atrás:

—Es raro que nos visitéis, mi señor.

—Al parecer, mi sobrino tiene una gran desgracia que contarme —dijo Mahaut.

—¡Ay de mí! —profirió Roberto, dejándose caer en una silla. Se tomaba su tiempo. Mahaut comenzaba a dar muestras de impaciencia—. Tía, en otro tiempo hemos tenido nuestras diferencias —prosiguió.

—Mucho más que eso, sobrino; indignas querellas que terminaron mal para vos.

—Cierto, cierto, y Dios es testigo de que os he deseado todo el mal de este mundo. —Volvía a utilizar su treta favorita: demostrar una sencilla franqueza y confesar sus malignas intenciones para disimular el as que tenía en la manga—. Pero jamás os hubiera deseado esto —prosiguió—, jamás. Pues vos me sabéis buen caballero y firme en todo lo que atañe al honor.

—Pero, ¿qué ha ocurrido? ¡Hablad ya! —gritó Mahaut.

—Vuestras hijas, mis primas, están convictas de adulterio y arrestadas por orden del rey. Y Margarita con ellas.

Mahaut no acusó el golpe de inmediato. No se lo creyó.

—¿Quién te ha contado ese cuento?

—Lo sé de propia tinta, tía, y toda la corte está enterada. Sucedió a la caída de la noche.

Se regodeaba en hacer consumir a Mahaut contándole el asunto gota a gota y solamente lo que quería.

—¿Y ellas han confesado? —preguntó Thierry de Hirson, mirando siempre con los párpados entornados.

—No lo sé —respondió Roberto—. Pero los jóvenes de Aunay confiesan en este momento en manos de vuestro amigo Nogaret.

—Mi amigo Nogaret... —respondió con parsimonia Thierry de Hirson. Aunque fueran inocentes, con él saldrán más negras que la pez.

—Tía —continuó Roberto—, en plena noche he hecho las diez leguas de Pontoise a París para venir a avisaros, pues nadie pensaba en ello. ¿Creéis todavía que me traen malos sentimientos?

En la dramática incertidumbre en que se hallaba, Mahaut alzó los ojos hacia su gigantesco sobrino y pensó: «Tal vez sea capaz de un buen gesto.»

Luego, con acento de enfado, le dijo:

—¿Queréis comer?

Por estas simples palabras comprendió Roberto que estaba sinceramente conmovida.

Tomó de la mesa un faisán frío, lo rompió con las manos en dos pedazos y le hincó el diente. Súbitamente, vio que su tía cambiaba de color. Un rojo escarlata subía por su garganta, por encima del escote ribeteado de armiño, luego por el cuello y la parte inferior de la cara. La sangre se le subía a la cabeza hasta ponerla de color carmesí. La condesa Mahaut se llevó la mano al pecho. «Ya está —pensó Roberto—. ¡Ahora revienta! ¡Va a reventar!»

Se equivocó. La condesa se puso en pie, barriendo

de la mesa el pastel de liebre, los jarros y las fuentes de plata, que cayeron al suelo con estrépito.

—¡Zorras! —aullaba—. ¡Con todo lo que hice por ellas! ¡Con los matrimonios que les arreglé! ¡Dejarse atrapar así! ¡Pues bien! ¡Que lo pierdan todo! ¡Que las encierren, que las empalen, que las cuelguen!

El canciller no se inmutó. Estaba habituado a los arrebatos de la condesa.

—Ved, justamente es lo que yo pensaba —dijo Roberto con la boca llena—. ¡Mal os han agradecido vuestros afanes!

—¡Debo ir a Pontoise al momento! —dijo Mahaut sin escucharlo. Tengo que verlas y decirles lo que deben responder.

—Dudo que lo logréis, tía. Están incomunicadas y nadie puede...

—Entonces hablaré con el rey. ¡Beatriz! ¡Beatriz! —llamó dando unas palmadas.

Se movió un tapiz y una soberbia joven de unos veinte años de edad, morena, alta, de pecho redondo y firme, entró sin prisa. En cuanto Roberto la vio, se sintió atraído por ella.

—Beatriz, lo has oído todo, ¿verdad? —preguntó Mahaut.

—Si, señora —respondió la joven con voz un poco burlona, que arrastraba el final de las palabras—. Estaba detrás de la puerta, como de costumbre.

Su curiosa parsimonia en el hablar era también extensible a su manera de andar y de mirar. Daba la sensación de una ondulante voluptuosidad, de una anormal placidez; pero la ironía le bailaba en los ojos, enmarcados por largas pestañas negras. La desdicha ajena, sus luchas y sus dramas, seguramente la complacía.

—Es la sobrina de Thierry —dijo Mahaut a su sobrino, señalándola—. La he hecho primera doncella de compañía.

Beatriz de Hirson contemplaba a Roberto de Artois con disimulado impudor. Era obvio que sentía curiosidad por conocer a aquel gigante, de quien había oído hablar como de un malhechor.

—Beatriz —prosiguió Mahaut—, haz que preparen mi litera y que ensillen seis caballos. Salimos para Pontoise.

Beatriz seguía mirando a Roberto a los ojos, como si nada hubiera oído. Había en ella algo de irritante y turbio. Inspiraba a los hombres, desde el primer momento, un sentimiento de inmediata complicidad, como si estuviera dispuesta a no ofrecer ninguna resistencia. Pero a la vez los obligaba a preguntarse si era completamente estúpida o si se burlaba socarronamente de ellos.

«¡Qué mujer! Sería un buen pasatiempo para esta noche», pensaba Roberto mientras ella se alejaba sin prisa.

Del faisán sólo quedaba un hueso que arrojó al fuego. Ahora sentía sed. Tomó el jarro del que Mahaut se había servido y tomó un buen trago.

La condesa se paseaba por el cuarto de lado a lado arremangándose.

—No os dejaré sola en este día, tía —dijo Roberto de Artois—. Os acompañaré. Es un deber de familia.

Mahaut alzó hacia él los ojos. Todavía sospechaba. Por fin se decidió a tenderle ambas manos.

—Me has hecho mucho daño, Roberto, y apuesto que me harás mucho más. Pero debo reconocer que hoy te has portado como un buen muchacho.

9

La sangre de los reyes

El día comenzaba a penetrar en los sótanos largos y bajos de techo del viejo castillo de Pontoise, donde Nogaret acababa de interrogar a los hermanos de Aunay. Se oyó cantar un gallo, luego dos, y una bandada de gorriones pasó junto a los tragaluces que había para renovar el aire. En la pared chisporreteaba una antorcha que añadía su olor acre al de los cuerpos torturados. Guillermo de Nogaret dijo con voz cansada:

—La antorcha.

Uno de los verdugos se apartó del muro contra el cual se apoyaba para descansar y tomó de un rincón una antorcha nueva. Encendió su extremo pegándola a las brasas del hogar, en el que enrojecían los hierros, ahora ya innecesarios, de la tortura. Luego quitó de su soporte la antorcha gastada, que apagó, y la sustituyó por la nueva. Volvió a su lugar, junto a su compañero. Los dos torturadores tenían los ojos enrojecidos por la fatiga. Sus brazos, velludos y musculosos, manchados de sangre, pendían a lo largo de sus delantales de cuero. Olían mal.

Nogaret se levantó del taburete donde había estado sentado durante el interrogatorio y su delgada silueta dibujó una sombra temblorosa sobre las piedras grisáceas.

Del extremo del sótano llegó un jadeo entrecortado por sollozos; los hermanos Aunay parecían gemir con una sola voz.

Nogaret se inclinó sobre ellos. Los dos rostros tenían una extraña semejanza. La piel era del mismo gris, con regueros húmedos, y sus cabellos, pegados por el sudor y la sangre, revelaban la forma del cráneo. Un continuo temblor acompañaba los gemidos que brotaban de sus labios desgarrados.

Gualterio y Felipe de Aunay habían sido primero niños y luego jóvenes felices. Habían vivido para sus placeres y sus deseos, sus ambiciones y sus vanidades. Como todos los adolescentes de su rango siguieron la carrera de las armas; pero nunca habían sufrido sino pequeños males o aquellos que inventa la fantasía. Hasta el día anterior formaban parte del cortejo de los poderosos, y cualquier esperanza les parecía legítima. Había transcurrido una sola noche, y ahora eran sólo dos animales despedazados y, si aún se sentían capaces de desear algo, no deseaban más que la muerte.

Sin muestra alguna de compasión, ni siquiera de desagrado, Nogaret observó un momento a los jóvenes y se enderezó. El sufrimiento y la sangre de los demás, los insultos de sus víctimas, su odio y desesperación no lo inmutaban en absoluto. Tal insensibilidad, que era una disposición natural en él, le ayudaba a servir los superiores intereses del reino. Tenía la vocación del bien público, como otros la tienen del amor.

Vocación, ése es el nombre noble de una pasión. Aquel espíritu de plomo y hierro no conocía dudas ni límites cuando se trataba de satisfacer la razón de Estado. Para él nada contaban los individuos y, él mismo, muy poco.

Hay en la historia un linaje singular, siempre renovado, de fanáticos del orden. Consagrados a un ídolo absoluto y abstracto, las vidas humanas no son para ellos de ningún valor si obstaculizan el dogma de las instituciones, y se diría que han olvidado que la colectividad a la que sirven está compuesta por hombres.

Nogaret, al torturar a los hermanos de Aunay, no oía siquiera sus quejas; eliminaba, simplemente, causas de desorden.

«Los templarios eran más duros», se dijo. No lo habían ayudado más que los torturadores locales, no los de la Inquisición de París.

Sintió una punzada en los riñones y un dolor difuso le recorrió la espalda. «Es el frío», pensó. Hizo cerrar el tragaluz y se aproximó al hogar donde aún había brasas. Extendió las manos y las frotó una contra otra; luego se friccionó los riñones gruñendo.

Los dos verdugos, apoyados aún contra la pared, parecían dormitar.

Sobre la estrecha mesa donde había escrito, él mismo, toda la noche —pues el rey ordenó que no usase secretario ni escribano— comprobó las hojas del interrogatorio, las arregló en una carpeta de piel y luego, con un suspiro, se dirigió hacia la puerta y salió.

Entonces los torturadores se acercaron a Gualterio y Felipe de Aunay y trataron de que se incorporaran. Como no pudieron lograrlo, tomaron en sus brazos aquellos cuerpos que habían torturado y los llevaron, como a dos niños enfermos, a un calabozo cercano. Del viejo castillo de Pontoise, que sólo se utilizaba como capitanía y prisión, a la residencia real de Maubuisson, había una media legua. Nogaret la recorrió a pie, escoltado por dos guardias del prebostazgo. Marchaba a buen paso en el aire frío de la mañana cargado de perfumes del bosque.

Sin responder al saludo de los arqueros, atravesó el patio de Maubuisson y entró en el edificio, ajeno a los cuchicheos y al aspecto de vela mortuoria de los chambelanes e hidalgos reunidos en la sala de guardia.

—¡El rey! —pidió.

Un escudero se precipitó para acompañarle a sus habitaciones, y el canciller se halló cara a cara con la familia real.

Felipe el Hermoso estaba sentado, apoyado el codo en el brazo de su trono y el mentón en la mano. Azuladas ojeras enmarcaban sus ojos. A su lado estaba Isabel; las dos trenzas doradas que enmarcaban su rostro acentuaban la dureza de sus rasgos. Ella era la artífice de la desgracia. Parecía compartir la responsabilidad del drama y, por ese extraño vínculo que une al delator con el culpable, se sentía como acusada.

El conde de Valois repiqueteaba nerviosamente sobre la mesa y movía la cabeza como si algo le oprimiera la garganta. También asistía a la reunión el segundo hermano del rey, o mejor, hermanastro, Luis de Francia, conde de Evreux, de aspecto tranquilo y ropas nada ostentosas.

Finalmente, estaban unidos en su común infortunio los tres principales interesados, los tres hijos del rey, los tres esposos sobre los cuales acababa de abatirse la catástrofe y el ridículo: Luis de Navarra, sacudido por accesos nerviosos; Felipe de Poitiers, rígido por el esfuerzo que hacía para mantener la calma, y Carlos, por último, con su hermoso semblante de adolescente asolado por el primer pesar de su vida.

—¿Han confesado, Nogaret? —preguntó el rey.

—¡Ay, señor! Es algo vergonzoso, horroroso y han confesado.

—Léenoslo.

Nogaret abrió la carpeta y comenzó:

—«Nos, Guillermo de Nogaret, caballero, secretario general del reino y canciller de Francia, por la gracia de nuestro amado señor, el rey Felipe IV y por orden del mismo, hoy, 24 de abril de 1314, entre medianoche y la hora prima, en el castillo de Pontoise y con la ayuda de los torturadores de dicha villa, hemos oído sobre un cuestionario previo a los señores Gualterio de Aunay, aspirante de mi señor Felipe, conde Portiers, y Felipe de Aunay, escudero de mi señor Carlos, conde de Valois...»[1]

214

A Nogaret le gustaba el trabajo bien hecho. Ciertamente los dos de Aunay habían empezado negando, pero el canciller tenía una manera de llevar los interrogatorios que impedía que duraran los escrúpulos de la galantería. Obtuvo de los jóvenes la confesión completa: época en que empezaron las aventuras de las princesas, fechas de los encuentros, las noches en la torre de Nesle, nombres de los criados cómplices; todo, en fin, lo que para los culpables había representado pasión, fiebre y placer estaba expuesto, enumerado, consignado y detallado en el acta del interrogatorio.

Isabel no se atrevía a mirar a sus hermanos, y ellos mismos dudaban de mirarse entre sí. Durante casi cuatro años habían sido engañados, envilecidos, denigrados, deshonrados. Cada palabra de Nogaret los agobiaba de desdicha y vergüenza.

Luis de Navarra estaba dándole vueltas a un pensamiento terrible, que le había nacido al oír las fechas. «Durante los seis primeros años de matrimonio no tuvimos hijos —se decía—. Y tuvimos uno cuando ese Felipe de Aunay se acostó con Margarita. En ese caso, la pequeña Juana...» Y nada oyó ya, porque no cesaba de repetirse: «¡Mi hija no es mía! ¡Mi hija no es mía!» La sangre zumbaba en su cabeza.

El conde de Poitiers se esforzaba en no perder punto de la lectura. Nogaret no había podido arrancar de los hermanos de Aunay la confesión de que la condesa Juana tuviera un amante, ni hacerles pronunciar un nombre. Ahora bien, después de todo lo que habían confesado, era de suponer que si hubieran conocido tal hombre, si hubiera existido, ellos lo habrían denunciado. Lo cual no quitaba que Juana hubiera representado un papel infame. Felipe de Poitiers reflexionaba.

—«Considerando haber aclarado suficientemente la causa, y hecha inaudible la voz de los prisioneros, hemos decidido concluir el interrogatorio para dar parte al rey nuestro señor.»

Nogaret había concluido. Recogió sus papeles y esperó. Al cabo de unos instantes, Felipe el Hermoso levantó el mentón de la palma de la mano.

—Señor Guillermo —dijo—, nos habéis informado claramente sobre cosas dolorosas; cuando hayamos juzgado, destruiréis eso —señalaba el pergamino— a fin de que no quede rastro alguno fuera del secreto de nuestras memorias.

Nogaret se inclinó y salió. Hubo un largo silencio. Luego, de improviso, alguien gritó:

—¡No!

Era el príncipe Carlos, que se había puesto en pie. Repitió «¡No!», como si la verdad le resultara imposible de admitir. La barbilla le temblaba, tenía las mejillas sofocadas y no lograba contener las lágrimas.

—Los templarios... —dijo delirante.

—¿Qué queréis decir? —preguntó Felipe el Hermoso. No le agradaba que le recordaran ese episodio, demasiado reciente. Sonaba todavía en sus oídos, como en los de todos los presentes menos en los de Isabel, la voz del gran maestre: «¡Malditos hasta la decimotercera generación de vuestro linaje!»

Pero Carlos no pensaba en la maldición.

—Aquella noche —tartamudeaba—, aquella noche estaban juntos...

—Carlos —dijo el rey—, habéis sido un esposo débil, fingid al menos que sois un príncipe fuerte.

Fueron las únicas palabras de aliento que el joven recibió de su padre.

El conde de Valois no había dicho nada aún. Para él resultaba un suplicio permanecer callado tan largo rato. Aprovechó el momento para estallar.

—¡Por todos los santos! —gritó—. ¡Cosas extrañas suceden en el reino y bajo el mismo techo del rey! ¡La caballería se extingue, señor y hermano mío, y con ella todo el honor!

Y a renglón seguido pronunció un largo discurso que, bajo su apariencia embrollada, destilaba maldad. Para Valois todo guardaba relación: los consejeros del rey, Marigny a la cabeza, acababan con las órdenes de caballería, pero la moral pública se derrumbaba con el mismo golpe. Legistas nacidos de la nada inventaban no sé qué nuevo derecho sacado de las instituciones romanas para reemplazar al bueno y antiguo derecho feudal: el resultado no se había hecho esperar. En tiempos de las cruzadas se podía dejar solas a las mujeres durante años. Sabían guardar el honor y ningún vasallo se hubiera atrevido a arrebatarlas a sus señores. Ahora todo era escándalo y licencia. ¿Cómo es posible? ¡Dos simples escuderos!

—Uno de ellos pertenece a vuestra casa, hermano —le interrumpió secamente el rey.

—¡De la misma manera que el otro pertenece a la casa de vuestro hijo! —replicó el conde de Valois señalando al conde de Poitiers.

Éste abrió sus largas manos.

—Cualquiera de nosotros puede ser engañado por la criatura en quien ha depositado su confianza —sentenció.

—¡Por eso mismo! —exclamó Carlos, que de todo sacaba partido—. Por eso mismo no hay crimen mayor para un vasallo que seducir y mancillar el honor de la mujer de su señor. Los escuderos de Aunay han bebido...

—Dalos por muertos, hermano —interrumpió el rey, con un pequeño gesto a la vez negligente y tajante que equivalía a todo un discurso, y continuó—: Lo que debemos hacer ahora es decidir la suerte de las princesas adúlteras... Hermano mío, permitid que antes interrogue a mis hijos... Hablad, Luis.

En el momento de abrir la boca, Luis de Navarra sufrió un acceso de tos y dos manchas rojas aparecieron en sus pómulos. Se hallaba poseído por la cólera y su sofoco fue respetado.

—¡Pronto dirán que mi hija es bastarda! —exclamó cuando recobró el aliento—. ¡Eso dirán! ¡Bastarda!

—Luis, si sois el primero en proclamarlo —dijo el rey, descontento—, los demás no se privarán de repetirlo.

—En efecto, en efecto —dijo Carlos de Valois, que no había pensado en ello aún, y cuyos grandes ojos azules brillaron bruscamente con una extraña luz.

—¿Por qué no gritarlo si es cierto? —repitió Luis, perdiendo los estribos.

—Luis, callaos —ordenó el rey de Francia golpeando la mesa—. Dignaos decirnos, solamente, cuál es el castigo que queréis para vuestra esposa.

—¡Que muera! —respondió Luis el Obstinado—. ¡Ella y las otras dos! ¡Las tres! ¡Que mueran!

Profería estas palabras con los dientes cerrados, y cortaba el aire con las manos como si cortara cabezas.

Entonces Felipe de Poitiers, tras pedir a su padre la palabra con una mirada, dijo:

—El dolor os nubla la mente, Luis. Sobre Juana no pende tan gran pecado como sobre Margarita y Blanca. Ciertamente es muy culpable por haber favorecido su extravío, y ha desmerecido mucho. Pero el señor de Nogaret no ha logrado pruebas de que haya traicionado el matrimonio.

—¡Hacedla atormentar por él y veréis si no confiesa! —gritó Luis—. ¡Ha ayudado a mancillar mi honor y el de Carlos, y si nos amáis le daréis el mismo trato que a las otras rameras!

Felipe de Poitiers se tomó su tiempo.

—Aprecio vuestro honor, Luis —dijo al fin—, pero no menos el Franco Condado. —Los presentes se miraron, y Felipe prosiguió diciendo—: Vos tenéis Navarra por derecho, Luis, porque proviene de nuestra madre y tendréis, quiera Dios que sea lo más tarde posible, Francia. Por mi parte, yo sólo tengo Poitiers, que nuestro padre hizo la merced de darme, y ni siquiera soy par del reino. Pero por Juana soy conde palatino de Borgoña y señor de Salins, de cuyas minas de sal procede la mayor parte de mis rentas. Que Juana sea, pues, encerrada en un convento el tiempo que se juzgue necesario, por toda la vida si es preciso al honor de la corona; pero que no se toque su vida.

Luis de Evreux, callado hasta aquel momento, aprobó a Felipe:

—Mi sobrino tiene razón —dijo, convencido pero sin entusiasmo—. La muerte es un grave trance, dolorosa para todos, y que no debemos dictar para nadie en nuestra cólera.

Luis de Navarra le lanzó una mirada de odio.

La familia se hallaba, desde hacía mucho tiempo, escindida. Carlos de Valois contaba con el afecto de sus sobrinos Luis y Carlos, débiles y sugestionables, que se quedaban boquiabiertos con su facilidad de palabra, el prestigio de su vida aventurera y sus tronos perdidos. Felipe de Poitiers, por el contrario, estaba de parte del conde de Evreux, personaje tranquilo y recto, reflexivo, carente de ambición y que se conformaba con sus tierras normandas que administraba inteligentemente.

Por lo tanto, nadie se sorprendió de que apoyara la posición de su sobrino preferido; su afinidad con él era conocida.

Más sorprendente fue la actitud del conde de Valois quien, después del furibundo discurso pronunciado, volvió grupas y, dejando a su querido Luis de Navarra en la estacada, se declaró también en contra de la pena de muerte. El convento le parecía un castigo demasiado suave para las culpables; por lo tanto, aconsejaba la reclusión en una fortaleza, a prisión perpetua; e insistía sobre la palabra perpetua.

Tal mansedumbre en el ex emperador de Constantinopla no se debía en modo alguno a una disposición natural. No podía ser más que el resultado del cálculo, y dicho cálculo lo había establecido cuando Luis de Navarra pronunció la palabra bastarda. En efecto...

En efecto, ¿cuál era el estado de la descendencia real? Luis de Navarra no tenía otro heredero que la niña Juana, tachada desde hacía un momento de ilegítima, lo cual podría obstaculizar su posible llegada al trono. Carlos no tenía descendencia, pues los hijos de Blanca habían muerto al nacer. Felipe de Poitiers tenía tres hijas, sobre las cuales podía repercutir el escándalo... Ahora bien, si las esposas culpables eran ejecutadas, los tres príncipes se apresurarían a contraer nuevo matrimonio y habría abundantes posibilidades de que tuvieran descendencia. Pero si las princesas eran encarceladas para el resto de su vida, no podrían contraer nuevas nupcias ni, por lo tanto, asegurarse la descendencia.

Carlos era imaginativo. Como esos capitanes que, al partir para la guerra, sueñan con la posibilidad de que mueran todos los oficiales superiores y se ven ya elevados al mando del ejército; el hermano del rey, mirando el pecho hundido de su sobrino Luis y la delgadez de su sobrino Felipe de Poitiers, pensaba que la enfermedad podía causar imprevistos desastres. Además, estaban los accidentes de caza, los torneos, las caídas de caballo... y no era la primera vez que un tío sucedía a sus sobrinos.

—¡Carlos! —dijo el hombre de los párpados inmóviles, quien, por el momento, era el único y verdadero rey de Francia.

Valois se estremeció como si temiera que hubieran leído su pensamiento. Pero Felipe el Hermoso no se dirigía a él sino a su hijo menor.

El joven príncipe apartó las manos de su rostro. Estaba llorando.

—¡Blanca, Blanca! ¿Cómo es posible, padre? ¿Cómo pudo hacer cosa semejante? —gemía—. ¡Me decía que me amaba! ¡Me lo demostraba sobradamente!

Isabel tuvo un gesto de impaciencia y menosprecio. «¡Ah, ese amor de los hombres por el cuerpo que han poseído! —pensaba—. ¡Esa facilidad con que se tragan todas las mentiras con tal de no perder a la mujer que desean!»

—Carlos —insistió el rey, como si hablara con un débil mental— ¿qué aconsejáis que se haga con vuestra esposa?

—No lo sé, padre, no lo sé. Quiero ocultarme, quiero marcharme, quiero retirarme a un convento.

Estaba a punto de pedir que lo castigara a él porque su esposa lo había engañado.

Felipe el Hermoso comprendió que no obtendría más de ellos. Miraba a sus hijos como si no los hubiera visto nunca; reflexionaba sobre el orden de la primogenitura, y se decía que a veces la naturaleza hace un flaco servicio al trono. ¿Cuántas tonterías sería capaz de cometer, una vez sentado en el trono, ese irreflexivo, impulsivo y cruel Luis, su hijo mayor? ¿Qué sostén podría representar para él su hermano menor, que se desmoronaba al primer drama? El mejor dotado para reinar era, sin duda, el segundo, Felipe, pero se veía que Luis no lo escucharía.

—Isabel, ¿tu consejo? —preguntó a su hija en voz baja, inclinándose hacia ella.

—La mujer que haya pecado —dijo ella— debe ser apartada para siempre de la transmisión de la sangre real. Y el castigo debe ser conocido por el pueblo, para que sepa que el crimen es castigado más severamente en la mujer o hija del rey que en la mujer del siervo.

—Bien pensado —dijo el rey.

De todos sus hijos, ella hubiera sido el mejor soberano.

—El fallo será dado antes de vísperas —dijo el rey levantándose.

Y se retiró para consultar su decisión definitiva, como siempre, con Marigny y Nogaret.

NOTAS

1. El aspirante, en la antigua jerarquía feudal, estaba entre el caballero y el escudero. Ese título se aplicaba tanto a los hidalgos que no tenían medios para reunir una tropa personal como a los jóvenes señores que aspiraban a ser armados caballeros. El escudero, literalmente, era el que llevaba el escudo al caballero; pero el término se aplicaba indistintamente a aspirantes y a pajes.

10

El juicio

Durante todo el trayecto de París a Pontoise, la condesa Mahaut, en su litera, no había cesado de pensar en la manera de aplacar la ira del rey. Pero le costaba un gran esfuerzo centrarse. La dominaban demasiados pensamientos, la agitaban demasiados temores, demasiada cólera contra la locura de sus hijas, contra la estupidez de sus maridos, contra la imprudencia de sus amantes, contra todos los que por ligereza, ceguera o deseo amenazaban con socavar el edificio de su poderío. ¿Qué sería de Mahaut, madre de princesas repudiadas? Estaba decidida a echarle todas las culpas a la reina de Navarra. Margarita no era hija suya. Para salvar a sus hijas la acusaría de mal ejemplo y enseñanza...

Roberto de Artois conducía la comitiva a buen paso, como si quisiera dar prueba de un gran celo. Se complacía en ver al canónigo-canciller dando botes sobre su montura y, sobre todo, en oír los gemidos de su tía. Cada vez que de la gran litera sacudida por las mulas se escapaba un lamento, Roberto, como por casualidad, hacía forzar la marcha. De modo que la condesa lanzó un suspiro de alivio cuando aparecieron por encima de las copas de los árboles las torrecillas de Maubuisson.

Enseguida la comitiva entró en el patio del castillo. Reinaba allí un gran silencio, roto sólo por los pasos de los arqueros.

Mahaut se apeó de la litera y preguntó al oficial de guardia:

—¿Dónde está el rey?

—Dicta justicia, señora, en la sala capitular.

Seguida de Roberto, de Thierry de Hirson y de Beatriz, Mahaut se encaminó a la abadía. A pesar de su fatiga, caminaba con paso firme y ligero.

La sala capitular tenía aquel día un aspecto inusual. Bajo la fría bóveda que cobijaba de ordinario los rezos de las monjas, estaba reunida toda la corte de Francia, inmóvil ante su rey.

Cuando entró la condesa Mahaut, algunas filas de cabezas se volvieron y un murmullo recorrió la sala. Nogaret suspendió la lectura.

Mahaut vio al rey con la corona en la cabeza y el cetro en la mano, con los ojos muy abiertos, completamente inmóvil.

En cumplimiento de aquel tremendo ejercicio de justicia, Felipe el Hermoso parecía ausente de este mundo o, más bien, parecía comunicarse con un universo más vasto que cuanto lo rodeaba.

La reina Isabel, Marigny, Carlos de Valois y Luis de Evreux, así como los tres príncipes y muchos grandes barones se sentaban a ambos lados del monarca. Al pie del estrado, tres jóvenes monjes, con la cabeza afeitada, permanecían arrodillados sobre las losas con la cabeza gacha.

Alán de Pareilles se mantenía en pie un poco apartado, cruzadas las manos sobre el gavilán de la espada.

«Gracias a Dios, llego a tiempo —se dijo Mahaut—. Deben de estar juzgando algún caso de brujería o sodomía.»

Se dispuso a subir al estrado, donde era natural que tomara asiento por su condición de par del reino. De pronto, sintió que le flaqueaban las piernas. Uno de los arrodillados penitentes había alzado la cabeza: era Blanca, su hija. ¡Los tres monjes eran, pues, las tres princesas a quienes habían rapado y vestido con un sayo! Mahaut se tambaleó y profirió un grito sordo como si la hubieran golpeado en pleno vientre. Se apoyó en su sobrino, porque era el que estaba más cerca de ella.

—Demasiado tarde, tía, llegamos demasiado tarde —dijo Roberto, saboreando su venganza.

El rey hizo una señal al canciller y éste prosiguió su lectura.

—«... y por dichos testimonios y confesiones, habiendo sido convictas de adulterio, las dichas damas Margarita, esposa del rey de Navarra, y Blanca, esposa de mi señor Carlos, serán encarceladas en la fortaleza de Château-Gaillard por el resto de los días que plazca a Dios concederles.»

—A perpetuidad... condenadas a perpetuidad... —murmuró Mahaut.

—«Doña Juana, condesa palatina de Borgoña y esposa del conde de Poitiers —prosiguió Nogaret—, en consideración a que no ha sido convicta de haber cometido falta contra el matrimonio y que no puede imputársele tal crimen, mas habiéndose probado su complicidad y complacencia culpable, será encerrada en el torreón de Dourdan por el tiempo necesario para su arrepentimiento y hasta que al rey le plazca.»

Hubo un instante de silencio durante el cual Mahaut pensó, mirando a Nogaret: «Él ha sido. Ese perro lo ha hecho todo, con su rabia por espiar, denunciar y torturar. Me las pagará, me las pagará con su pellejo.»

Pero el canciller no había terminado su lectura:

—«Los señores Gualterio y Felipe de Aunay, habiendo faltado gravemente al honor y traicionado el vínculo feudal cometiendo adulterio con personas de majestad real, serán enrodados, despellejados vivos, castrados, decapitados y colgados en público cadalso, en Pontoise, la mañana que seguirá al día de hoy. Así lo ha determinado nuestro muy sabio, muy poderoso y muy amado rey.»

Las princesas se habían estremecido al oír los suplicios que aguardaban a sus amantes. Nogaret enrolló su pergamino y el rey se puso en pie. La sala comenzó a vaciarse en medio de un prolongado murmullo que se reverberaba entre aquellos muros acostumbrados a la oración... La condesa Mahaut vio que todos se apartaban de ella y evitaban su mirada. Quiso ir hacia sus hijas, pero Alán de Pareilles le cerró el paso.

—No, señora —le dijo—. El rey no ha autorizado más que a sus hijos, si ellos lo desean, a oír de sus esposas su despedida y su arrepentimiento.

Ella buscó entonces al rey, pero éste había salido ya, lo mismo que Luis de Navarra y Felipe de Poitiers.

De los tres esposos sólo se había quedado Carlos. Se acercó a Blanca.

—Yo no sabía... Yo no quería... ¡Carlos! —dijo ésta rompiendo en sollozos.

La navaja había dejado pequeñas marcas rojas en la rapada cabeza.

Mahaut se mantenía a distancia, sostenida por su canciller y su dama de compañía.

—¡Madre! —le gritó Blanca—, decid a Carlos que yo no sabía, y que me perdone.

Juana de Poitiers se pasaba las manos por las orejas, que tenía un poco separadas, como si no pudiera acostumbrarse a sentirlas destapadas.

Apoyado en un pilar, cerca de la puerta, Roberto de Artois contemplaba su obra con los brazos cruzados.

—¡Carlos, Carlos! —repetía Blanca.

En ese momento, se elevó la voz dura de Isabel de Inglaterra.

—Nada de flaquezas, Carlos, portaos como un príncipe —dijo.

Estas palabras desencadenaron la furia de la tercera condenada, Margarita de Borgoña.

—¡Nada de flaquezas, Carlos! ¡No tengáis piedad!

—gritó—. ¡Imitad a vuestra hermana Isabel que no puede comprender los impulsos del amor! ¡Sólo tiene odio y hiel en el corazón! ¡Sin ella nunca os hubierais enterado de nada! ¡Pero me odia, os odia, nos odia a todos!

Isabel miró a Margarita con fría cólera.

—Que Dios perdone vuestros crímenes —dijo.

—¡Antes perdonará mis crímenes que hacer de ti una mujer dichosa! —le lanzó Margarita.

—Soy reina —replicó Isabel—. Si no conozco la felicidad, tengo por lo menos un cetro y un reino que respeto.

—¡Si no he conocido la felicidad, he conocido el placer, que vale por todas las coronas del mundo! Por eso, nada lamento...

Erguida frente a su cuñada, que llevaba diadema, Margarita, con la cabeza rapada, el rostro demacrado por la fatiga y las lágrimas, conservaba aún fuerzas suficientes para insultar, para herir, para defender su cuerpo.

—Hubo para mí una primavera —dijo con voz oprimida y jadeante—, hubo para mí el amor de un hombre, su calor y su fuerza, el gozo de poseer y ser poseída... ¡Todo eso que tú no conoces, que te mueres por conocer y que jamás conocerás! ¡Ah! ¡No debes resultar muy agradable en la cama para que tu marido prefiera buscar el placer en mozalbetes!

Lívida, aunque incapaz de responder, Isabel hizo una señal a Alán de Pareilles.

—¡No! —exclamó Margarita—. Nada tienes que decir al señor de Pareilles. Ha obedecido mis órdenes otras veces y quizá tenga que volverlo a hacer algún día. Marchará cuando yo se lo ordene.

Volvió la espalda e hizo señal al jefe de los arqueros de que estaba dispuesta. Las tres condenadas salieron de la sala, atravesaron, bajo escolta, el patio, y regresaron a la estancia que les servía de cárcel.

Cuando Alán de Pareilles cerró la puerta tras ellas,

Margarita se arrojó a la cama e hincó los dientes en las sábanas.

—¡Mis cabellos, mis hermosos cabellos! —sollozaba Blanca.

Juana de Poitiers se esforzaba por recordar cómo era el torreón de Dourdan.

11

El suplicio

El alba tardó en llegar para aquellos que debieron pasar la noche sin reposo, sin olvido y sin esperanza.

En la celda del prebostazgo de Pontoise, los hermanos de Aunay, tendidos uno junto al otro sobre un colchón de paja, aguardaban la muerte. Por orden del canciller les habían prodigado cuidados. Por ello sus llagas no sangraban ya, su corazón latía con más fuerza y su carne destrozada había recuperado un poco de vigor. Así sufrirían más y vivirían mejor el terror de los suplicios a que estaban condenados.

En Maubuisson, ni las princesas condenadas, ni sus tres esposos, ni Mahaut, ni el propio rey durmieron aquella noche. Tampoco durmió Isabel, obsesionada por las palabras de Margarita.

Por lo contrario, Roberto de Artois, tras veinte largas leguas de cabalgar, se dejó caer, sin ni siquiera sacarse las botas, sobre la primera cama que encontró en las habitaciones de los huéspedes. Lormet, poco antes de la prima, tuvo que sacudirlo para que no se perdiera el placer de ver la salida de sus víctimas.

En el patio de la abadía esperaban tres grandes carretas con colgaduras negras, y el señor Alán de Pareilles hacía formar, a la rosácea claridad del alba, a los sesenta caballeros con perniles de cuero, cota de malla y casco de hierro que iban a formar la escolta del convoy, primero hacia Dourdan y luego a Normandía.

Tras una ventana del castillo miraba la condesa Mahaut, con la frente apoyada contra el vidrio y los amplios hombros sacudidos por estremecimientos.

—¿Lloráis, señora? —le preguntó Beatriz de Hirson, con su hablar arrastrado.

—Eso también puede llegarme a mí —respondió Mahaut, con voz ronca.

Después, como vio a Beatriz vestida, arreglada, peinada y con capa, Mahaut agregó:

—¿Sales, pues?

—Sí señora, iré a ver el suplicio... si lo permitís.

La plaza de Martroy, en Pontoise, donde iba a realizarse la ejecución de los Aunay, hervía ya de público cuando llegó Beatriz. Burgueses, campesinos y soldados habían afluido desde el amanecer. Los propietarios de las casas cuyas fachadas daban a la plaza habían alquilado a buen precio sus ventanas, donde se veían cabezas apretadas en varias filas.

Los pregoneros habían gritado, la noche anterior, en todos los rincones de la villa: «Enrodados, despellejados vivos, castrados, decapitados...» El hecho de que los condenados fueran jóvenes, nobles y ricos, y sobre todo, que su crimen hubiera sido un gran escándalo de amor desarrollado dentro de la familia real, excitaba la curiosidad y la imaginación del pueblo.

Durante la noche habían levantado el patíbulo. Se alzaba a dos metros sobre el suelo y aguantaba dos ruedas colocadas horizontalmente y un tajo de encina. Detrás se levantaba la horca.

Dos verdugos, los mismos del interrogatorio de los hermanos de Aunay, pero vestidos ahora con túnica y capuchones rojos, subieron por la pequeña escala a la plataforma. Detrás de ellos, dos ayudantes traían unos cofres negros que contenían los instrumentos de tortura. Uno de los verdugos hizo girar las ruedas que chirriaron. La gente se echó a reír como si aquello fuera un truco de titiritero. Se decían bromas, se repartían codazos y comenzó a circular de mano en mano una bota de vino de la que bebieron los verdugos entre los aplausos de todos.

Cuando, rodeada por los arqueros, apareció la carreta que conducía a los hermanos de Aunay, el clamor fue elevándose a medida que se distinguía mejor a los condenados. Ni Gualterio ni Felipe se movían. Unas cuerdas los sujetaban a los postes de la carreta, sin los cuales no hubieran podido tenerse en pie. Las limosneras brillaban en su cintura sobre las calzas desgarradas.

Los acompañaba un sacerdote que había acudido para recibir sus tartamudeantes confesiones y sus últimas voluntades. Agotados, palpitantes, atontados, parecían no tener conciencia de lo que sucedía. Los ayudantes de los verdugos los subieron al patíbulo y los despojaron de sus ropas.

Al verlos desnudos entre las manos de los verdugos, la multitud, presa de histerismo, irrumpió en alaridos. Un torrente de frases groseras y de obscenos comentarios se desató en la plaza, mientras ambos hidalgos eran echados y atados a las ruedas, cara al cielo. Luego todos aguardaron.

Así transcurrieron varios minutos. Uno de los verdugos se sentó sobre el tajo y el otro probó el filo del hacha. La multitud comenzaba a impacientarse, a hacer preguntas, a armar bullicio.

Pronto comprendieron el motivo de la espera. Tres carretas a las que habían quitado a medias las colgaduras negras hicieron su entrada en la plaza. Por un supremo refinamiento en el castigo, Nogaret, de acuerdo con el rey, había dado orden de que las princesas asistieran al suplicio.

El interés de los espectadores se vio repartido entre los condenados desnudos y las princesas reales prisioneras y rapadas. Hubo un movimiento de la masa que los arqueros tuvieron que contener.

Cuando divisó el patíbulo, Blanca se desvaneció.

Juana, aferrada a los barrotes de la carreta, gritaba a la multitud:

—¡Decidle a mi esposo, decidle a mi señor Felipe que soy inocente!

Hasta ese momento se había mantenido firme, pero sus nervios terminaron por quebrarse. Los mirones se la mostraban unos a otros riendo, como a una fiera de circo en su jaula. Las arpías la insultaban.

Sólo Margarita de Borgoña tenía el valor de mirar, y los que la observaban de cerca se preguntaron si no experimentaba un atroz y espantoso placer al ver expuesto ante los ojos de todos al hombre que iba a morir por haberla poseído.

Cuando los verdugos alzaron sus mazas para romper los huesos de los condenados, Margarita gritó «¡Felipe!», con una voz que no era de dolor.

Las mazas se abatieron, se oyó el crujido de los huesos y el cielo se apagó para los hermanos de Aunay. Primero rompieron sus piernas y muslos, después los verdugos hicieron dar media vuelta a las ruedas y las mazas cayeron sobre los antebrazos y los brazos de los condenados. Los golpes retumbaban en los radios y los cubos de las ruedas, y la madera crujía tanto como los huesos.

Después, los verdugos, aplicando las torturas según el orden prescrito, empuñaron los instrumentos férreos de múltiples garfios y arrancaron a grandes jirones la piel de los dos cuerpos.

Salpicaba la sangre y chorreaba sobre la plataforma y uno de los verdugos tuvo que secarse los ojos. Este suplicio probaba abundantemente que el color rojo, reglamentario para los verdugos, era completamente necesario.

«Enrodados, despellejados vivos, castrados, decapitados.» Aunque les quedara un soplo de vida a los hermanos de Aunay, toda sensibilidad y toda conciencia había huido de ellos.

Una ola de histeria agitó a la concurrencia cuando los verdugos, armados de largos cuchillos de carnicero, mutilaron a los dos amantes culpables. La gente se empujaba para ver mejor. Las mujeres gritaban a sus maridos:

—¡Eso para que tomes ejemplo, calavera!

—¡Merecerías otro tanto!

—¡Ya ves lo que te espera!

Raramente tenían los verdugos ocasión de hacer una tan completa demostración de sus talentos delante de un público tan entusiasta. Cambiaron entre sí una mirada y, con movimiento ajustado de malabaristas, lanzaron al aire los objetos de la culpa.

Señalando a las princesas con el dedo, un gracioso gritó:

—¡A ellas deberíais dárselos!

Y el público se echó a reír.

Los ajusticiados fueron bajados de las ruedas y arrastrados al tajo. Dos veces brilló la hoja del hacha. Después los ayudantes llevaron hasta las horcas lo que quedaba de Gualterio y de Felipe de Aunay, de aquellos dos bellos escuderos que, dos días antes, caracoleaban por el camino de Clermont; dos cuerpos rotos, sanguinolentos, sin cabeza y sin sexo que, atados por debajo de las axilas, fueron izados al palo de la horca.

Inmediatamente, a una orden de Alán de Pareilles, reanudaron la marcha las tres carretas negras rodeadas por los caballeros de casco de hierro y los soldados del prebostazgo empezaron a desalojar a la gente de la plaza.

La multitud se dispersaba lentamente, todos querían pasar cerca del patíbulo para echar la última mirada. Luego, en pequeños grupos, haciendo comentarios, volvían algunos a su herrería, algunos a su establo, éste a su tenducho, aquél a su jardín, para reemprender tranquilamente su vida de cada día.

Pues en aquellos siglos en que dos tercios de los niños morían en la cuna y la mitad de las mujeres de parto, las epidemias hacían estragos entre la población, la Iglesia preparaba principalmente para la muerte, las obras de arte —crucifixiones, martirios, enterramientos, juicios finales— ofrecían constantemente la representación de la partida, la idea de la muerte era familiar a los espíritus, y sólo la que se producía de una forma excepcional podía conmoverlos un momento.

Ante un puñado de obstinados curiosos y mientras los ayudantes lavaban los instrumentos, los dos verdugos se repartían los despojos de sus víctimas. En efecto, por costumbre, tenían derecho a todo lo que encontraban sobre los ajusticiados de la cintura a los pies. Esto formaba parte de sus ganancias.

Así, las limosneras enviadas por la reina de Inglaterra fueron a parar, ganga inesperada, a las manos de los verdugos de Pontoise.

Una hermosa muchacha morena, vestida como hija de nobles más que como burguesa, se aproximó a ellos y, en voz baja, con acento un tanto lánguido, les pidió que le dieran la lengua de uno de los ajusticiados.

—Dicen que es bueno para los males de mujer —dijo—. La de cualquiera de ellos, lo mismo me da.

Los verdugos la miraron con suspicacia, preguntándose si no habría brujería en ello. Puesto que era cosa sabida que la lengua de un ahorcado, sobre todo si lo había sido en viernes, servía para invocar al diablo. ¿Tendría igual utilidad la lengua de un decapitado?

Pero como Beatriz mostraba una reluciente moneda de oro en la mano, aceptaron y, fingiendo sujetar mejor una de las cabezas, le quitaron lo que se les pedía.

—¿No queréis más que la lengua? —dijo, burlón, el

más grueso de los verdugos—. Porque por otro tanto podríamos daros también el resto.

Decididamente, en aquella ejecución no había habido nada normal.

Tres carretas avanzaban lentamente por el camino de Poissy. En la última, una mujer con la cabeza rapada, en cada pueblo por el que pasaban se obstinaba en gritar a los campesinos que salían a su puerta:

—¡Decid a mi señor Felipe que soy inocente! ¡Decidle que no lo he avergonzado!

12

El mensajero del crepúsculo

Mientras la sangre de los Aunay se secaba sobre la amarilla tierra de la plaza de Martroy, donde durante varios días acudieron los perros a husmear, Maubuisson se recobraba lentamente de la pesadilla.

Los tres hijos del rey no se dejaron ver en todo el día. Nadie fue a visitarlos, aparte de los hidalgos destinados a su servicio.

Mahaut había intentado, en vano, que la recibiera Felipe el Hermoso. Nogaret le dijo que el rey trabajaba y que deseaba no ser molestado. «Es él, es ese dogo —pensaba Mahaut—, quien lo ha tramado todo y ahora me impide llegar hasta su amo.»

Todo confirmaba a la condesa en la idea de que el canciller era el principal artífice de la pérdida de sus hijas y de su desgracia personal.

—Quedaos con Dios, señor de Nogaret. Que él se apiade de vos —le dijo en tono de amenaza antes de subir a la litera para marchar a París.

Otras pasiones e intereses agitaban Maubuisson. Los familiares de las princesas confinadas trataban de anudar otra vez los hilos invisibles del poder y de la intriga, aunque fuese renegando de las amistades que la víspera los enorgullecían. Las lanzaderas del miedo, la vanidad y la ambición se ponían en movimiento para sustituir la tela brutalmente desgarrada.

Roberto de Artois tuvo la habilidad de no jactarse de su triunfo; esperaba recoger los frutos. Pero ya lo trataban con los miramientos que antes dedicaban al clan de Borgoña.

Por la noche fue invitado a la cena del rey, y en eso se vio que volvía a gozar del favor real.

Cena frugal, casi de duelo, a la que asistieron solamente los hermanos del monarca, su hija, Marigny, Nogaret y Bouville. Era agobiante el silencio en la sala larga y estrecha donde fue servida. Incluso Carlos de Valois callaba, y el fiel *Lombardo*, como si intuyera la pesadumbre de los comensales, se había alejado de los pies de su amo para ir a tenderse delante de la chimenea.

Roberto de Artois procuraba insistentemente encontrar los ojos de Isabel; pero Isabel demostraba la misma insistencia en rehuirlo. Habiendo fustigado, juntos, pasiones culpables, no quería dar a su gigante primo muestra alguna de ser accesible a las mismas tentaciones. No aceptaba más complicidad que la de la justicia.

«El amor no está hecho para mí —se decía—, me tengo que resignar.» Pero le faltaba confesarse que se resignaba mal.

En el momento en que, entre servicio y servicio, los escuderos cambiaban las rebanadas de pan, entró lady Mortimer trayendo en brazos al pequeño príncipe Eduardo, para que éste diera a su madre el beso de buenas noches.

—Señora de Joinville —dijo el rey llamando a lady Mortimer por su nombre de soltera—: traedme a mi único nieto.

Los presentes notaron la manera en que pronunció la palabra «único».

Tomó al niño en sus brazos y lo contempló un buen rato, estudiando la carita inocente, sonrosada y redonda de graciosos hoyuelos.

¿De quién se mostraría hijo en los rasgos y en el carácter? ¿De su veleidoso padre, sugestionable y depravado, o de su madre, Isabel? «Por el honor de mi sangre —pensaba el rey—, desearía que fueses semejante a ella; pero para la dicha de Francia, ¡haga el cielo que seas solamente hijo de tu débil padre!» Porque la cuestión sucesoria se imponía. ¿Qué pasaría si un príncipe de Inglaterra tenía un día oportunidad de reclamar el trono de Francia?

—Eduardo, sonreíd a vuestro señor abuelo —dijo Isabel.

El bebé no parecía sentir miedo alguno de la mirada real. De pronto, alargando su manita, la hundió en los cabellos dorados del monarca y tiró de un mechón rizado.

Felipe el Hermoso sonrió. Los comensales dejaron escapar un suspiro de alivio; todos se apresuraron a soltar la risa y por fin osaron hablar.

Concluida la comida, el rey despidió a todo el mundo con excepción de Marigny y de Nogaret. Fue a sentarse junto a la chimenea y permaneció callado largo rato. Sus consejeros respetaron su silencio.

—Los perros son criaturas de Dios; pero, ¿tienen conocimiento de Dios? —preguntó súbitamente.

—Señor —respondió Nogaret—, sabemos mucho acerca de los hombres, puesto que también nosotros lo somos; pero muy poco del resto de la naturaleza.

Felipe el Hermoso calló de nuevo, procurando arrancar el secreto de los ojos leonados cercados de rojo del gran *Lombardo*, echado delante de él con el hocico entre las patas. El perro movía a veces los párpados; el rey, no.

Como sucede con frecuencia a los hombres poderosos después de tomar trágicas decisiones, el rey Felipe meditaba acerca de los problemas misteriosos y vagos, buscando la certeza de un orden donde se inscribieran sin error su vida y sus actos.

Por fin se volvió y dijo:

—Enguerrando, creo que hemos obrado bien. Pero, ¿adónde va el reino? Mis hijos no tienen herederos.

Marigny respondió:

—Los tendrán si vuelven a tomar mujer, señor...

—Ante Dios ya la tienen.

—Dios puede borrar... —dijo Marigny.

—Dios no obedece a los señores de la tierra.

—El Papa puede liberarlos —dijo Marigny.

La mirada del rey se volvió entonces hacia Nogaret.

—El adulterio no es motivo de anulación matrimonial —dijo enseguida el canciller.

—No obstante, no nos queda otro recurso —dijo Felipe el Hermoso—. Y no debo tener en cuenta la ley común, así esté ella en manos del Papa. Un rey puede morir en el momento menos pensado. No puedo esperar posibles viudedades para asegurar la sucesión real.

Nogaret alzó su mano grande, delgada y chata.

—Entonces, señor —dijo—, ¿por qué no habéis hecho ejecutar a vuestras nueras, a dos al menos?

—Lo hubiera hecho, desde luego —respondió fríamente el rey— si con ello no hubiera perdido, con toda seguridad, las dos Borgoñas. La sucesión de trono es importante pero la unidad del reino no lo es menos.

Marigny manifestó su aprobación con la cabeza, silenciosamente.

—Señor Guillermo —prosiguió el rey—, iréis, pues, al papa Clemente, y deberéis convencerle de que el matrimonio de un rey no es lo mismo que el de un hombre ordinario. Mi hijo Luis es mi sucesor; él debe ser el primer desligado.

—Pondré en ello todo mi celo, señor —respondió Nogaret—, pero no dudéis que la duquesa de Borgoña hará todo lo posible para obstaculizar mi misión ante el Santo Padre.

Se oyó un galope en las cercanías del castillo, después el rechinar de las barras y los herrajes de la puerta principal. Marigny, acercándose a la ventana, dijo:

—El Santo Padre nos debe demasiado, la tiara en primer lugar, para no escuchar nuestras razones. El derecho canónico ofrece bastantes motivos...

Los cascos del caballo sonaron sobre los adoquines del patio.

—Un mensajero, señor —dijo Marigny—. Parece haber recorrido un largo camino.

—¿De quién es? —dijo el rey.

—No lo sé, no distingo sus armas...[1] Convendría también —continuó Marigny— advertir a mi señor Luis, no vaya a ir en contra de sus propios intereses con un golpe de carácter.

—Yo me ocuparé de eso, Enguerrando —sentenció el rey.

En este momento entró Hugo de Bouville.

—Señor, un mensajero de Carpentras, y pide ser recibido por vos mismo.

—Que pase.

—Correo del Papa —dijo Nogaret.

La coincidencia no tenía que sorprenderlos. Entre la Santa Sede y la corte la correspondencia era frecuente, casi diaria.

El mensajero, un mozo alto, fornido y ancho de espaldas de unos veinticinco años, venía cubierto de polvo y barro. La cruz y la llave, primorosamente bordadas sobre la cota amarilla y negra, identificaban a un servidor del papado. Sostenía en la mano izquierda su sombrero y el bastón insignia de su cargo. Avanzó hacia el rey, hincó la rodilla en tierra y desató de su cintura la caja de ébano y plata que contenía el mensaje.

—Señor —dijo—, el papa Clemente ha muerto.

Los asistentes se sobresaltaron por igual. El rey y Nogaret principalmente. Se miraron y palidecieron. El rey abrió la caja de ébano, sacó la carta y rompió el sello del cardenal Arnaldo de Auch. Leyó atentamente, como para asegurarse de la veracidad de la noticia.

—El Papa que hemos hecho pertenece ya a Dios —murmuró tendiendo el pergamino a Marigny.

—¿Cuándo sucedió? —preguntó Nogaret.

—Hace seis días —respondió Marigny—. La noche del diecinueve al veinte.

—Un mes después —dijo el rey.

—Sí, señor, un mes después —recalcó Nogaret.

Habían hecho a la vez el mismo cálculo. El 18 de marzo, el gran maestre de los templarios había gritado entre las llamas: «Papa Clemente, caballero Guillermo, rey Felipe, antes de un año os emplazo ante el tribunal de Dios...» Y he aquí que el primero ya estaba muerto.

—Dime —prosiguió el rey dirigiéndose al mensajero e indicándole que se levantara—, ¿cómo murió nuestro Santo Padre?

—Señor, el papa Clemente estaba con su sobrino, el señor de Got, en Carpentras, cuando fue acometido por fiebres y angustias. Entonces dijo que quería volver a Guyena, para morir donde había nacido, en Villandraut; pero no pudo hacer más que la primera jornada y se tuvo que quedar en Roquemaure, cerca de Châteauneuf. Los médicos lo probaron todo para curarlo, hasta le hicieron comer esmeraldas trituradas que, al parecer, son el mejor remedio para el mal que padecía. Pero de nada sirvió. Le sobrevino un ahogo. Los cardenales estaban a su alrededor. No sé más. —Y se calló.

—Vete —le dijo el rey.

Salió el mensajero. En la sala no se oía más que el susurro de la respiración del gran *Lombardo* que dormía ante el fuego.

El rey y Nogaret no osaban mirarse.

«¿Será posible, verdaderamente —pensaban—, que estemos malditos? Y ahora, ¿cuál de nosotros dos...?»

La palidez del rey era impresionante, y bajo su amplia vestidura real, su cuerpo tenía la helada rigidez de los cadáveres.

NOTAS

1. Los correos se encargaban de llevar los mensajes oficiales. Los príncipes soberanos, los Papas, los grandes señores y los principales dignatarios civiles o eclesiásticos tenían sus propios correos que llevaban el traje con sus armas. Los correos reales tenían derecho a requisar los caballos de refresco en el curso de su misión, dado su carácter prioritario. Estos mensajeros podían hacer, relevándose, jornadas de cien kilómetros.

TERCERA PARTE

LA MANO DE DIOS

1

La calle Bourdonnais

No tardó más de ocho días el pueblo de **París** para tejer una leyenda de lujuria y crueldad en torno a la condena de las tres princesas adúlteras. Con imaginación callejera y jactancia de tendero, uno afirmaba saber la verdad de primera mano por un compadre suyo que llevaba los comestibles a la torre de Nesle, otro tenía un primo en Pontoise... La imaginación popular se apoyaba sobre todo en Margarita y le asignaba un papel extravagante. Ya no se le atribuía un amante a la reina de Navarra, sino diez, cincuenta, uno por noche... Todos miraban, con multitud de historias y una especie de temerosa fascinación, la torre de Nesle ante la cual velaba la guardia día y noche para ahuyentar a los curiosos. Porque el asunto no había terminado. Se encontraron varios cadáveres en aquellos parajes, y se decía que el heredero del trono atormentaba a los criados para hacerles confesar lo que supieran de la desvergüenza de su mujer, y más tarde tiraba sus cuerpos al Sena.

Una mañana, hacia la tercia, la bella Beatriz de Hirson salió del palacio Artois. Era a principio de mayo y el sol jugueteaba en los vidrios de las ventanas. Sin apresurarse, Beatriz recorría su camino satisfecha de sentir la caricia del viento tibio en la frente. Saboreaba el olor de la incipiente primavera y sentía placer en provocar las miradas de los hombres, sobre todo si éstos eran de humilde condición.

Entró en el barrio de San Eustaquio y llegó a la calle Bourdonnais. Allí tenían su despacho los escribanos públicos así como también los comerciantes en cera, que fabricaban tablillas de escribir, cirios, candelas y encáustico. Pero en algunas trastiendas, a precio de oro y con infinitas precauciones, se vendían los ingredientes necesarios para la brujería: polvo de serpiente, sapos machacados, cerebros de gato, lenguas de ahorcados, pelos de rameras, así como también toda clase de plantas, recogidas en el momento preciso del ciclo lunar, para fabricar filtros de amor o venenos con los que «fulminar» al enemigo. Llamaban también «calle de las brujas» a aquella estrecha vía donde el diablo, alrededor de la cera, ejercía su comercio de materia prima para sus sortilegios.

Con aire desenvuelto y mirada huidiza, Beatriz de Hirson entró en una tienda cuyo símbolo era un gran cirio de acero pintado.

La tienda era de fachada estrecha, larga, baja y sombría. Del techo pendían cirios de todos los tamaños y, sobre anchas tablas clavadas en los muros, haces de candelas se alineaban junto a los panes pardos, rojos o verdes que se utilizaban para los sellos. El aire olía fuertemente a cera y cualquier objeto resbalaba un poco en las manos.

El mercader, un viejecillo tocado con un bonete de lana cruda, hacía sus cuentas con ayuda de un ábaco. Al entrar Beatriz, una amplia sonrisa desdentada hendió su rostro.

—Maestro Engelberto —le dijo Beatriz—, vengo a pagaros la cuenta de la casa de Artois.

—Una buena acción, mi hermosa doncella, una buena acción. Porque el dinero, en estos días, corre más aprisa hacia fuera que hacia adentro. Mis proveedores quieren cobrar al momento. Y luego viene la exacción, esa *maltôte* que nos estrangula. Cuando vendo por una libra, tengo que pagar un denario. El rey gana más que yo sobre mi trabajo.[1]

Buscó entre las tabillas de cuentas la correspondiente a la casa de Artois y se la acercó a los ojillos de ratón.

—Aquí veo cuatro libras y ocho sueldos, si no me he equivocado. Y cuatro denarios —se apresuró a añadir, porque se había acostumbrado a cargar al comprador la dichosa exacción de la que tanto se quejaba.

—Yo he contado seis libras —dijo dulcemente Beatriz, poniendo dos escudos sobre el mostrador.

—¡Ah! He aquí una buena costumbre. Así deberían hacer todos.

Se llevó las monedas a los labios, luego agregó con un guiño de complicidad:

—Sin duda, querréis ver a vuestro protegido. Estoy satisfecho porque es servicial y habla poco... ¡Maestro Everardo!

El hombre que entró, procedente de la trastienda, cojeaba. Tenía unos treinta años, era delgado aunque fuerte, de rostro huesudo y párpados hundidos y oscuros.

Enseguida, el maestro Engelberto recordó una diligencia urgente.

—Echad el cerrojo cuando salga. Estaré ausente una hora —le dijo al cojo.

Éste, cuando se quedaron solos, tomó a Beatriz de las muñecas.

—Ven —le dijo.

La joven lo siguió al fondo de la tienda, pasó por debajo de una cortina que él alzó y se halló en el depósito donde Engelberto guardaba los panes de cera en bruto, los toneles de sebo y los paquetes de mechas. También se veía un estrecho colchón tendido entre una vieja arca y la salitrosa pared.

—Mi castillo, mi señorío, la comandancia del caballero Everardo —dijo con amarga ironía, señalando con ademán circular el sombrío y sórdido habitáculo—. Pero es mejor que la muerte, ¿verdad?

Luego, tomando a Beatriz por los hombros, la atrajo hacia sí:

—Y tú vales más que la eternidad —susurró.

La voz de Everardo era tan apresurada como lenta y serena la de ella.

Beatriz sonreía con la expresión habitual con que se burlaba vagamente de los hombres y de las cosas. Experimentaba un perverso deleite al sentir que había seres que dependían de ella. Por otra parte, aquel hombre estaba doblemente a su merced.

Lo había encontrado una mañana, como una fiera acosada, en un rincón de la cuadra de la mansión de Artois, tembloroso y desfallecido de miedo y de hambre. Antiguo templario de una comandancia del norte de Francia, el tal Everardo había logrado evadirse de la prisión la noche anterior al día en que iba a ser quemado. Escapó de la hoguera, pero no de la tortura. Recuerdo de los tres interrogatorios y de sus torturas eran aquella pierna torcida para siempre y el desvarío de su mente. Puesto que le habían roto los huesos para hacerle confesar prácticas demoníacas de las cuales era inocente, decidió, por represalia, entregarse al diablo. Al aceptar el odio perdió la fe.

Soñaba sólo con brujerías, aquelarres y hostias profanadas. La calle Bourdonnais era un lugar apropiado para él. Beatriz lo colocó en casa de Engelberto, que lo alojaba, lo alimentaba y, sobre todo, le proporcionaba una coartada ante el preboste. Así, Everardo, en su seboso antro, se creía verdadera encarnación de poderes satánicos, y se entregaba a esperanzas de venganza y visiones de lujuria.

Sin el tic nervioso que frecuentemente le deformaba bruscamente la cara, no hubiera estado desprovisto de cierto rudo atractivo. Su mirada tenía ardor y brillantez. Mientras recorría febrilmente con sus manos el cuerpo de Beatriz, complaciente siempre, ésta le dijo:

—Debes estar contento. El Papa ha muerto.

—Sí... Sí... —dijo Everardo con alegría salvaje en la mirada—. Sus médicos le hicieron comer esmeraldas trituradas. ¡Buen «revientatripas»! Quienesquiera que sean, esos médicos cuentan con mi amistad. Comienza a cumplirse la maldición del gran maestre. Ya ha caído uno. La mano de Dios golpea rápidamente cuando ayuda la mano del hombre.

—Y también la del diablo —dijo ella, sonriendo.

No parecía darse cuenta de que él le había levantado la falda. Los dedos barnizados de cera del antiguo templario acariciaban un hermoso muslo, firme, terso, cálido.

—¿Quieres ayudar a dar otro golpe? —prosiguió diciendo ella.

—¿A quién?

—A tu peor enemigo... al hombre a quien debes tu cojera.

—Nogaret... —murmuró Everardo. Retrocedió un poco y la contracción deformó tres veces su rostro.

Ella se acercó entonces.

—Puedes vengarte si lo deseas —dijo—. ¿Acaso no es aquí donde se provee de luz? ¿No le vendéis las velas?

—Sí —dijo él.

—¿Cómo están hechas?

—Son candelas muy largas, de cera blanca con mechas que reciben un tratamiento especial para que despidan poco humo. También utiliza para su palacio largos cirios amarillos que llaman «de legista». Éstos los emplea solamente cuando dedica la noche a escribir. Quema dos docenas por semana.

—¿Estás seguro?

—Su portero viene a buscarlas por gruesas —y señaló un estante—; mira, su próxima provisión está ya lista, y la de Marigny, al lado, y la de Maillard, secretario del rey. Con ellas alumbran los crímenes que fabrica su mente. ¡Ojalá pudiera escupirles encima el veneno del diablo!

Beatriz seguía sonriendo.

—Puedo procurártelo —dijo—. Conozco el medio de envenenar una vela.

—¿Es posible? —preguntó Everardo.

—Quien durante una hora respira su llama no vuelve a ver otra sino la del infierno. Es un veneno que no deja rastro y no tiene remedio.

—¿Cómo lo sabes?

—¡Ah... eso! —dijo Beatriz, moviendo los hombros y entornando los párpados como si coqueteara—. Es un polvo que basta con mezclarlo a la cera...

—¿Y por qué deseas tú que Nogaret...? —preguntó Everardo.

Contoneándose con coquetería, ella respondió:

—Quizá, porque además de ti, hay otros que también quieren vengarse. Nada arriesgas.

Everardo reflexionó un instante. Su mirada se volvió más aguda, más reluciente.

—En tal caso, apresurémonos —dijo, atropellándose al hablar—. Es posible que deba marcharme muy pronto. Sobre todo, no lo repitas... pero el sobrino del gran maestre, el señor Juan de Longwy, ha comenzado a reunirnos. También él juró vengar la muerte del señor de Molay. No hemos muerto todos, a pesar del perro de Nogaret. El otro día recibí la visita de uno de mis antiguos hermanos, Juan del Pré, quien me avisó de que estuviera preparado para ir a Langres. Sería hermosa cosa llevar al señor de Longwy como presente el alma de Nogaret... ¿Cuándo podría tener esos polvos?

—Aquí están —dijo calmosamente Beatriz, abriendo su escarcela.

Tendió a Everardo un saquito que contenía dos sustancias mal mezcladas, una gris, cristalina, y la otra blancuzca.

—Esto es ceniza —dijo Everardo señalando el polvillo gris.

—Sí —respondió Beatriz—, la ceniza de la lengua de un hombre asesinado por Nogaret... La puse a secar en un horno a medianoche. Es para atraer al diablo. Esto es serpiente de faraón —dijo, indicando el polvillo blanco—. Sólo mata al arder.[2]

—¿Y dices que poniendo estos polvos en una vela?

Beatriz bajó la cabeza, asegurándolo. Everardo dudó un momento; su mirada iba del saquito a Beatriz.

—Pero es preciso que se haga delante de mí —le dijo ella.

El antiguo templario fue en busca del hornillo y atizó los carbones. Luego sacó una de las velas preparadas para el canciller, la puso en un molde y la ablandó. Por último, practicó una hendidura a lo largo de la vela y derramó en su interior el contenido del saquito.

La joven mascullaba a su alrededor palabras de conjuro, en las que se oyó tres veces el nombre de Guillermo. Luego, el molde fue puesto al fuego, y después, en un cubo lleno de agua para enfriar la vela.

La candela, rehecha, no presentaba signo alguno de la operación.

—Para un hombre habituado al manejo de la espada no es mal trabajo —dijo Everardo con semblante cruel, contento de sí mismo. Y repuso la candela en el lugar de donde la había sacado, diciendo—: Esperemos que sea buena mensajera de la eternidad.

La vela envenenada, en medio del paquete, sin que nada la diferenciara de las otras, era algo semejante al premio mayor de una macabra lotería. ¿Qué día la sacaría de allí el criado encargado de reponer las velas en los candelabros del canciller real? Beatriz sonrió levemente, pero ya Everardo volvía a su lado y la rodeaba con sus brazos.

—Puede que sea la última vez que nos vemos.

—Tal vez sí... tal vez no... —respondió ella.

Él la llevó hacia el camastro.

—¿Cómo hacías para conservarte casto cuando eras templario? —preguntó Beatriz.

—Nunca pude conseguirlo —respondió él con voz ronca.

Entonces la hermosa Beatriz levantó los ojos a las vigas de las que pendían cirios de iglesia, y se dejó dominar por la sensación de que el diablo la poseía.

Por otra parte, ¿acaso Everardo no era cojo?

NOTAS

1. El término *maltôte* —del bajo latín *mala tolta*, mal quitado o mal tomado— fue adoptado por el pueblo para designar un impuesto sobre las transacciones, instituido por Felipe el Hermoso. Consistía en una tasa de un denario por libra sobre el precio de las mercancías vendidas. Dicha tasa, del 0,50% sobre la libra de Tours y del 0,33% sobre la de París, desencadenó graves motines y quedó en el recuerdo como una medida fiscal opresiva.

2. Este veneno era probablemente sulfocianuro de mercurio. Dicha sal produce por combustión ácido sulfúrico, vapores mercuriales y compuestos cianhídricos que pueden provocar una intoxicación a la vez cianhídrica y por mercurio.

Casi todos los venenos de la Edad Media tenían como base el mercurio, la sustancia favorita de los alquimistas.

El nombre de «serpiente faraón» pasó posteriormente a designar un juguete infantil en cuya fabricación se usaba dicha sal.

2

El tribunal de las sombras

Todas las noches, el señor de Nogaret, legista, caballero y canciller, trabajaba hasta muy tarde en su gabinete, como lo había hecho durante toda su vida. Y todas las mañanas, la condesa de Artois se enteraba de que su enemigo había sido visto en perfecto estado de salud, al parecer, dirigiéndose a buen paso al palacio del rey con las carpetas bajo el brazo. La condesa miraba entonces duramente a su doncella de compañía.

—Tened paciencia, señora... es una gruesa, son doce docenas... A razón de dos docenas por semana...

Pero la paciencia no era la característica de Mahaut, que empezó a desconfiar de los poderes mortíferos de la serpiente de faraón. Además, a saber si la vela envenenada había llegado a su destino, o si había sido cambiada por error, o si el criado la había dejado caer y se había roto, precisamente aquélla. Para asegurarse, tendría que haberla puesto ella misma en el candelabro.

—La lengua no se puede equivocar, señora —aseguraba Beatriz.

Mahaut creía poco en brujerías.

—Costosos manejos y pobres resultados —refunfuñaba.

Pero con todo, cuando Beatriz le llevaba cada noche el candelabro, no dejaba de preguntarle con un poco de inquietud:

—¿No serán las candelas del legista?

—¡No, señora, no! —respondía Beatriz.

Pero una mañana de mayo, en contra de lo habitual, Nogaret llegó tarde al consejo. Entró en la sala cuando el rey ya estaba sentado.

Nogaret, inclinándose profundamente, ofreció sus excusas. Le sobrevino un vértigo y tuvo que agarrarse de la mesa.

La cuestión más urgente era la elección del Papa. El trono pontificio estaba vacante hacía ya cuatro semanas, y los cardenales, reunidos en cónclave en Carpentras según las últimas instrucciones de Clemente V, estaban librando una batalla que parecía no tener fin.

Todos conocían la posición y el pensamiento del rey: quería que el papado permaneciera en Aviñón, donde él lo había puesto, lo más cerca posible de su mano; quería, si era posible, que el Papa fuera francés; quería que la enorme organización política representada por la Iglesia no actuara contra el reino de Francia, como a menudo había hecho.

Los veintitrés cardenales reunidos en Carpentras, procedentes de todas partes, de Italia, Francia, España, Sicilia y Alemania, estaban divididos en tantos partidos como capelos había.

Las disputas teológicas, los intereses rivales, los rencores familiares alimentaban sus luchas. Sobre todo, entre los cardenales italianos, los Caetani, los Colonna y los Orsini, existían odios inextinguibles.

—Los ocho cardenales italianos —dijo Marigny—, sólo están de acuerdo en un punto: llevar el papado de vuelta a Roma. Por fortuna, no se entienden respecto al candidato.

—Pueden llegar a entenderse, con el tiempo —comentó el conde de Valois.

—Por eso no hay que dárselo —replicó Marigny.

En este momento, Nogaret sintió una náusea que pesaba sobre su estómago y le cortaba su respiración. Quiso enderezarse en la silla donde se acurrucaba y tuvo que hacer esfuerzos para gobernar sus músculos. Luego el malestar pasó, respiró profundamente y se enjugó la frente.

—Roma es la ciudad del Papa para todos los cristianos —dijo Carlos de Valois—. El centro del mundo está en Roma.

—Lo cual conviene a los italianos, sin duda, pero no al rey de Francia —dijo Marigny.

—De todos modos, no podéis cambiar la obra de los siglos, señor Enguerrando, ni impedir que el trono de san Pedro esté en el lugar donde fue establecido.

—Pero cuando el Papa quiere establecerse en Roma no puede permanecer allí —exclamó Marigny—. Se ve obligado a huir de las facciones que desgarran la ciudad y a refugiarse en algún castillo bajo la protección de tropas que no le pertenecen. Se halla mucho mejor defendido por nuestra fortaleza de Villeneuve, al otro lado del Ródano.

—El Papa permanecerá en su residencia de Aviñón —dijo el rey.

—Conozco bien a Francesco Caetani —replicó Carlos de Valois—. Es un hombre de gran saber y de grandes méritos y puedo ejercer gran influencia sobre él.

—No quiero a ese Caetani —dijo el rey—. Pertenece a la familia de Bonifacio y volvería a los errores de la bula *Unam Sanctam*.[1]

Felipe de Poitiers, inclinando su largo busto, indicó que aprobaba plenamente a su padre.

—En ese asunto —dijo— hay suficientes intrigas como para que se aniquilen entre sí. A nosotros nos toca ser los más tenaces y firmes.

Tras un breve silencio, Felipe el Hermoso se volvió hacia Nogaret. Éste, muy pálido, respiraba dificultosamente.

—¿Vuestro consejo, Nogaret? —dijo el rey.

—Sí, señor —dijo el canciller haciendo un esfuerzo. Se pasó la mano temblorosa por la frente.

—Dispensadme —dijo—, pero este espantoso calor...

—Pero si no hace calor... —dijo Hugo de Bouville. Haciendo un gran esfuerzo, Nogaret afirmó con voz apagada:

—Por el interés del reino y de la fe se impone actuar en este sentido. —Y se calló; nadie comprendía por qué había sido tan breve y tan vago.

—¿Vuestro consejo, Marigny?

—Propongo que, con el pretexto de traer los restos mortales del Papa a Guyena según su voluntad, se demuestre al cónclave la necesidad de acabar pronto. El señor de Nogaret podría encargarse de la piadosa misión, investido de los poderes necesarios y con una buena escolta armada, como es conveniente. La escolta garantizará los poderes.

Carlos de Valois volvió la cabeza; desaprobaba ese alarde de fuerza.

—Y a todo esto, ¿se acelerará mi anulación matrimonial? —preguntó Luis de Navarra.

—Luis, callaos —dijo el rey—. Para eso trabajamos también.

—Sí, señor —dijo Nogaret, sin darse cuenta de que había hablado.

Su voz sonaba grave y ronca. Sentía una gran confusión mental y, ante sus ojos, las cosas empezaron a deformarse. La bóveda de la sala le pareció tan alta como la Sainte-Chapelle. Luego se acercó hasta volverse tan baja como las de los sótanos donde tenía por costumbre interrogar a los prisioneros.

—¿Qué sucede? —preguntó, tratando de desabrochar su túnica.

Se había doblado, con las rodillas contra el vientre, la cabeza gacha y las manos crispadas sobre el pecho. El rey se puso en pie, e igual hicieron todos los presentes. Nogaret lanzó un grito ahogado y se desplomó, vomitando.

Hugo de Bouville, el chambelán, lo condujo al palacio, donde lo visitaron los médicos reales.

Éstos celebraron una larga consulta. Nada fue revelado de su informe al soberano. Pero pronto en la corte y en toda la ciudad se habló de una enfermedad desconocida. ¿Veneno? Se aseguraba que habían sido ensayados los más poderosos antídotos.

Aquel día los asuntos del reino quedaron en suspenso.

Cuando la condesa Mahaut se enteró de lo sucedido, se limitó a decir «la está pagando», y se sentó a la mesa. Pero prometió a Beatriz un traje completo, es decir, de seis piezas: camisa, enaguas, vestido, sobretúnica, abrigo y capa, todo de la más fina tela y, además, una hermosa bolsa para la cintura, si moría Nogaret.

Nogaret, efectivamente, estaba pagando. Hacía horas que ya no reconocía a nadie. Estaba en la cama, sacudido por espasmos y escupía sangre. Al principio había tratado de permanecer inclinado sobre un recipiente. Ahora ya no tenía fuerzas, y la sangre le corría por la boca sobre un paño grueso doblado que un criado le cambiaba de vez en cuando.

El cuarto estaba lleno de gente. Amigos y criados se relevaban junto al enfermo y, en un rincón, formando un grupito que no dejaba de hablar y cuchichear, unos cuantos familiares interesados calculaban el valor del mobiliario.

Para Nogaret no eran más que espectros irreconocibles que se movían lejos de él, sin objeto ni razón. Pero otras apariciones, visibles sólo para él, comenzaban a asediarlo.

El cura de la parroquia, que acudió para administrarle los últimos sacramentos, sólo escuchó de él sonidos agónicos y palabras ininteligibles.

—¡Atrás, atrás! —gritó con espantosa voz cuando lo ungieron con los santos óleos.

Acudieron los médicos. Nogaret, acosado, se retorcía en el lecho con los ojos en blanco, rechazando las sombras... Agonizaba.

Su memoria, que ya no le servía para nada, se vació ante él de golpe, como una botella que se va a tirar, y le presentaba todas las agonías a las que había asistido, todas las muertes que había ordenado. Muertos en los tormentos del interrogatorio, en la prisión, en la hoguera, en el potro, en las cuerdas de la horca, todos danzaban delante de él como si por segunda vez vinieran a morir.

Con las manos en la garganta se esforzaba para quitarse los candentes hierros con los que había quemado a tantos el desnudo pecho. Sus piernas se agitaban convulsas y se le oía gritar:

—¡Las tenazas! ¡Las tenazas! ¡Quitádmelas, por compasión!

El olor de su sangre vomitada le parecía el hedor de la sangre de sus víctimas. En su última hora, le había llegado a Nogaret el turno de situarse en el lugar de los otros; ése era su castigo.

—¡Nada hice en nombre mío! ¡Al rey! ¡Sólo servía al rey!

Ante el tribunal de la agonía el legista presentaba su última alegación.

Los asistentes, con más curiosidad que emoción, con menos compasión que desagrado, veían cómo se hundía en el más allá uno de los verdaderos dueños del reino.

A la caída de la tarde, la habitación quedó vacía. Sólo un barbero y un fraile dominico permanecieron junto a Nogaret. Los criados se tendieron en el suelo de la antecámara, con la cabeza sobre sus mantos.

Bouville tuvo que pasar sobre ellos, cuando acudió por la noche, de parte del rey. Preguntó al barbero.

—Nada se ha podido hacer —dijo éste en voz baja—. Vomita menos, pero no cesa de delirar. Sólo nos resta esperar que Dios se lo lleve.

Entre los estertores de la agonía, Nogaret era el único que veía a los templarios muertos que lo esperaban en la profundidad de las tinieblas. Con la cruz cosida a la espalda, se mantenían hieráticos a lo largo de una ruta sin fin, bordeada de precipicios y alumbrada por el brillo de las hogueras.

—Aymon de Barbonne, Juan de Fumes, Pedro Suffet, Brintinhiac, Ponsard de Gizy... —¿Era la voz de los muertos o la suya propia que ya no reconocía?—. Sí, señor, iré mañana...

A Bouville, viejo servidor de la corona, se le partió el corazón cuando oyó ese leve murmullo, que prometió repetir al rey.

Pero de golpe, Nogaret, alto el mentón y erguido el cuello, se incorporó y le gritó:

—¡Hijo de Cataria!*

* Los padres de Nogaret eran cátaros, es decir, pertenecientes a una secta religiosa que contaba con numerosos adeptos en el sur de Francia a fines del siglo XII y principios del XIII.

Divididos en «perfectos» y «creyentes», los cátaros no comían carne y renunciaban a los placeres de la vida terrenal. Alentaban la no procreación y honraban a los suicidas; se negaban a considerar el matrimonio como sacramento y alimentaban una sólida hostilidad hacia la Iglesia de Roma. Fueron declarados herejes. El papa Inocencio III determinó una cruzada contra ellos, conocida como la cruzada contra los albigenses, dirigida de manera salvaje por el famoso Simón de Montfort. Esta verdadera guerra religiosa intestina terminó con un tratado firmado en París en 1229.

Las sospechas que podían recaer sobre Guillermo de Nogaret por su ascendencia hereje lo hicieron más cuidadoso e intolerante en toda cuestión concerniente a la exactitud de la fe. Sin embargo, fue excomulgado como consecuencia de su expedición contra Bonifacio, sanción que le fue levantada por Clemente V bajo promesa de peregrinaje a Tierra Santa que debía cumplir él mismo o alguno de sus descendientes. En 1870, dos ancianas fueron a Roma y pidieron au-

Bouville miró al dominico y los dos se santiguaron.

—¡Hijo de Cataria! —repitió Nogaret. Y cayó sobre la almohada.

En el inmenso y atormentado paisaje de montañas y valles que llevaba en su mente y que lo conducía al juicio final, Nogaret había partido de nuevo para su gran expedición. Cabalgaba un día de septiembre bajo el deslumbrante sol de Italia, a la cabeza de seiscientos caballeros y de un millar de infantes, hacia la roca de Anagni. Sciarra Colonna, enemigo mortal de Bonifacio, el hombre que prefirió remar tres años encadenado al banco de una galera berberisca antes que darse a conocer y correr el riesgo de ser enviado al Papa, cabalgaba a su lado. Thierry de Hirson formaba parte de la expedición. La pequeña ciudad de Anagni les abrió las puertas. Los asaltantes, pasando por el interior de la catedral, invadieron el palacio Caetani y las habitaciones pontificias. Allí, el anciano Papa, de ochenta y ocho años, con la tiara en la cabeza y con la cruz en la mano, solo en la inmensa sala abandonada, contemplaba la entrada de la horda armada. Cuando lo instaron a abdicar, respondió:

—Aquí tenéis mi cuello y, aquí, mi cabeza. Moriré, sí, pero moriré Papa.

Sciarra Colonna lo abofeteó con su guantelete de hierro, y Bonifacio gritó a Nogaret: «¡Hijo de Cataria, hijo de Cataria!»

—¡Yo impedí que lo mataran! —gimió Nogaret.

Se defendía aún. Pero pronto rompió en sollozos, como había sollozado Bonifacio tirado debajo de su trono; estaba de nuevo en el lugar del otro...

La razón del anciano Papa no resistió la agresión y

---

diencia al Papa. Eran las últimas descendientes de Guillermo de Nogaret y habían caído en la cuenta de que la penitencia dictada a su antepasado no había sido cumplida aún, al cabo de cinco siglos. Querían saber qué debían hacer. El Papa las liberó de la obligación. *(N. de la T.)*

el ultraje. Cuando lo llevaron a Roma seguía llorando como un niño. Luego cayó en una demencia furiosa. Insultaba a todo el que se le aproximaba, rechazaba los alimentos y se arrastraba de pies y manos por el cuarto donde lo tenían. Murió al cabo de un mes, rechazando, en una crisis de rabia, los últimos sacramentos.

Inclinado sobre Nogaret, y haciendo sin cesar la señal de la cruz, el fraile dominico no comprendía por qué el antiguo excomulgado se obstinaba en rehusar la extremaunción que había recibido ya horas antes.

Se marchó Bouville. El barbero, sabiéndose inútil hasta que tuviera que hacerle el arreglo funerario, se había dormido en su asiento y cabeceaba. El dominico, de tanto en tanto, abandonaba su rosario para despabilar la candela.

Hacia las cuatro de la mañana los labios de Nogaret articularon débilmente:

—Papa Clemente... caballero Guillermo... rey Felipe... —Sus grandes dedos negros y achatados arañaban la sábana—. ¡Me quemo! —dijo todavía.

Luego los ventanales empezaron a agitarse con la tímida claridad del alba, sonó débilmente una campana al otro lado del Sena y los servidores empezaron a moverse en la antecámara.

Entró uno de ellos y abrió una ventana. París olía a primavera y a hojas nuevas. La ciudad se despertaba entre un confuso rumor.

Nogaret había muerto, y un hilillo de sangre se había secado bajo sus fosas nasales. El fraile dominico dijo:

—¡Dios se lo ha llevado!

NOTAS

1. Felipe el Hermoso puede ser considerado como el primer rey galicano. Bonifacio VIII, en la bula *Unam Sactam*, había declarado que «toda criatura humana está sometida al Pontífice romano y que dicha sumisión es indispensable para su salvación».

Felipe el Hermoso luchó sin tregua por la independencia del poder civil en lo temporal. Por el contrario, su hermano Carlos de Valois era decididamente ultramontano.

3

Los documentos de un reinado

Una hora después de que Nogaret rindiera a Dios su alma, el señor Alán de Pareilles, acompañado de Maillard, secretario del rey, fue al palacio de Nogaret para apoderarse de todo documento, oficio o legajo que hubiera en la morada del canciller.

Luego el mismo rey acudió para hacer la última visita a su ministro. Permaneció sólo un instante junto al cadáver. Sus ojos contemplaban al muerto, sin pestañear, como cuando le hacía su pregunta habitual: «¿Vuestro consejo, Nogaret?» Y parecía decepcionado de no recibir respuesta.

Aquella mañana, Felipe el Hermoso no dio su diario paseo por las calles y mercados. Volvió directamente a palacio, donde, ayudado por Maillard, se dedicó a examinar los documentos traídos de casa de Nogaret, que habían sido depositados en su gabinete.

Enseguida entró Enguerrando de Marigny en las habitaciones reales. El soberano y su coadjutor se miraron, y el secretario salió.

—Al cabo de un mes, el Papa —dijo el rey—, y un mes después, Nogaret...

Había angustia, casi congoja en la manera en que pronunció tales palabras. Marigny tomó asiento donde el rey le indicó. Guardó silencio un momento y luego dijo:

—Ciertamente, son extrañas coincidencias, señor. Pero cosas semejantes acontecen todos los días, que no nos impresionan porque las ignoramos.

—Nos hacemos viejos, Enguerrando, y esto ya es bastante maldición.

Tenía cuarenta y seis años; Marigny, cuarenta y nueve. Pocos hombres alcanzaban la cincuentena en aquellos tiempos.

—Es preciso examinar todo esto —prosiguió el rey señalando los legajos.

Y se pusieron a trabajar. Una parte de los documentos serían depositados en los archivos del reino, en el mismo palacio.[1] Otros, sobre asuntos todavía en curso, serían conservados por Marigny o enviados a sus legistas; otros, en fin, por prudencia irían al fuego.

El silencio reinaba en el gabinete, turbado apenas por los lejanos gritos de los mercaderes y el rumor de París. El rey se inclinaba sobre los legajos abiertos. Era todo su reinado lo que veía pasar de nuevo ante sus ojos, los veintinueve años durante los cuales había tenido en sus manos la suerte de millones de hombres y había impuesto su voluntad a toda Europa.

Y de pronto, ese desfile de acontecimientos, de problemas, de conflictos y de decisiones le parecía ajeno a su propia vida, a su propio destino. Una luz diferente iluminaba lo que hasta ahora había sido el trabajo de sus días y la preocupación de sus noches.

Porque descubría de golpe lo que otros pensaban y escribían acerca de él; se veía desde el exterior. Nogaret había conservado cartas de embajadores, borradores de interrogatorios e informes policiales. De aquellas líneas surgía una imagen del rey que éste no conocía: la imagen de un ser lejano, duro, ajeno al dolor de los hombres, inaccesible a los sentimientos, una figura abstracta que encarnaba la autoridad en lo alto, alejada de sus semejantes. Sobrecogido de asombro leía dos frases de Bernardo de Saisset, aquel obispo origen del gran conflicto con Bonifacio VIII... Dos frases terribles que le helaron la sangre: «Aunque su belleza no tenga igual en el mundo, sólo sabe mirar a las gentes en silencio. No es un hombre ni una bestia, es una estatua.»

Y leyó también estas palabras de otro testigo de su reinado: «Nada lo doblegará; es un rey de hierro.»

—Un rey de hierro —murmuró Felipe el Hermoso—. ¿Tan bien he ocultado mis flaquezas? ¡Cuán poco nos conocen los demás y qué mal juzgado seré!

Un nombre encontrado al azar le hizo recordar la extraordinaria embajada que había recibido a comienzos de su reinado. Rabban Kaumas, obispo nestoriano chino, había ido a Francia enviado por el gran Kan de Persia, descendiente de Gengis Kan, para ofrecerle una alianza, un ejército de cien mil hombres y la guerra contra los turcos.

Felipe el Hermoso contaba entonces veinte años. ¡Qué seductor resultaba para un hombre joven ese sueño de una cruzada en la que participarían Europa y Asia! ¡Una empresa digna de Alejandro! No obstante, aquel día eligió otro camino: no más cruzadas ni aventuras guerreras; quería dedicar todos sus esfuerzos a Francia y a la paz.

¿Había hecho bien? ¿Cuál habría sido su vida y qué imperio habría fundado de haber aceptado la alianza con el Kan de Persia? Por un instante soñó con la gigantesca reconquista de las tierras cristianas que habría asegurado su gloria para los siglos venideros.

Volvió a la realidad. Tomó otro legajo. En él había una fecha: ¡1305! Era el año de la muerte de su mujer, Juana, que había aportado Navarra al reino y, a él, el único amor de su vida. Jamás deseó a otra mujer; hacía nueve años que había muerto y jamás miró a otras.

Pero apenas se había quitado el luto cuando estallaron motines. París se sublevó contra sus ordenanzas y tuvo que refugiarse en el Temple. Y al año siguiente, hacía detener a los mismos que lo habían acogido y defendido... Nogaret había conservado sus notas sobre la marcha del proceso.

¿Y ahora? Después de tantos otros, Nogaret desaparecía del mundo. Sólo quedaban de él esos legajos de escritura, testigo de su labor.

«¡Cuántas cosas duermen aquí! —pensó el rey—. ¡Cuántos procesos, torturas, muertes! —Con la mirada fija, meditaba—. ¿Por qué? —se preguntaba—. ¿Con qué fin? ¿Dónde están mis victorias? Gobernar es una obra sin final. Quizá me quedan sólo unas semanas de vida. Y, ¿qué he hecho yo que tenga asegurada su permanencia después de mí?»

Volvía a experimentar la gran ansiedad de acción que siente el hombre acosado por la idea de su propia muerte.

Marigny, con el mentón sobre la mano, permanecía inmóvil, inquieto por la preocupación del rey. Todo le había resultado relativamente fácil al coadjutor en el ejercicio de sus tareas y sus cargos. Todo, excepto comprender los silencios de su soberano.

—Hicimos que el papa Bonifacio canonizara a mi abuelo el rey Luis —dijo Felipe el Hermoso, pero, ¿fue en realidad santo?

—Su canonización fue útil al reino, señor —respondió Marigny—. Una familia real es más respetada si cuenta con un santo.

—Pero, ¿era necesario, después, utilizar la fuerza contra Bonifacio?

—Se disponía a excomulgaros, señor, porque no practicabais en vuestros Estados la política que él deseaba. No habéis faltado a los deberes de rey. Permanecisteis en el lugar donde os puso Dios y proclamasteis que de nadie sino de Dios habíais recibido vuestro reino.

Felipe el Hermoso indicó uno de los rollos:

—¿Y los judíos? ¿No quemamos a demasiados? Son criaturas humanas, sufrientes y mortales como nosotros. Dios no lo ordenaba.

—Seguisteis el ejemplo de san Luis, señor, y el reino necesitaba sus riquezas.

El reino, el reino, siempre el reino; en respuesta a todo acto, las necesidades del reino: «Era necesario para el reino... Debemos hacerlo por el reino.»

—San Luis amaba la fe y la grandeza de Dios. Pero yo, ¿qué he amado? —dijo Felipe el Hermoso en voz baja.

—La justicia —dijo Marigny—, la justicia que es necesaria para el bien común y aniquila a todos los que no siguen la marcha del mundo.

—Muchos han sido a lo largo de mi reinado los que no siguieron la marcha del mundo. Y muchos más serán si se reúnen los de todos los siglos. —Levantaba los legajos de Nogaret y los dejaba caer sobre la mesa, uno tras otro—. Amarga cosa es el poder —dijo.

—Nada es grande, señor, si no tiene su parte de hiel —respondió Marigny. Nuestro Señor Jesucristo lo supo también. Habéis reinado con grandeza. Pensad que habéis anexionado a la corona Chartres, Beaugency, Champaña, Bigorre, Angulema, las Marcas, Douai, Montpelier, el Franco Condado, Lyon y parte de Guyena. Habéis fortificado vuestras ciudades como deseaba vuestro padre, nuestro señor Felipe III, para que no estén a merced de nadie de fuera o de dentro... Reformasteis la ley siguiendo las normas de la antigua Roma. Reglamentasteis el Parlamento, para formular mejores decretos. Conferisteis a muchos de vuestros súbditos la condición de burgueses del rey.[2] Liberasteis a vuestros siervos de muchos bailiazgos y senescalías. No, señor, os equivocáis al temer haber errado. Hicisteis de un reino desgarrado un país que comienza a tener un solo corazón.

Felipe el Hermoso se levantó. Lo tranquilizaba la inquebrantable convicción de su coadjutor y se apoyaba en ella para luchar contra una flaqueza que no era habitual en su carácter.

—Puede que estéis en lo cierto, Enguerrando. Mas si el pasado os satisface, ¿qué decís del presente? Ayer, muchos debieron ser sometidos por los arqueros en la calle Saint-Merri. Leed lo que escriben los magistrados de Champaña, Lyon y de Orleáns. Por todas partes la gente se amotina, en todas partes se queja del encarecimiento del trigo y de los bajos salarios. Y los que se quejan, Enguerrando, no pueden comprender que lo que reclaman, y que yo no puedo darles, depende del tiempo y no de mi voluntad. Olvidarán mis victorias para recordar tan sólo mis impuestos y me acusarán por no haberlos alimentado durante toda la vida...

Marigny escuchaba, más inquieto ahora por las palabras del rey que por sus silencios.

Jamás le había oído hablar tanto ni confesar tales incertidumbres, ni dejar traslucir tal desaliento.

—Señor —dijo por fin—, es preciso atender muchas cuestiones.

Felipe el Hermoso echó otra mirada a los documentos de su reinado, esparcidos sobre la mesa. Luego, de pronto, se irguió como si acabara de darse una orden.

—Sí, Enguerrando, es preciso —dijo.

Aunque los hombres fuertes no están libres de dudas y titubeos, patrimonio común de la naturaleza humana, se sobreponen con más rapidez.

NOTAS

1. En tiempos de Felipe el Hermoso, los archivos eran una institución relativamente reciente; su fundación se remontaba solamente a san Luis, quien ordenó que se agruparan y clasificaran todos los documentos sobre derechos y costum-

bres del reino. Hasta entonces, los documentos eran guardados, cuando lo eran, por los señores o por las comunas; el rey no conservaba para sí más que los tratados y los documentos concernientes a las propiedades de la Corona. Con los primeros capetos, tales documentos iban colocados en una carreta que seguía todos los desplazamientos del rey.

2. Los «burgueses del rey», instituidos hacia mediados del siglo XIII, constituían una categoría especial de súbditos. Apelando a la justicia real, se desligaban tanto de sus obligaciones para con el señor feudal como de la residencia en determinada ciudad. En cualquier lugar del reino no obedecían sino al poder central. Esta clase adquirió un gran impulso durante el reinado de Felipe el Hermoso. Bien puede decirse que los burgueses del rey fueron los primeros franceses que poseyeron un estatuto jurídico similar al de los modernos ciudadanos.

4

El verano del rey

Con la muerte de Nogaret, Felipe el Hermoso pareció penetrar en una región donde nadie podía reunírsele. La primavera caldeaba la tierra y las casas.

París vivía a pleno sol, pero el rey estaba como aislado en un invierno interior. La predicción del gran maestre no se borraba de su mente.

A menudo partía hacia alguna de sus residencias de campo donde dedicaba largo tiempo a la caza, al parecer su única distracción. Pero muy pronto lo reclamaban de París alarmantes noticias. La situación alimentaria en el reino era mala. Aumentaba el coste de la vida; a las regiones pobres no afluían los excedentes de riqueza de las regiones prósperas. Se decía abiertamente: «¡Demasiados guardias y poco trigo!» La gente se negaba a pagar los impuestos y se rebelaba contra los recaudadores y los prebostes. Aprovechando la mala época, las ligas de los barones de Borgoña y Champaña volvían a unirse para hacer valer sus viejas pretensiones feudales. Roberto de Artois, valiéndose provechosamente del escándalo de las princesas y del descontento general, reavivaba la agitación sobre las tierras de la condesa Mahaut.

—Mala primavera para el reino —dijo Felipe el Hermoso delante del conde de Valois.

—Estamos en el decimocuarto año del siglo, hermano mío —respondió éste—. Un año que la suerte ha marcado siempre con la desdicha.

Recordaba, para confirmarlo, una perturbadora comprobación de los años catorce: 714, invasión de los musulmanes en España; 814, muerte de Carlomagno y desmembramiento de su imperio; 914, invasión de los húngaros y hambruna; 1114, pérdida de la Bretaña; 1214, la coalición de Otón IV vencida en Bouvines... una victoria al borde de la catástrofe. Sólo el año 1014 estaba exento de drama.

Felipe el Hermoso miró a su hermano como si no lo viera. Dejó caer su mano sobre el cuello de *Lombardo*, al que acarició a contrapelo.

—Ahora bien, esta vez vuestras dificultades, hermano mío, provienen de vuestros malos consejeros —dijo Carlos de Valois—. Marigny no tiene mesura. Abusa de la confianza que le tenéis para engañaros y comprometeros cada vez más por el camino que le es útil, pero que nos pierde. Si me hubieses escuchado en el asunto de Flandes...

Felipe el Hermoso se encogió de hombros como si quisiera decir: «Nada puedo en eso.»

La cuestión de Flandes resurgía periódicamente. Brujas, la rica e irreductible, alentaba los levantamientos comunales. El condado de Flandes, de estatuto mal definido, se negaba a aplicar la ley general. Con negociaciones y combates, tratados y subterfugios, la cuestión flamenca era una llaga incurable en el costado del reino. ¿Qué quedaba de la victoria de Mons-en-Pévèle? Una vez más sería necesario emplear la fuerza.

Pero la leva de un ejército requería fondos. Y si se iniciaba la campaña, el presupuesto sobrepasaría el de 1299, inolvidable por ser el más elevado que el reino había conocido: 1.642.649 libras, con un déficit de 70.000. Ahora bien, desde hacía unos años, los ingresos ordinarios rondaban las 500.000 libras. ¿De dónde sacar la diferencia?

Contra la opinión de Carlos de Valois, Marigny convocó una asamblea popular para el 1 de agosto de 1314, en París. Ya había recurrido a tales consultas, sobre todo cuando se daban los conflictos con el papado. Fue precisamente ayudando al poder civil a liberarse de la obediencia a la Santa Sede que la burguesía había conseguido su derecho a la palabra. Pero ahora, por primera vez, el pueblo iba a ser consultado en materia de finanzas.

Marigny preparó la asamblea con el mayor cuidado, enviando mensajeros y secretarios a las distintas ciudades, y multiplicando entrevistas, gestiones y promesas.

La reunión tuvo lugar en la galería Mercière, cuyas tiendas cerraron aquel día. Se había levantado un gran estrado donde se instalaron el rey, los miembros de su consejo, los pares y los principales barones.

Marigny tomó la palabra el primero. Habló de pie, no lejos de su efigie de mármol, y su voz parecía más firme que de costumbre, y más segura de expresar la verdad del reino. Iba sobriamente vestido, tenía prestancia y gestos de orador. El discurso, por su redacción, iba dirigido al rey; pero lo pronunciaba de cara a la multitud, que, por esto sólo, se sentía un poco soberana. A sus pies, en la inmensa nave de dos bóvedas, escuchaban varios centenares de hombres venidos de toda Francia.

Marigny explicó por qué no debían sorprenderse de que los víveres fueran más escasos y, por tanto, más caros. La paz mantenida por Felipe el Hermoso favorecía el aumento de la población. «Comemos el mismo trigo, pero somos más para compartirlo», dijo. Por consiguiente, se hacía preciso sembrar más, y para sembrar, eran necesarios la paz en el Estado, el cumplimiento de las ordenanzas y la participación de cada región para la prosperidad de todas.

Ahora bien, ¿quién amenazaba la paz? Flandes. ¿Quién se negaba a contribuir al bien general? Flandes. ¿Quién guardaba su trigo y sus paños, y prefería venderlos al extranjero antes de dirigirlos al interior del reino donde se extendía la miseria? Flandes. Al negarse a pagar los impuestos y derechos de comercio, las ciudades flamencas aumentaban considerablemente el porcentaje de las cargas de los otros súbditos del rey. Flandes debía ceder, o se le obligaría por la fuerza. Pero para esto hacía falta dinero. Todas las ciudades allí representadas por sus ciudadanos debían, pues, en su propio interés, aceptar una subida de los impuestos.

—Así se verá quiénes son los dispuestos a ir contra los flamencos —acabó Marigny.

Se alzó un rumor que fue dominado inmediatamente por la voz de Esteban Barbette.

Barbette, jefe de la Moneda de París, regidor, preboste de los comerciantes y muy rico por su negocio de telas y caballos, era aliado de Marigny. Los dos habían preparado aquella intervención. En nombre de la primera ciudad del reino, Barbette prometió la ayuda pedida, arrastró el ánimo de los presentes, y los diputados de las cuarenta y tres «buenas ciudades» aclamaron al unísono al rey, a Marigny y a Barbette.

Aunque la asamblea fue una victoria, los resultados eran desalentadores. El ejército fue puesto en pie de marcha antes de que se cobrara enteramente la subvención.

El rey y su coadjutor deseaban una rápida demostración de autoridad más que una verdadera guerra. La expedición fue un imponente paseo militar. Apenas puestas las tropas en marcha, Marigny hizo saber al adversario que estaba dispuesto a negociar, y se apresuró a ultimar el convenio de Marquette a primeros de septiembre.

Pero todavía no se había alejado el ejército cuando Luis de Nevers, hijo de Roberto de Béthune, conde de Flandes, se negó a cumplirlo. Para Marigny fue un fracaso. El conde de Valois, que llegaba hasta a alegrarse de las desgracias del reino si ello perjudicaba al coadjutor, acusó públicamente a éste de haberse vendido a los flamencos.

La cuenta de la campaña quedaba impagada y los

oficiales reales continuaban, pues, percibiendo, con gran descontento de las provincias, la ayuda extraordinaria acordada para una empresa acabada ya y sin éxito.

El Tesoro estaba agotado y, una vez más, Marigny debió arbitrar nuevos recursos.

Los judíos habían sufrido ya dos expoliaciones; una nueva esquila proporcionaría escasa lana. Los templarios ya no existían y su oro había sido fundido hacía ya mucho tiempo. Quedaban los lombardos.

Ya en 1311 se había decretado su expulsión, sin intención de llevarla a cabo, para obligarlos a comprar muy caro su derecho de permanencia. Esta vez no se trataba de un rescate, sino del embargo total de sus bienes y su entrega a Francia. Eso proyectaba Marigny. El comercio que mantenían con Flandes, despreciando las instrucciones reales, y el apoyo financiero que prestaban a las ligas de los señores justificaban la medida prevista.

Pero era un hueso duro de roer. Los banqueros y hombres de negocios italianos, burgueses del rey, se habían organizado sólidamente en compañías con un «capitán general» electo al frente de todas. Controlaban el comercio extranjero y dominaban el crédito. Los transportes, el correo privado y hasta ciertos cobros de impuestos pasaban por sus manos. Incluso daban limosna cuando el caso lo requería.

Por tanto, Marigny pasó varias semanas perfilando su proyecto. Era un hombre tenaz y la necesidad lo espoleaba.

Pero Nogaret ya no estaba allí. Por otra parte, los lombardos de París, bien informados y con experiencia, pagaban bien los secretos del poder.

Tolomei velaba con su ojo abierto.

5

El poder y el dinero

Una tarde de mediados de octubre, se reunieron en casa de Tolomei unos treinta hombres a puerta cerrada.

El más joven, Guccio Baglioni, sobrino de la casa, tenía dieciocho años; el más viejo, Boccanegra, capitán general de las compañías lombardas, setenta y cinco. Por diferentes que fueran en edad y aspecto, había en todos los reunidos una singular semejanza en la actitud, en la movilidad de expresión y los gestos, y en la manera de vestir.

Iluminados por gruesos cirios colocados en candelabros forjados, aquellos hombres de tez morena formaban una familia que se entendía fácilmente. Era una tribu de guerra, cuya fuerza igualaba la de las ligas de la nobleza o la de las asambleas de burgueses.

Allí estaban los Peruzzi, los Albizzi, los Guardi, los Bardi, con su primer comisario y también viajero Boccaccio, los Pucci, los Casinelli, todos ellos de Florencia como el viejo Boccanegra. Estaban los Salimbene, los Buonsignori, los Allerani y los Zaccaria de Génova; estaban también los Scotti de Piacenza y el clan de Siena dirigido por Tolomei. Entre todos aquellos hombres existían rivalidades de prestigio, de competencia comercial y antiguos rencores heredados de sus respectivas familias por asuntos de amor. Pero ante el peligro se unían como hermanos.

Tolomei acababa de exponer la situación, con calma, pero sin disimular su gravedad. Para nadie fue una sorpresa. Había pocos que no fueran previsores entre los hombres de la banca, y la mayoría había puesto buena parte de su fortuna fuera de Francia. Pero hay cosas que no se pueden trasladar y cada uno pensaba angustiado, colérico o despechado, en lo que tenía que abandonar: bella mansión, bienes raíces, mercancías, posición, clientela, amistades, amantes y algún hijo natural...

—Tengo un medio —dijo Tolomei— para atar corto a Marigny y tal vez destruirlo.

—En ese caso, ¡no vaciles! ¡Mátalo! —dijo Buonsignori, el jefe del mayor clan genovés.

—¿Cuál es? —interrogó el representante de los Scotti.

Tolomei movió la cabeza.

—No puedo decíroslo todavía.

—Deudas, sin duda —afirmó Zaccaria—. ¿Y qué? ¿Acaso eso ha incomodado alguna vez a esa gente? ¡Al contrario! ¡Nuestra partida les dará buena ocasión para olvidar lo que nos deben!

Zaccaria estaba amargado. Representaba a una pequeña compañía y sentía celos de Tolomei, que tenía una clientela importante.

Tolomei se volvió hacia él y, con profunda convicción, dijo:

—¡Mucho más que deudas, Zaccaria! Un arma envenenada, cuyo secreto estoy obligado a guardar. Pero para utilizarla necesito de vosotros, amigos míos. Pues debemos tratar con el coadjutor de poder a poder. Poseo una amenaza, pero quisiera acompañarla de una oferta, para que Marigny elija entre el entendimiento y la lucha.

Desarrolló su idea. Si querían expoliar a los lombardos, era para hacer frente al déficit de las finanzas públicas. Marigny tenía que llenar el Tesoro a cualquier precio. Los lombardos se iban a mostrar benévolos y propondrían espontáneamente un importante préstamo a un interés muy reducido. Si Marigny rechazaba la oferta, Tolomei sacaría el arma de la vaina.

—Tolomei, es preciso que te expliques mejor —dijo Bardi—. ¿Cuál es esa arma de la que tanto hablas?

—Si insistís, puedo revelarla a nuestro capitán, pero sólo a él.

Circuló un murmullo y todos se consultaron con la mirada.

—Sí... está bien... hagámoslo así —se oyó.

Tolomei llevó al capitán a un rincón de la estancia.

Los otros espiaban el rostro de nariz delgada, labios hundidos y ojos gastados del viejo florentino. Captaron sólo las palabras: hermano y arzobispo.

—Dos mil libras bien colocadas, ¿verdad? —murmuró por fin Tolomei—. Sabía que algún día me prestarían un buen servicio.

Boccanegra soltó una risita que gorgoteó en el fondo de su vieja garganta; luego regresó a su sitio y dijo, señalando a Tolomei con la mano:

—Tened confianza.

Entonces, Tolomei, tablilla y estilete en mano, comenzó a anotar las cifras de las suscripciones para el empréstito real.

Boccanegra se inscribió el primero con una suma considerable: 10.013 libras.

—¿Por qué trece?

—Para que les traiga desgracia.

—Peruzzi, ¿cuánto puedes dar? —preguntó Tolomei.

Peruzzi calculaba, arañando su tabla.

—Te lo diré... enseguida —respondió.

—¿Y tú, Salimbene?

Por la cara de los genoveses, alrededor de Salimbene y Buonsignori, se hubiera dicho que a cada uno le arrancaban un pedazo de carne. Se los conocía como los más duros para los negocios. De ellos se aseguraba: «Cuando un genovés echa el ojo a tu bolsa, dala por vacía.» No obstante, se decidieron. Algunos decían: «Si logra sacarnos de ésta, algún día sucederá a Boccanegra.»

Tolomei se aproximó a los Bardi, que hablaban en voz baja con Boccaccio.

—¿Cuánto, Bardi?

El mayor de los Bardi sonrió:

—Lo mismo que tú, Spinello.

El ojo de Tolomei se abrió.

—En ese caso, el doble de lo que pensabas.

—Peor sería perderlo todo —dijo Bardi, encogiéndose de hombros—. ¿No es verdad, Boccaccio?

Éste inclinó la cabeza, pero se puso en pie para llevar aparte a Guccio. El encuentro en el camino de Londres había creado entre ellos una amistad.

—¿Realmente tu tío posee la manera de retorcerle el cuello a Enguerrando?

Guccio adoptó su expresión más seria para responder:

—Querido Boccaccio, jamás he oído a mi tío hacer una promesa que no pudiera cumplir.

Cuando se levantó la sesión, habían concluido en las iglesias los oficios de la tarde y la noche caía sobre París. Los treinta banqueros salieron de casa de Tolomei. Alumbrados por las antorchas que llevaban sus criados, fueron acompañados de puerta en puerta a través del barrio de los lombardos, formando en las oscuras calles una extraña procesión de la fortuna amenazada, la procesión de los penitentes del oro.

En su gabinete, Spinello Tolomei, a solas con Guccio, sumaba el total de las cantidades prometidas, como se cuentan las tropas antes de la batalla. Cuando hubo concluido, sonrió. Con el ojo entreabierto y las manos a la espalda, miraba el fuego, donde los leños se convertían en cenizas, y dijo:

—Señor de Marigny, aún no has vencido.

Luego se dirigió a Guccio.

—Si ganamos, pediremos nuevos privilegios en Flandes.

Pues aun estando tan cerca del desastre, Tolomei pensaba, sin poderlo evitar, en sacar provecho. Se acercó a un arcón y lo abrió.

—El recibo firmado por el arzobispo —dijo, sacando el documento—. Si vinieran a hacernos lo mismo que a los templarios, preferiría que los agentes del señor Enguerrando no lo encontraran aquí. Toma tu mejor caballo y sal enseguida para Neauphle, donde pondrás esto en un lugar seguro de nuestra oficina. Tú te quedarás allá.

Miró a Guccio cara a cara y agregó, gravemente:

—Si me sucediera alguna desgracia —los dos hicieron los cuernos con los dedos y tocaron madera— entregarás este pergamino a mi señor de Artois para que lo pase al conde de Valois, quien sabrá hacer buen uso de él. Ten cuidado, pues el delegado de Neuphle no estará tampoco a resguardo de los arqueros.

—¡Tío, tío! —exclamó Guccio excitado—, tengo una idea. En lugar de alojarme en la sucursal podría ir a Cressay, cuyos castellanos nos deben un favor. Hace poco que fui caritativo con ellos y todavía nos deben dinero. Supongo que la hija, si no han cambiado las cosas, no me negará su ayuda.

—¡Bien pensado! —dijo Tolomei—. ¡Estás madurando, muchacho! A un banquero el buen corazón tiene que servirle siempre para algo... Haz como dices. Pero, puesto que necesitas de esa gente, llévales regalos. Toma algunas telas bordadas de oro y puntillas de Brujas, para las mujeres. Hay dos hijos, me dijiste... y les gusta cazar. Llévales, pues, los dos halcones que hemos recibido de Milán.

Y volvió al arcón.

—Aquí hay unos recibos firmados por mi señor de Artois —prosiguió—. No se negará a ayudarme, si es necesario. Pero estoy más seguro de su apoyo si le presentas la petición con una mano y sus cuentas con la otra... Y aquí tienes también este crédito del rey Eduardo... No sé, sobrino mío, si te harás rico con todo esto, pero al menos serás temible. ¡Vamos! No te retrases ahora. Haz que te ensillen el caballo y prepara tu equipaje. No tomes más que un hombre de escolta para no hacerte notar, pero que vaya armado.

Puso los documentos en un estuche de plomo, que entregó a Guccio junto con una bolsa de oro.

—La suerte de las compañías lombardas está ahora mitad en tus manos y mitad en las mías —agregó—. No lo olvides.

Guccio abrazó a su tío con emoción. No necesitaba esta vez crearse un personaje imaginario; le habían dado el papel.

Una hora más tarde abandonaba la calle Lombards.

Entonces, el maestro Spinello Tolomei se puso la capa forrada de pieles, pues octubre era frío, hizo que lo acompañara un criado con antorcha y daga, y se encaminó al palacio de Marigny.

Aguardó largo rato, primero en la portería, después en una gran sala de espera que servía de antecámara. El coadjutor vivía regiamente y había gran movimiento en su palacio hasta muy tarde. Tolomei era hombre paciente. Les recordó su presencia varias veces, insistiendo en la necesidad que tenía de ver al coadjutor en persona.

—Venid, señor —le dijo al fin un secretario.

Tolomei atravesó tres espaciosas salas y se halló frente a Enguerrando de Marigny, quien terminaba su cena, a solas en su gabinete, sin dejar de trabajar.

—Una imprevista visita —dijo Marigny, fríamente—. ¿Qué asunto os trae por aquí?

Tolomei respondió con igual tono de voz:

—Asuntos del reino, señor.

—Aclarádmelo.

—Desde hace unos días, mi señor, corre el rumor de que el consejo del reino prepara una medida que atañe a los privilegios de las compañías lombardas. El rumor, al esparcirse, nos inquieta y perjudica gravemente nuestro comercio. La confianza está en tela de juicio, los compradores escasean, los proveedores exigen pagos al contado y los deudores retrasan los vencimientos.

—Eso no es de la incumbencia del reino —observó Marigny.

—Veamos —dijo Tolomei—, veamos. El caso concierne a mucha gente, tanto aquí como en el extranjero. Se habla de ello incluso fuera de Francia.

Marigny se frotó el mentón y la mejilla.

—Se habla demasiado. Vos sois hombre razonable, maestro Tolomei. No debéis dar crédito a tales rumores —dijo, mirando tranquilamente al hombre a quien iba a aniquilar.

—Si vos me lo aseguráis, mi señor... Pero la guerra flamenca ha costado mucho al reino y el Tesoro puede hallarse escaso de oro fresco. Por consiguiente, nosotros hemos preparado un proyecto...

—Os repito que vuestro comercio no me concierne...

Tolomei alzó la mano como queriendo decir: «Paciencia, aún no lo sabéis todo...», y prosiguió:

—Aunque no hablamos en la gran asamblea, no estamos menos deseosos de acudir en socorro de nuestro bien amado rey. Estamos dispuestos a ofrecer al Tesoro un préstamo, en el cual participarían todas las compañías lombardas, sin límite de tiempo, y al más bajo interés. Estoy aquí para hacéroslo saber.

Luego, Tolomei se inclinó y murmuró una cifra. Marigny se estremeció, pero pensó al instante: «Si están dispuestos a desprenderse de esa suma, quiere decir que hay veinte veces más para quitarles.»

Su vista estaba fatigada de tanto leer y de las continuas noches en vela, y tenía los ojos enrojecidos.

—Es una buena idea, una loable intención que os agradezco —dijo, tras breve pausa—. De todos modos, debo expresaros mi sorpresa... Ha llegado a mis oídos que ciertas compañías han hecho importantes envíos de oro a Italia. Tal oro no podría estar al mismo tiempo allí y aquí.

Tolomei cerró por completo su ojo izquierdo.

—Vos sois hombre razonable, mi señor. No debéis dar crédito a tales rumores —dijo, repitiendo las mismas palabras que el coadjutor—. ¿Acaso la oferta que os hago no os prueba nuestra buena fe?

—Deseo creer lo que me aseguráis. De no ser así, el rey no podría tolerar tales resquicios en la fortuna de Francia y sería preciso ponerles término...

Tolomei no se inmutó. El éxodo de los capitales lombardos había comenzado a raíz de la amenaza de expoliación, y tal éxodo servía a Marigny para justificar su medida. El círculo vicioso.

—Veo que, al menos en esto, consideráis nuestro negocio como cosa del reino —respondió al banquero.

—Creo que nos hemos dicho todo lo que era preciso decir, maestro Tolomei —concluyó Marigny.

—Cierto, mi señor... —Tolomei se levantó y dio un paso. Luego, de golpe, como si recordara algo—: Monseñor el arzobispo de Sens, ¿está en París? —preguntó.

—Está.

Tolomei movió la cabeza pensativo.

—Vos tenéis más ocasión de verlo que yo. ¿Me haría la merced vuestra señoría de hacerle saber que desearía hablarle, a partir de mañana, a cualquier hora, sobre el asunto que él sabe? Le interesará hablar conmigo.

—¿Qué tenéis que decirle? Ignoraba que tuviera relación con vos.

—Mi señor —dijo Tolomei inclinándose—, la primera virtud de un banquero es saber callar. De todos modos, como sois hermano de Monseñor de Sens, puedo confiaros que se trata de su bien, del nuestro... y del de nuestra Santa Madre la Iglesia.

Luego, al salir repitió secamente:

—A partir de mañana, si le place.

6

Tolomei gana

Tolomei no durmió aquella noche. Se preguntaba: ¿Habrá prevenido Marigny a su hermano? ¿Le habrá confesado el arzobispo qué arma tengo en mis manos? ¿No obtendrán durante la noche la firma del rey y se me adelantarán? ¿No se pondrán de acuerdo ambos hermanos para asesinarme?

Dando vueltas en su insomnio, Tolomei pensaba con amargura en aquélla su segunda patria, a la que consideraba haber servido con su trabajo y su dinero. Puesto que se había enriquecido allí, estaba ligado a Francia más que a su Toscana natal, y la amaba verdaderamente, a su manera. ¡No sentir más bajo las suelas de sus zapatos el empedrado de la calle Lombards, no escuchar más la campana mayor de Notre Dame, no asistir más a las reuniones del Locutorio de los burgueses,[1] no respirar más el olor del Sena! Todas esas renuncias desgarraban su corazón. «Rehacer en otra parte una fortuna a mis años... ¡si es que me dejan con vida para recomenzar!»

Sólo se adormeció al alba, pero enseguida lo despertaron los golpes de la aldaba y unos pasos en el patio. Creyó que venían a arrestarlo y se precipitó sobre sus ropas. Apareció un criado, muy asustado.

—Mi señor, el arzobispo está abajo —dijo.

—¿Quién lo acompaña?

—Cuatro servidores con hábito, pero más bien parecen gente de prebostazgo que clérigos de cabildo.

Tolomei hizo una mueca.

—Abre los postigos de mi gabinete —dijo.

Monseñor Juan de Marigny subía ya las escaleras. Tolomei lo aguardó, de pie en el rellano. Delgado, con la cruz de oro golpeándole el pecho, el arzobispo se encaró al instante al banquero.

—Maestro, ¿qué significa ese extraño mensaje que mi hermano me ha hecho llegar durante la noche?

Tolomei alzó sus manos regordetas y puntiagudas con ademán pacificador.

—Nada que deba inquietaros, Monseñor. No valía la pena que os molestarais. Yo habría ido, según mejor os conviniera, a vuestro palacio episcopal... ¿Queréis entrar en mi gabinete?

El criado acababa de quitar los postigos interiores, ornados de pinturas. Luego arrojó unas astillas sobre las brasas de la chimenea, aún rojas, y muy pronto chisporrotearon las llamas. Tolomei ofreció asiento a su visitante.

—¿Habéis venido acompañado, Monseñor? —dijo—. ¿Era necesario? ¿Acaso no tenéis confianza en mí? ¿Suponéis que aquí corréis algún peligro? Debo deciros, en verdad, que me teníais habituado a otras maneras...

Su voz se esforzaba por ser cordial, pero su acento toscano era más marcado que de costumbre.

Juan de Marigny se sentó junto al fuego, tendiendo hacia el hogar su mano ensortijada.

«Este hombre no se siente seguro de sí mismo y no sabe a qué atenerse conmigo —pensó Tolomei—. Llega con gran estrépito de hombres armados como si fuera a comérselo todo y luego se queda mirándose las uñas.»

—Vuestra prisa en verme dio motivo a mi inquietud —dijo por fin el arzobispo—. Hubiera preferido elegir el momento de mi visita.

—Pero si lo habéis elegido, Monseñor, lo habéis elegido... Vos recordaréis haber recibido de mí dos mil libras de anticipo sobre ciertos objetos muy preciosos, provenientes de los bienes de los templarios, que vos me confiasteis para su venta.

—¿Han sido vendidos? —preguntó el arzobispo.

—En parte, Monseñor, en buena parte. Fueron enviados fuera de Francia, como convinimos, pues aquí no podíamos colocarlos... Espero el estado de la cuenta, y confío en que todavía quedará alguna cantidad para vos.

Tolomei, apoltronado en su silla y con las manos cruzadas sobre el vientre, movía la cabeza con aire bonachón.

—¿Y el recibo que os firmé? ¿Lo precisáis todavía? —dijo Juan de Marigny.

Ocultaba su inquietud, pero la ocultaba mal.

—¿Tenéis frío, Monseñor? Estáis pálido —dijo Tolomei, agachándose para echar un leño al fuego. —Luego, como si no hubiera oído la pregunta del arzobispo, añadió—: ¿Monseñor, qué pensáis de la cuestión discutida esta semana en el consejo del rey? ¿Es posible que se proponga robar nuestros bienes, reducirnos a la miseria, al destierro, a la muerte?

—No estoy informado —dijo el arzobispo—. Son asuntos del reino.

Tolomei sacudió la cabeza.

—Ayer transmití a vuestro hermano, el coadjutor, una propuesta cuyo significado creo que no acabó de entender. Es lamentable. Nos van a expoliar porque el reino necesita fondos. Nosotros nos ofrecemos a servir al reino por medio de un préstamo enorme, Monseñor, y vuestro hermano permanece mudo. ¿No os dijo nada? ¡Es lamentable, verdaderamente muy lamentable!

Juan de Marigny se rebulló en su asiento.

—No estoy en condiciones de discutir las decisiones del rey, maestro —dijo secamente.

—No es aún decisión del rey —replicó Tolomei—. ¿No podéis repetir al coadjutor que los lombardos, entre dar su vida, que pertenece al rey, y su oro, que le pertenece igualmente, preferirían si fuera posible salvar la vida? Entiendo por vida el derecho a permanecer en este país. Ofrecen de buena gana lo que se pretende arrebatarles por la fuerza. ¿Por qué no escucharlos? Para esto, Monseñor, deseaba veros. —Hubo un silencio. Juan de Marigny, inmóvil, parecía mirar más allá de los muros—. ¿Qué me decíais hace un momento? —prosiguió Tolomei—. ¡Ah, sí... el recibo!

—Me lo vais a dar —dijo el arzobispo.

Tolomei se pasó la lengua por los labios.

—¿Qué haríais vos en mi lugar, Monseñor? Imaginad por un momento... es pura invención, ciertamente... pero imaginad que os amenazan con vuestra ruina y que vos poseéis algo, un talismán, eso es, un talismán que puede serviros para evitar dicha ruina...

Fue hasta la ventana, pues había oído ruidos en el patio. Llegaban cargadores con cajas y envoltorios de telas. Tolomei calculó mentalmente el monto de las mercaderías que entrarían en su casa aquel día y suspiró.

—Sí, un talismán contra la ruina —murmuró.

—No querréis decir que ese recibo...

—Sí, Monseñor, quiero decirlo y lo digo —soltó Tolomei, con dureza—. Ese recibo prueba que habéis comerciado con los bienes del Temple secuestrados por la corona. Prueba que habéis robado, y habéis robado al rey.

Miró al arzobispo a la cara. «La suerte está echada —pensó—. Veremos quién cede primero.»

—¡Seréis considerado mi cómplice! —dijo Juan de Marigny.

—En tal caso, nos balancearemos juntos en Montfaucon como dos ladrones —respondió fríamente Tolomei—, pero no me balancearé solo.

—¡Sois un desgraciado! —gritó Juan de Marigny.

Tolomei se encogió de hombros.

—Yo no soy arzobispo, Monseñor, y yo no fui quien se apropió de las custodias de oro en las que los templarios presentaban el Cuerpo de Cristo. Soy solamente un mercader y en este momento tratamos un negocio, os convenga o no. Ésta es la realidad. No se expolia a los lombardos y no hay escándalo para vos. Pero si caigo, Monseñor, también vos caeréis, y de más alto. Y vuestro hermano, que tiene demasiada fortuna para contar solamente con amigos, será arrastrado en pos de vuestra desgracia.

Juan de Marigny se había levantado. Estaba lívido. Su mentón, sus manos, todo su cuerpo temblaba.

—Devolvedme ese recibo —dijo, agarrando el brazo de Tolomei.

Éste se zafó suavemente.

—No —dijo.

—Os reembolsaré las dos mil libras que me prestasteis —dijo Juan de Marigny— y podréis guardaros el fruto de la venta.

—No.

—Os daré otros objetos de igual valor.

—No.

—Cinco mil. Os doy cinco mil libras por ese recibo.

Tolomei sonrió.

—¿De dónde las sacaréis? ¡Tendría que prestároslas yo!

Juan de Marigny, con los puños apretados, repitió:

—¡Cinco mil libras! ¡Las encontraré! ¡Mi hermano me ayudará!

—Pues que os ayude como yo os requiero —dijo Tolomei abriendo las manos—. Yo solo he ofrecido diecisiete mil libras al Tesoro real de mi parte.

El arzobispo comprendió que debía cambiar de táctica.

—¿Y si obtengo de mi hermano que no os afecte la ordenanza? Podríais llevaros toda vuestra fortuna y vender vuestros bienes inmuebles.

Tolomei reflexionó un instante. Le proponía la manera de salvarse, a él solamente. Todo hombre sensato, a quien se hace una tal proposición, la considera y tiene mucho mérito cuando la rechaza.

—No, Monseñor —respondió—. Sufriré la suerte que se nos reserve a todos. No quiero recomenzar en otra parte y no tengo razones para hacerlo. Ahora pertenezco a Francia tanto como vos. Soy burgués del rey. Quiero quedarme en París en esta casa que yo he construido. He pasado en ella treinta y dos años de mi vida, Monseñor, y si Dios quiere, en ella la concluiré... Por otra parte, aunque tuviera el deseo de restituiros este recibo, no podría hacerlo. No está aquí.

—¡Mentís! —exclamó el arzobispo.

—No, Monseñor.

Juan de Marigny se llevó la mano a la cruz pectoral y la apretó como si fuera a romperla. Miró la ventana y, luego, la puerta.

—Podéis llamar a vuestra escolta y hacer que registren la casa —dijo Tolomei—. Podéis hasta poner mis pies a quemar en la chimenea, como se hace en vuestros tribunales de la Inquisición. Haced todo el alboroto y el escándalo que queráis, pero saldréis de aquí como habéis venido, muera o no muera yo. Pero aunque yo muriera, sabed que eso no os reportaría bien alguno, pues mis parientes de Siena tienen orden de hacer llegar ese recibo al rey y a los grandes barones si me pasa algo anormal.

Dentro de su obeso cuerpo, el corazón le latía apresurado, el sudor le corría por la espalda.

—¿En Siena? —dijo el arzobispo—. Pero vos me habíais asegurado que no saldría de vuestros cofres.

—No ha salido, Monseñor. Mi familia y yo, todo es lo mismo.

El arzobispo reflexionaba. En este momento comprendió Tolomei que había ganado, y que las cosas se desarrollarían como deseaba.

—¿Entonces? —preguntó Marigny.

—Entonces, Monseñor —dijo Tolomei, con gran calma—, no tengo nada que añadir a lo que ya os he dicho hace un momento. Hablad con el coadjutor y apremiadlo para que acepte la oferta que le he hecho mientras aún sea tiempo. De lo contrario... —El banquero, sin terminar la frase, fue hasta la puerta y la abrió.

La escena que aquel mismo día se desarrolló entre el arzobispo y su hermano fue terrible.

Dejando al descubierto su verdadero carácter, ambos, que hasta el momento habían marchado al unísono, se hicieron trizas el uno al otro.

El coadjutor abrumó a su hermano menor con sus reproches y su desprecio, y el menor se defendió como pudo, cobardemente.

—¡Tenéis la cara de recriminarme! —exclamaba—. ¿De dónde proceden vuestras riquezas? ¿De qué judíos desollados? ¿De qué templarios quemados vivos? ¡No he hecho más que imitaros! ¡Os he servido bastante bien en vuestros manejos! Servidme ahora a mí.

—De haber sabido cómo erais, no os habría hecho arzobispo —dijo Enguerrando.

—No habríais encontrado a otro que condenara al gran maestre.

Sí, el coadjutor sabía que el ejercicio del poder obliga a infames pactos. Pero ahora le dolía comprobar las consecuencias de ello en su propia familia. Un hombre que aceptaba vender su conciencia por una mitra podía igualmente robar o traicionar. Y ese hombre era su hermano. Ésa era la verdad.

Enguerrando de Marigny tomó su proyecto de ley contra los lombardos y, con rabioso ademán, lo arrojó al fuego.

—¡Tanto trabajo para nada! —dijo—. ¡Tanto trabajo!

NOTAS

1. La primera casa comunal de París, llamada al principio Casa de las Mercancías, y después, a partir del siglo XI, Locutorio de los Burgueses, estaba situada cerca del Châtelet. Etienne Marcel trasladó en 1357 los servicios municipales y el lugar de reunión de los burgueses a una casa de la plaza de Grève, el actual emplazamiento del Ayuntamiento de la ciudad de París.

7

Los secretos de Guccio

Cressay, bajo la claridad de la primavera, con sus árboles de hojas traslúcidas y el estremecimiento plateado del Mauldre, había quedado como una visión dichosa en el recuerdo de Guccio. Pero cuando aquella mañana de octubre el joven sienés, que a cada momento volvía la cabeza para asegurarse de que ningún arquero le pisaba los talones, llegó a las alturas de Cressay, no pudo evitar preguntarse si no se había equivocado. Parecía que el otoño había empequeñecido la casa solariega.

«¿Eran tan bajas las torrecillas? —se decía Guccio—. ¿Basta medio año para cambiar hasta ese punto la memoria?»

Con las lluvias, el patio se había convertido en un barrizal donde los caballos se hundían hasta las cuartillas. «Al menos —pensó Guccio—, hay pocas probabilidades de que vengan a buscarme aquí.» Arrojó las riendas a su criado y le dijo:

—Atad los caballos y que les den de comer.

Se abrió la puerta de la casa solariega y apareció María de Cressay.

La emoción la hizo tambalear y tuvo que apoyarse en la puerta.

«¡Qué hermosa es! —pensó Guccio—. Y no ha dejado de amarme.»

Entonces las grietas desaparecieron de los muros y las torrecillas recobraron para Guccio las proporciones que guardaban en su recuerdo.

Pero ya María gritaba hacia el interior de la casa:

—¡Madre! ¡El señor Guccio ha vuelto!

Doña Eliabel recibió al joven con grandes expresiones de alegría y besó sus mejillas, estrechándolo contra su fuerte pecho. La imagen de Guccio había llenado con frecuencia sus noches. Tomó sus manos, lo hizo sentar y ordenó que le trajeran sidra y pasteles.

Guccio aceptó de buen grado la acogida y explicó su venida tal como había pensado: tenía que poner en orden la delegación de Neauphle, que se resentía de una mala dirección. Los dependientes no cobraban los créditos a su debido tiempo... Doña Eliabel se inquietó al instante.

—Nos concedisteis un año —dijo—. El invierno se nos echa encima tras una cosecha muy mezquina y aún no hemos...

Guccio dio a entender vagamente que los castellanos de Cressay eran sus amigos y que no permitiría que se los incomodara. Él había recordado su invitación para quedarse... Doña Eliabel se regocijó. En ninguna parte de la ciudad, dijo, hallaría tales comodidades ni compañía. Guccio requirió su equipaje, que venía sobre el caballo del criado.

—Traigo en él —dijo— algunas telas y algunos adornos que, espero, os han de agradar... En cuanto a Pedro y Juan, tengo para ellos dos halcones bien adiestrados que les harán cobrar más piezas si eso es posible.

Las telas, los adornos y los halcones deslumbraron a la familia y fueron recibidos con gritos de gratitud. Pedro y Juan, con los vestidos oliendo como siempre a tierra, a caballo y a caza, hicieron mil preguntas a Guccio. Surgido milagrosamente ahora, cuando se preparaban para el largo aburrimiento de los malos meses, les pareció más digno de afecto que en su primera visita. Parecía que lo conocían desde siempre.

—¿Y qué es de nuestro amigo, el preboste Portefruit? —preguntó Guccio.

—Pues sigue robando todo lo que puede, pero no en nuestra casa, gracias a Dios... y a vos.

María se deslizaba por la habitación, inclinando el busto delante del fuego que atizaba o poniendo paja fresca en el lecho con cortinas donde dormían sus hermanos. No hablaba, pero no le quitaba los ojos de encima a Guccio. En el instante en que se encontraron solos, éste la tomó suavemente de los brazos y la atrajo hacia sí.

—¿No hay nada en mis ojos que os recuerde la dicha? —dijo, copiando la frase de un relato de caballería que había leído recientemente.

—¡Oh, sí, Señor! —respondió María con voz temblorosa—. Nunca cesé de veros aquí, por lejos que estuvieseis. No he olvidado nada.

Guccio buscó una excusa que justificase su ausencia de seis meses sin enviar mensaje alguno. Pero con gran sorpresa de su parte, en lugar de hacerle un reproche, María le agradeció que hubiera vuelto antes de lo que esperaba.

—Dijisteis que vendríais al cabo de un año por los intereses. No os esperaba antes. Pero aunque no hubierais venido os habría aguardado toda la vida.

Guccio se había llevado de Cressay el pesar de una aventura inacabada, en la cual, para ser franco, poco había pensado durante todos aquellos meses. Ahora encontraba un amor deslumbrante, maravilloso, que había crecido, semejante a una planta, a lo largo de la primavera y el verano. «Tengo suerte —se dijo—, podría haberme olvidado, haberse casado...»

Los hombres propensos a la infidelidad, por fatuos que parezcan, son realmente modestos en el amor, porque juzgan a los demás según su propio patrón. Guccio se admiraba de haber inspirado un sentimiento tan pujante y raro, habiéndola tratado tan poco.

—María, tampoco yo he dejado de teneros presente

y nada me desligó de vos —dijo con todo el entusiasmo necesario para ocultar tan gran mentira.

Estaban uno frente al otro, igualmente conmovidos, igualmente confundidos en sus palabras y gestos.

—María —dijo Guccio—, no he venido por la delegación ni por crédito alguno. A vos no quiero ni puedo ocultaros nada, sería ofender el amor que nos une. El secreto que voy a confiaros atañe a la vida de muchas personas y a la mía propia... Mi tío y algunos amigos poderosos me han encargado ocultar, en lugar seguro, escritos importantes para el reino y para su propia seguridad. A esta hora probablemente los arqueros han salido a buscarme.

Siguiendo su inclinación, empezaba a hinchar el personaje.

—Tenía veinte sitios donde refugiarme; pero he venido hacia vos, María. Mi vida depende de vuestro silencio.

—Soy yo —dijo María— quien depende de vos, mi señor. Sólo confío en Dios y en el único hombre que me ha tenido en sus brazos. Mi vida es vuestra vida, vuestro secreto es el mío, yo ocultaré lo que vos queráis que oculte y callaré lo que vos queráis que calle. Y el secreto morirá conmigo.

Las lágrimas nublaban sus pupilas azul oscuro.

—Lo que tengo que esconder —dijo Guccio— está en un cofrecito de plomo no mayor que mis manos. ¿Hay algún sitio por aquí?

María reflexionó un instante.

—En el horno de la vieja estufa, quizá... —respondió—. No, todavía mejor, en la capilla. Iremos mañana. Mis hermanos se van al alba a cazar, y mi madre los seguirá enseguida, pues debe ir a la ciudad. Si me quiere llevar, me quejaré de dolor de garganta. Vos fingid que dormís hasta muy tarde.

Guccio fue instalado en el piso, en la gran habitación limpia y fría que ya había ocupado. Se acostó con la daga al lado y la caja de plomo bajo la almohada. Ignoraba que, a aquella hora, los dos hermanos de Marigny habían tenido ya su dramática entrevista, y que la disposición contra los lombardos no era más que ceniza.

Lo despertó el ruido de la marcha de los hermanos. Acercándose a la ventana, vio cómo Pedro y Juan de Cressay montaban en dos malas jacas y salían al campo, cada uno con su halcón en el puño. Se cerraron las puertas. Poco después, una vieja yegua gris cargada de años era aparejada para doña Eliabel, que también se alejó, escoltada por un criado cojo.

Momentos después, María lo llamaba desde la planta baja y Guccio se le reunió con el cofre de plomo bajo la capa.

La capilla era una pequeña pieza abovedada de la casa solariega, en la parte que miraba al Este. Los muros estaban blanqueados con cal.

María encendió un cirio en la lámpara de aceite que ardía delante de una imagen de san Juan Evangelista, groseramente tallada en madera. En la familia Cressay se daba siempre el nombre de Juan al hijo mayor.

María condujo a Guccio al lado del altar.

—Esta piedra se mueve —dijo señalando una pequeña losa que tenía una anilla oxidada.

A Guccio le costó algún trabajo desplazar la losa. A la luz del cirio vio un cráneo y trozos de osamenta.

—¿Quién es? —dijo, haciendo los cuernos con los dedos.

—Un abuelo, no sé cuál.

Guccio colocó en el agujero, al lado del blancuzco cráneo, la caja de plomo; después, repuso la losa en su sitio.

—Nuestro secreto está sellado ante Dios —le dijo María.

Guccio la abrazó y quiso besarla.

—No, aquí no —dijo ella temerosa—, en la capilla no.

Volvieron a la gran sala, donde una criada acababa de poner sobre la mesa el pan y la leche de la primera comida. Guccio se quedó de espaldas a la chimenea hasta que, cuando se hubo ido la sirvienta, se le acercó María.

Entonces enlazaron las manos, María apoyó la cabeza en el hombro de Guccio y se mantuvo así largo rato, estudiando, adivinando el cuerpo del hombre a quien, entre Dios y ella, había decidido que pertenecería.

—Os amaré siempre, aunque vos dejarais de amarme —dijo.

Luego sirvió la leche caliente en las escudillas y partió el pan. Cada ademán suyo era un gesto de felicidad.

Pasaron cuatro días. Guccio acompañó a los hermanos a cazar y no se mostró torpe. Realizó algunas visitas a la sucursal de Neauphle para justificar su presencia. Una vez se encontró con el preboste Portefruit, quien lo reconoció y lo saludó con servilismo. Esto lo tranquilizó. De haberse tomado alguna medida contra los lombardos, el señor Portefruit no se hubiera mostrado tan cortés. «Y pensar que el día menos pensado puede arrestarme —pensó—. Las libras que he traído servirán para untarle la mano.»

Doña Eliabel, aparentemente, no sospechaba nada de lo que sucedía entre su hija y el joven sienés. Guccio quedó convencido de ello por la conversación que sorprendió entre la buena señora y su hijo menor. Guccio estaba en su cuarto del piso superior. Doña Eliabel y Pedro de Cressay hablaban junto al fuego, en la sala grande, y sus voces subían por la chimenea.

—En verdad, es una pena que Guccio no sea noble —decía Pedro—. Sería un buen esposo para mi hermana. Es apuesto e instruido, y goza de una situación como para desearlo cualquiera... Me pregunto si no deberíamos considerar la conveniencia de...

A Doña Eliabel no le gustó la sugestión.

—¡Jamás! —exclamó—. El dinero hace perder la cabeza, hijo mío. Ahora somos pobres, pero nuestra sangre nos otorga el derecho de concertar las mejores alianzas. No entregaré mi hija a un plebeyo, que, además, ni siquiera es de Francia. Ciertamente el joven es agradable, pero que no se le ocurra cortejar a María porque le llamaría enseguida al orden... ¡Un lombardo! Por otra parte, ni siquiera piensa en ella. Si la edad no me volviera modesta, te confesaría que tiene mejores ojos para mí. Estoy segura de que ésa es la razón por la cual se ha introducido aquí, como un injerto en el árbol.

Guccio, si bien sonrió al oír las ilusiones de la castellana, se sintió herido por el desdén con que miraba su condición de plebeyo y su oficio. «Esta gente nos pide prestado para comer, no paga sus deudas y todavía nos considera menos que a sus labriegos. ¿Y qué haríais sin los lombardos, mi buena señora? —se decía muy ofendido—. ¡Pues bien! ¡Tratad de casar a vuestra hija con un gran señor y ya veréis cómo lo toma ella!»

Al mismo tiempo, sentía un cierto orgullo por haber seducido a una joven de tan alta cuna, y aquella noche decidió casarse con María a pesar de los obstáculos que pudieran oponerle.

Durante la siguiente comida, miraba a María y pensaba: «¡Es mía! ¡Es mía!» Todo el rostro de María, sus hermosas pestañas arqueadas, sus pupilas punteadas de oro, sus labios entreabiertos, parecía responderle: «Soy vuestra.» Y Guccio se preguntaba: «¿Cómo no lo ven los demás?»

A la mañana siguiente, encontró en Neauphle un mensaje de su tío en que éste le hacía saber que el peligro había pasado de momento y le pedía que regresara cuanto antes.

El joven, por lo tanto, debió anunciar que un asunto importante lo reclamaba en París. Doña Eliabel, Pedro y Juan dieron muestras de sentirlo mucho. María no dijo nada y prosiguió la labor de bordado en que se ocupaba. Pero cuando estuvo a solas con Guccio, demostró su angustia. ¿Había ocurrido una desgracia? ¿Lo amenazaba algo?

Guccio la tranquilizó. Por el contrario, gracias a él, a ella y a los documentos ocultos en la capilla, los hombres que querían la ruina de los banqueros italianos estaban derrotados.

María estalló entonces en sollozos porque Guccio iba a marcharse.

—Vuestra partida será para mí como la muerte —dijo.

—Volveré en cuanto me sea posible —dijo Guccio.

Al mismo tiempo, cubría de besos el rostro de María. La salvación de las compañías lombardas lo alegraba sólo a medias. Hubiera querido que el peligro subsistiera.

—Volveré, hermosa María —repitió—. Os lo juro, pues nada deseo en el mundo más que a vos.

Esta vez era sincero. Había ido allí en busca de refugio y se marchaba con un amor en el corazón.

Como su tío no le hablaba en su mensaje de los documentos escondidos, Guccio fingió entender que debía dejarlos en Cressay. De este modo tendría pretexto para volver.

8

La cita en Pont-Sainte-Maxence

El 4 de noviembre, el rey debía cazar en el bosque de Pont-Sainte-Maxence. En compañía de su primer chambelán, Hugo de Bouville, su secretario privado Maillard y algunos familiares, había dormido en el castillo de Clermont, a dos leguas de distancia.

El rey parecía descansado y de mejor humor que en los últimos tiempos. Los asuntos del reino le daban un pequeño respiro. El préstamo de los Lombardos había sacado a flote el Tesoro. El invierno traería la calma a los inquietos señores de Champaña y a los burgueses de Flandes.

Había nevado durante la noche. Era la primera nevada del año, prematura, casi insólita. El frío de la mañana había endurecido la nieve fina sobre los campos y los bosques, transformando el paisaje en un inmenso mar blanco e invirtiendo los colores del mundo.

Hombres, perros y caballos proyectaban ante sí el aliento en vaharadas que se abrían en el aire como grandes flores de algodón.

Lombardo trotaba junto al caballo del rey. Aunque era un lebrel, más apto para cazar liebres, participaba también en la caza del ciervo o del jabalí trabajando un poco por cuenta propia pero poniendo, a veces, la jauría sobre la pista.

Pues aunque los lebreles gozan de fama tanto por su vista y velocidad como por su mal olfato, *Lombardo* tenía la nariz de un perro perdiguero.

En el centro del claro donde se agrupaban los cazadores, entre un concierto de pisadas de caballos y de hombres, chasquidos de látigo, relinchos y ladridos, el rey se entretuvo un momento contemplando su hermosa jauría, inquiriendo sobre alguna perra, ausente porque acababa de parir, y charlando con sus perros.

—¡Mozos! ¡Eh, valientes! —les decía.

El montero mayor se presentó para dar su informe al rey. Habían acorralado varios ciervos, entre ellos uno grande que, según decían los mozos de jauría, tenía diez puntas. Era uno de los llamados ciervos reales, el más noble animal que podía hallarse. Además se trataba de un ciervo «peregrino», de esos que vagan sin manada de bosque en bosque, más fuertes y más salvajes por estar solos.

—Id por él —dijo el rey.

Soltaron los perros, se les puso en el rastro, y los cazadores se dispersaron hacia los lugares donde podía aparecer el ciervo.

—¡Tuba! ¡Tuba! —se los oyó gritar al poco rato.

Lo habían divisado. Los ladridos de los perros, las llamadas de los cuernos de caza y el gran fragor de las galopadas y de las ramas rotas llenaron el bosque.

Por lo general los ciervos se hacen perseguir durante algún tiempo por los alrededores del lugar donde han sido descubiertos. Dan vueltas por el bosque, confunden los rastros, tratan de encontrar a otro ciervo más joven, a cuyo lado corren para desorientar a los perros, y regresan al punto de donde han partido.

Aquel ciervo sorprendió a todos al tomar en línea recta hacia el Norte. Presintiendo el peligro, se dirigía instintivamente hacia el lejano bosque de las Ardenas, su lugar de origen, sin duda.

Así mantuvo la carrera una hora, dos horas, sin apresurarse demasiado, a la velocidad justa para tener los perros a distancia. Luego, cuando sintió que la jauría empezaba a desfallecer, forzó bruscamente la marcha y desapareció.

El rey, muy animado, cortó el bosque en línea recta para tomar la delantera, llegar hasta la orilla y aguardar a que el ciervo saliera al descampado.

Nada más fácil que perderse en una cacería. Uno se cree a cien pasos de la jauría y de los otros cazadores que oye y, pocos minutos después, está en medio de un absoluto silencio, completamente solo, en el centro de una catedral de árboles, sin saber por dónde han desaparecido los perros que ladraban con tanta fuerza, ni por qué hechizo o sortilegio se han desvanecido los compañeros.

Además, aquel día el aire helado transmitía mal los sonidos y los perros se movían con dificultad entre aquella escarcha que congelaba los olores.

El rey se había extraviado. Contemplaba una gran llanura blanca donde la vista se perdía en una inmaculada capa centellante que cubría las praderas, los setos bajos, los rastrojos de la cosecha pasada, los tejados de una aldea y las ondulaciones de los bosques lejanos. El sol había aparecido.

El rey se sintió de pronto como un extraño en el universo. Le sobrevino una especie de aturdimiento y de vacilación sobre su montura. No le dio importancia, porque era robusto y nunca le habían fallado las fuerzas.

Preocupado por saber si el ciervo se había desemboscado o no, seguía al paso la linde del bosque, procurando encontrar en el suelo las huellas del animal. «Con esta escarcha —se decía—, debería verlas fácilmente.»

Divisó a un labriego que caminaba no lejos de allí.

—¡Eh, buen hombre!

El labriego se volvió y fue hacia él. Era un campesino de unos cincuenta años, con las piernas protegidas por calzas de tela gruesa y un garrote en la mano derecha. Se quitó la gorra y dejó al descubierto sus cabellos grises.

—¿No has visto huir un ciervo grande? —preguntó el rey.

El hombre asintió con la cabeza y respondió:

—Sí señor, un animal como ése que vos decís me pasó ante las narices no hace un Ave María. Debía de tener en el cuerpo sus buenas dos horas de caza, porque iba agobiado y con la lengua fuera. Seguramente es vuestro animal. No tendréis que correr mucho, porque iba en busca de agua. Sólo la encontrará en los estanques de La Fontaine.

—¿Lo seguían los perros?

—Nada de perros, señor. Pero hallaréis su rastro detrás de aquella gran haya. Va hacia los estanques.

El rey se sorprendió.

—Parece que conoces el país y la caza —dijo.

Una ancha sonrisa hendió el rostro moreno. Los ojillos maliciosos y castaños se clavaban en el rey.

—Algo sé del país y de la caza —dijo el hombre—. Y deseo que un rey tan grande como vos halle en ellos su placer todo el tiempo que Dios quiera.

—Entonces, ¿me habéis reconocido?

El hombre volvió a asentir con la cabeza y dijo, con orgullo:

—Os vi pasar en otras cacerías, y a mi señor de Valois, vuestro hermano, cuando vino a liberar a los siervos del condado.

—¿Eres libre?

—Gracias a vos, mi señor. Ya no soy siervo, como nací. Conozco los números, y sé usar el estilo para contar, si hace falta.

—¿Estás contento de ser libre?

—Contento... claro que sí. Es decir, uno se siente de otra manera, no como muerto en vida. Y sabemos bien que esa ordenanza os la debemos a vos. A menudo nos la repetimos, como nuestra oración sobre la tierra: «Considerando que toda criatura humana, formada a imagen de Nuestro Señor, debe ser igualmente libre por derecho natural...» Es bueno oír esto cuando uno se creía para siempre ni más ni menos que como los animales.

—¿Cuánto pagaste por tu liberación?

—Sesenta y cinco libras.

—¿Las tenías?

—El trabajo de una vida, señor.

—¿Cómo te llamas?

—Andrés... Andrés de los Bosques, me llaman, porque aquí habito.

El rey, que por lo general no era generoso, sintió deseos de dar algo a aquel hombre. No una limosna, sino un presente.

—Sé siempre buen servidor del reino, Andrés de los Bosques —le dijo—. Y guarda esto que te hará recordarme.

Desanudó su cuerno de caza, una hermosa pieza de marfil con incrustaciones de oro que valía más de lo que el hombre había pagado por su libertad.

Las manos del labriego temblaban de orgullo y de emoción.

—¡Oh, esto... esto! —murmuraba—. Lo pondré a los pies de Nuestra Señora, la Virgen, para que proteja mi casa. Que Dios os guarde, señor.

El rey se alejó, henchido de una alegría como hacía meses que no sentía. Un hombre le había hablado en la soledad de los bosques, un hombre que, gracias a él, era libre y dichoso. El pesado fardo del poder y de los años se aligeraba de golpe. Había hecho bien su trabajo de rey. «Desde lo alto de un trono —se dijo—, uno sabe que hiere, pero nunca sabe si se ha hecho el bien que ha querido hacer. —Esta inesperada aprobación, surgida de la masa de su pueblo, le resultaba más preciosa y dulce que todos los elogios de los cortesanos—. Debí haber extendido la liberación a todo el reino... Este hombre a quien acabo de ver, si se le hubiera instruido en su juventud, habría hecho un preboste o un capitán mejor que muchos.»

Pensaba en todos los Andrés de los Bosques, los Valles o los Prados, en los Juan Luis de los Campos, en los Jacobo de la Aldea o del Cercado, cuyos hijos, libres de la condición de servidumbre, construirían una gran reserva de hombres y de fuerzas para el reino. «Veré con Enguerrando de ampliar esa ordenanza.»

En este momento oyó un ladrido ronco, a su derecha, que reconoció como el de *Lombardo*.

—¡Sus, mozo, sus! ¡Adelante! ¡Adelante! —gritó el rey.

Lombardo había encontrado el rastro y corría sin detenerse, con el hocico a ras del suelo. No era el rey quien había perdido la caza sino el resto de la partida.

Felipe el Hermoso sintió un juvenil placer al pensar que iba a perseguir y dar caza a aquel ciervo de diez puntas él solo, con la única ayuda de su perro favorito.

Azuzó el caballo y salió a galope, siguiendo a *Lombardo*, sin noción del tiempo, a través de campos y valles, saltando taludes y setos. Tenía calor, y el sudor, frío, le corría por la espalda.

De pronto, vio una masa oscura que huía por la blanca llanura.

—¡Tuba! ¡Sus, *Lombardo*! —gritó el rey—. ¡A la cabeza, a la cabeza!

Era el ciervo perseguido, un gran animal negro con la barriga de color claro. Ya no corría con la ligereza del principio de la cacería. Se movía lentamente, deteniéndose algunas veces, mirando hacia atrás y reanudando la carrera con torpes saltos.

Lombardo ladraba con más fuerza viendo la proximidad de la pieza, y ganaba terreno.

La cornamenta del ciervo intrigaba al rey. Algo brillaba en ella y luego se apagaba. Sin embargo, la res no se parecía en nada a esos animales fabulosos de los que hablan las leyendas. Ésos nunca se encuentran, como el famoso ciervo de san Humberto, infatigable, con su cruz enhiesta en mitad del testuz. Éste era simplemente un animal agotado que había huido sin astucia, corriendo al ritmo de su miedo a través de los campos, y que pronto se vería acorralado.

Con *Lombardo* a los corvejones, el ciervo se escondió en un bosquecillo de hayas y no salió más. Al instante, oyó que los ladridos de *Lombardo* cobraban esa sonoridad más prolongada y más alta, furiosa y conmovedora a la vez, propia de los perros cuando el animal que persiguen está vencido.

El rey penetró en el bosquecillo; rayos de sol sin calor se filtraban a través de las ramas y enrojecían la escarcha.

El rey se detuvo y sacó de la vaina su espada corta.

Sentía entre sus piernas los latidos del corazón del caballo y él mismo aspiraba el aire frío a grandes bocanadas. *Lombardo* no cesaba de aullar. Allí estaba el ciervo, grande, pegado contra un árbol, la cabeza gacha y el hocico casi al ras del suelo; su pelaje chorreaba y humeaba. Entre sus inmensos cuernos llevaba una cruz un poco atravesada que brillaba. Esto fue lo que vio el rey durante un instante, porque enseguida su estupor se convirtió en espanto: su cuerpo se negaba a obedecerle. Quería apearse de la cabalgadura, pero el pie no soltaba el estribo; sus piernas pendían contra los flancos del caballo como dos botas de mármol. Sus manos, dejando caer las riendas, quedaron inertes. Trató de gritar, pero ningún sonido salió de su garganta.

El ciervo, con la lengua fuera, lo miraba con sus grandes ojos trágicos. En su cornamenta la cruz se apagó y brilló de nuevo. Los árboles, el sol, todo cuanto le rodeaba se transformó ante los ojos del rey, que sintió un espantoso estallido dentro de la cabeza. De pronto, lo envolvió una completa oscuridad.

Momentos después, cuando el resto de la partida llegó al bosquecillo, halló el cuerpo del rey de Francia tendido a los pies de su caballo. *Lombardo* ladraba sin cesar frente al gran ciervo peregrino, cuyos cuernos sostenían ramas secas, desprendidas de algún árbol, dispuestas en forma de cruz y relucientes al sol bajo su barniz de escarcha.

Pero nadie se preocupó del ciervo; mientras los monteros contenían la jauría, el animal, ya repuesto, huyó seguido solamente por algunos perros que lo perseguirían hasta la noche o que lo llevarían a ahogarse en un estanque.

Hugo de Bouville, inclinado sobre Felipe el Hermoso, gritó:

—¡El rey vive!

Con dos arbolillos cortados allí mismo a golpes de espada, cintos y mantas, se improvisó una camilla sobre la cual tendieron al monarca. Éste no se movió más que para vomitar y vaciarse por dentro, como un pato cuando se le retuerce el pescuezo. Tenía los ojos vidriosos y entornados.

De esta manera lo condujeron hasta Clermont donde, por la noche, recobró parcialmente el uso de la palabra. Los médicos, requeridos inmediatamente, lo sangraron.

Sus primeras palabras, penosamente articuladas, dirigidas a Bouville, que lo velaba, fueron:

—La cruz... la cruz...

Bouville, creyendo que el rey quería orar fue en busca de un crucifijo.

Luego Felipe el Hermoso dijo:

—Tengo sed.

Al alba, tartamudeando, pidió que se le condujera a Fontainebleau, donde había nacido. También Clemente V, sintiéndose morir, había querido regresar al lugar de su nacimiento.

Decidieron transportar al rey por el río para que sufriera menos sacudidas, y lo instalaron en una barcaza que descendió por el Oise. Los familiares, servidores y arqueros de la escolta lo seguían en barca o a caballo por la orilla.

La noticia se adelantaba al extraño cortejo y los ribereños acudían para ver pasar a la gran figura abatida.

Los labriegos se descubrían, como cuando pasaba la procesión de las rogativas por sus campos. En cada aldea, los arqueros pedían pequeños braseros para calentar el aire en torno al rey. El cielo estaba uniformemente gris, cubierto de nubes nevosas.

El señor de Vauréal descendió desde su casa solariega que dominaba un recodo del Oise y acudió a saludar al rey. Lo halló con el rostro mortalmente pálido.

El rey no respondió más que con un movimiento de los párpados. ¿Dónde estaba el atleta que antes doblegaba a los hombres con sólo apretar sus hombros?

La noche cayó pronto. Prendieron grandes antorchas en la proa de las barcas, y la luz roja y danzarina se proyectaba sobre las orillas; parecía una gruta de llamas que atravesaba la noche.

Así llegaron hasta la confluencia del Sena y, de ahí, a Poissy. El rey fue conducido al castillo.

Allí permaneció diez días, tras los cuales parecía un poco restablecido. Había recobrado el uso de la palabra y podía mantenerse de pie con movimientos torpes, aún precavidos. Insistió en seguir viaje hacia Fontainebleau. Y haciendo un gran esfuerzo de voluntad, exigió que lo subieran al caballo. De esta manera, con gran prudencia, llegó hasta Esonnes. Pero allí, a pesar de todo el tesón de su energía, tuvo que abandonar: el cuerpo real no obedecía más su voluntad. Acabó el trayecto en una litera. La nieve caía otra vez y el ruido de los cascos de los caballos se ahogaba en ella.

En Fontainebleau ya se había reunido la corte. Todas las chimeneas del castillo estaban encendidas.

Cuando el rey entraba en el edificio murmuró:

—El sol, Bouville, el sol...

9

Una gran sombra sobre el reino

Durante unos doce días, el espíritu del rey vagó como un viajero perdido. A veces, aunque se fatigaba enseguida, parecía recobrar la actividad. Se preocupaba por los asuntos del reino, exigía revisar las cuentas, pedía con autoritaria impaciencia que le presentaran los documentos y ordenanzas para firmarlos. Jamás había demostrado tanta ansia de firmar. Luego, bruscamente, caía en un extraño aturdimiento y de su boca salían palabras raras, inconexas e incomprensibles. Se pasaba por la frente una mano blanda de dedos crispados. En la corte se rumoreaba que estaba ausente de sí mismo. De hecho, comenzaba a ausentarse de este mundo.

En tres semanas, la enfermedad había convertido a aquel hombre de cuarenta y seis años en un anciano demacrado que no vivía más que a medias en el fondo de un cuarto del castillo de Fontainebleau.

¡Y siempre aquella sed que lo atormentaba y le hacía reclamar algo para beber!

Los médicos aseguraban que no tenía cura, y el astrólogo Martín, con palabras prudentes, anunció que a fines del mes un poderoso monarca de Occidente sufriría una terrible prueba, prueba que coincidiría con un eclipse de sol: «Ese día —escribió el maestro Martín—, habrá una gran sombra sobre el reino.»

Y de improviso, una tarde, Felipe el Hermoso volvió a sentir en su cerebro aquel gran estallido y la espantosa caída en las tinieblas que le había sobrevenido en el bosque de Pont-Sainte-Maxence. Esta vez no había ciervo ni cruz. No había más que un cuerpo postrado en el lecho y sin sensación alguna de los cuidados que se le prodigaban.

Cuando emergió de aquella noche de la conciencia, incapaz de saber si había durado una hora o dos días, lo primero que distinguió el rey fue una larga forma blanca rematada por una estrecha corona negra, que se inclinaba sobre él. También oyó que le hablaban.

—¡Ah!, hermano Renaud —dijo el rey, débilmente—, os reconozco... Pero parecéis envuelto en bruma.

Y al instante agregó:

—Tengo sed.

El hermano Renaud, de los dominicos de Poissy, humedeció los labios del enfermo con un poco de agua bendita.

—¿Ha sido llamado el obispo Pedro? ¿Ha llegado ya? —preguntó entonces el rey.

Por uno de esos impulsos del alma, frecuentes en los moribundos y que los retrotraen a sus más remotos recuerdos, la obsesión del rey en los últimos días había sido la de reclamar a su cabecera a Pedro de Latille, obispo de Chalons, uno de sus compañeros de infancia.

¿Por qué, precisamente, a él? Su deseo provocó toda clase de especulaciones y se buscaron secretos motivos, cuando sólo habría debido verse en eso un accidente de la memoria.

—Sí, señor, se le ha llamado —respondió el hermano Renaud.

Efectivamente, había sido despachado un jinete hacia el obispado de Chalons, pero tarde, con la esperanza de que el obispo no llegara a tiempo.

Porque el hermano Renaud tenía una misión que no quería compartir con ningún otro eclesiástico. En efecto, el confesor del rey era al mismo tiempo el gran inquisidor de Francia. Compartían los mismos pesados secretos. El omnipotente monarca se veía privado del amigo de su elección para asistirle en el gran trance.

—¿Me habláis desde hace mucho rato, hermano Renaud? —preguntó el rey.

El hermano Renaud, de barbilla hundida, ojillos negros y cabeza calva, estaba encargado, bajo la apariencia de la voluntad divina, de obtener del rey lo que los vivos aguardaban aún de él.

—Señor —dijo—, Dios os estaría agradecido si dejarais en orden los asuntos del reino.

El rey guardó silencio unos instantes.

—Hermano Renaud —dijo—. ¿Hice mi confesión?

—Desde luego, señor, anteayer —respondió el dominico—. Una hermosa confesión que ha causado nuestra admiración y producirá la misma en todos vuestros súbditos. Dijisteis que os arrepentíais de haber cargado a vuestro pueblo, y sobre todo a la Iglesia, con excesivos impuestos, pero que no sabíais implorar perdón por los muertos que había podido ocasionar vuestro mandato, porque la fe y la justicia se deben mutua asistencia.

El gran inquisidor había elevado la voz para que todos los presentes oyeran con claridad.

—¿Eso dije? —preguntó el rey.

No lo sabía. ¿Había pronunciado tales palabras, o bien el hermano Renaud inventaba ese edificante final propio de todo gran personaje? Murmuró simplemente: «Los muertos...»

—Señor, sería preciso que hicierais conocer vuestra última voluntad —insistió el hermano Renaud.

Se apartó un poco, y el rey notó que la habitación estaba llena de gente.

—¡Ah! Os reconozco a todos los que estáis aquí.

Parecía sorprendido de que le quedara esa facultad de reconocer las caras.

Todos estaban a su alrededor: sus médicos; el gran chambelán; su hermano Carlos, de estatura aventajada;

su hermano Felipe, un poco apartado y con la cabeza baja; Enguerrando y Felipe el Converso, su legista, y su secretario Maillard, el único sentado a una pequeña mesa, junto a la cama... Todos inmóviles y tan silenciosos y desdibujados que parecían situados en una eterna irrealidad.

—Sí, sí —repitió—. Os reconozco bien.

Aquel gigante, allá lejos, cuya cabeza descollaba sobre todas las demás, era Roberto de Artois, su turbulento pariente... No muy lejos, una mujerona se arremangaba como una partera. Ver a la condesa Mahaut le recordó a las tres princesas condenadas.

—¿El Papa ha sido elegido? —murmuró.

—No, señor.

Otros problemas se arremolinaban en su mente agotada.

Todo hombre, porque cree en cierta manera que el mundo ha nacido con él, sufre en el momento de abandonar la vida por dejar el universo inconcluso. Y un rey, con mayor motivo.

Felipe el Hermoso buscó con la mirada a su primogénito.

Luis de Navarra, Felipe de Poitiers y Carlos de Francia se mantenían al lado del lecho, juntos y como de una pieza ante la agonía de su padre. El rey tuvo que volver la cabeza para verlos.

—¡Considerad, Luis, lo que significa ser el rey de Francia! —murmuró Felipe el Hermoso—. Conoced cuanto antes el estado de vuestro reino.

La condesa Mahaut pugnaba por acercarse, y todo el mundo adivinaba qué perdones quería arrancar del moribundo.

El hermano Renaud dirigió al conde de Valois una mirada que quería decir: «Monseñor, intervenid.»

Luis de Navarra sería rey al cabo de unos instantes, y todos sabían que Carlos de Valois lo dominaba completamente. Así, la autoridad de éste crecía lógicamente. Por esto el gran inquisidor se dirigía a él como al poder verdadero.

El conde, cortando el paso a Mahaut, se interpuso entre ella y el lecho.

—Hermano mío, ¿creéis que no debe cambiarse nada en vuestro testamento de 1311?

—Nogaret ha muerto —respondió el rey.

El hermano Renaud y Carlos se miraron otra vez, pensando que habían aguardado demasiado. Pero Felipe el Hermoso prosiguió:

—Era el ejecutor de mi voluntad.

—Sería conveniente, pues, que dictarais un codicilo para designar de nuevo a vuestros ejecutores, hermano —dijo el conde de Valois.

—Tengo sed —murmuró Felipe el Hermoso.

Otra vez le mojaron los labios con agua bendita. Carlos prosiguió:

—Supongo que seguís deseando que vele por el cumplimiento de vuestra voluntad.

—Cierto —dijo el rey—. Y también vos, Luis, hermano mío —agregó volviendo la cabeza hacia el conde de Evreux.

Maillard había comenzado a escribir, pronunciando a media voz la fórmula de los testamentos reales.

Después de Luis de Evreux, el rey designó a sus otros ejecutores testamentarios, a medida que sus ojos, más impresionantes aún ahora que aumentaba su lividez, encontraban ciertos rostros a su aldrededor. Nombró de este modo a Felipe el Converso, luego a Pedro de Chambly, familiar de su segundo hijo, y a Hugo de Bouville.

Entonces, Enguerrando de Marigny se adelantó y procuró que su maciza humanidad captara toda la atención del moribundo.

Marigny sabía que, desde hacía dos semanas, Carlos

de Valois repetía ante el debilitado soberano sus quejas y acusaciones. «Es Marigny, hermano mío, la causa de vuestra inquietud... Marigny dilapidó el Tesoro... Marigny pactó la deshonrosa paz de Flandes... Marigny aconsejó quemar al gran maestre.»

¿Iba Felipe el Hermoso a designar a Marigny ejecutor testamentario, como evidentemente creía todo el mundo, dándole de ese modo una última prueba de confianza?

Maillard, con la pluma en alto, observaba al rey. Pero el conde de Valois se apresuró a decir:

—Creo que son suficientes, hermano mío. —E hizo a Maillard un gesto imperativo de que cerrara la lista. Entonces Maringy, pálido, cerrando los puños sobre su cinturón y forzando la voz, dijo:

—¡Señor! Siempre os serví fielmente. Os pido que me recomendéis a vuestro hijo.

Entre aquellos dos rivales que se disputaban su voluntad, entre su hermano y su primer ministro, el rey tuvo un momento de vacilación. ¡Cuánto pensaban en sí mismos, y qué poco de él!

—Luis —dijo con voz cansada—, que no se toque a Marigny si prueba haber sido fiel.

Entonces Marigny comprendió que las acusaciones habían hecho mella. Ante ese abandono tan descarado, se preguntaba si Felipe el Hermoso lo había apreciado alguna vez.

Pero Marigny sabía los poderes de que disponía. Tenía en su mano la Administración, la Hacienda y el Ejército. Conocía el «estado del reino», y sabía que no se podía gobernar sin él. Se cruzó de brazos, levantó la cabeza y, mirando a Carlos de Valois y a Luis de Navarra junto al lecho donde agonizaba su soberano, pareció desafiar al futuro reinado.

—Señor, ¿tenéis otra voluntad? —preguntó el hermano Renaud.

Hugo de Bouville enderezó un cirio que amenazaba caerse.

—¿Por qué está tan oscuro? —preguntó el rey—. ¿Es de noche todavía?

Aunque ya era mediodía, una súbita oscuridad anormal y angustiosa había envuelto al castillo. El eclipse anunciado, ahora total, ensombrecía el reino de Francia.

—Devuelvo a mi hija Isabel —dijo súbitamente el rey— la sortija que me regaló, la que tiene el gran rubí llamado «cereza». —Se detuvo un instante y de nuevo preguntó—: ¿Ha llegado Pedro de Latille? —Como nadie le respondió, agregó—: Le dejo mi hermosa esmeralda.

Luego continuó haciendo legados a diversas iglesias: a Notre Dame de Boulogne, porque allí se había casado su hija; a Saint-Martin de Tours y a Saint-Denis; flores de lis de oro «por valor de mil libras», precisó.

El hermano Renaud se inclinó y le dijo al oído:

—Señor, no os olvidéis de nuestro priorato de Poissy.

Por el rostro demacrado de Felipe el Hermoso pareció como si cruzara una expresión de enojo.

—Hermano Renaud —dijo—, lego a vuestro convento la hermosa Biblia con mis anotaciones. Os será muy útil a vos y a todos los confesores de los reyes de Francia.

El gran inquisidor, aunque esperaba más, supo ocultar su despecho.

—Y a vuestras hermanas, las dominicas de Poissy —agregó Felipe el Hermoso—, les lego la gran cruz de los templarios.* Les llevarán también mi corazón.

---

* Esta cruz estaba incrustada de perlas, rubíes y zafiros. Tenía un pie cincelado de plata sobredorada. En el centro de la cruz, una pequeña placa de cristal permitía ver un grueso fragmento de la Vera Cruz. Fue transportada al monasterio de Poissy, al igual que el corazón de Felipe el Hermoso que, en opinión de quienes lo vieron, era tan pequeño como el de un recién nacido o el de un pájaro.

El rey había acabado sus donaciones. Maillard leyó en voz alta el testamento.

Cuando el secretario pronunció las últimas palabras, «... por deseo del rey», Carlos de Valois, atrayendo hacia sí a su sobrino Luis y apretando con fuerza su brazo, dijo:

—Agregad «y con el consentimiento del rey de Navarra».

Entonces, Felipe el Hermoso bajó la cabeza casi imperceptiblemente, en un gesto de resignada aprobación. Su reinado había terminado.

Fue preciso sostenerle la mano para que firmara en la parte inferior del pergamino. Luego murmuró:

—¿Algo más?

Sí, aún no había concluido la última jornada de un rey de Francia.

—Señor, ahora es preciso que transmitáis el milagro real —dijo el hermano Renaud.

Ordenó que salieran todos de la habitación para que el rey transmitiera a su hijo el poder, misteriosamente ligado a la persona real, de sanar las escrófulas.

Recostado sobre los almohadones, Felipe el Hermoso gimió:

—Hermano Renaud, ved lo que vale el mundo. ¡Aquí tenéis al rey de Francia!

En el momento de morir, aún le exigían un último esfuerzo para que pasara a su sucesor la capacidad, real o supuesta, de curar una enfermedad benigna.

No fue Felipe el Hermoso quien enseñó la fórmula y las palabras sacramentales; las había olvidado. Fue el hermano Renaud. Y Luis de Navarra, arrodillado junto

---

Durante el reinado de Luis XIV, la noche del 21 de junio de 1695, cayó un rayo sobre la iglesia del monasterio y lo incendió casi por entero. El corazón de Felipe el Hermoso y la cruz de los templarios quedaron destruidos completamente. (*N. de la T.*)

a su padre, con sus ardientes manos unidas a las heladas del rey, recibió la herencia sagrada.

Concluida la ceremonia, se admitió nuevamente a la corte en la habitación del soberano y el hermano Renaud comenzó a rezar las oraciones de los agonizantes.

La corte repetía «*In manus tuas, Domine...*», «En vuestras manos, Señor, deposito mi espíritu», cuando se abrió una puerta: Pedro de Latille, el amigo de infancia del rey, había llegado. Toda la atención quedó concentrada en él, mientras los labios seguían murmurando.

—*In manus tuas, Domine* —dijo el obispo Pedro uniéndose al resto.

Luego todos se volvieron hacia el lecho. Las oraciones se detuvieron en las gargantas: El rey de hierro había muerto.[1]

El hermano Renaud se aproximó para cerrarle los ojos. Pero los párpados que nunca se entornaban se alzaron por sí solos. El gran inquisidor trató dos veces de bajarlos, en vano. Debieron cubrir con una venda la mirada de aquel monarca que pasaba con los ojos abiertos a la eternidad.

NOTAS

1. Según los documentos e informes de embajadores que se poseen, puede llegarse a la conclusión de que Felipe el Hermoso falleció a consecuencia de un derrame en una zona no motriz del cerebro. Tuvo una recaída mortal el 26 o 27 de noviembre.

LISTA BIOGRÁFICA

Árbol genealógico

Lista biográfica

Los reyes aparecen en esta lista con el nombre que usaron mientras reinaban; los otros personajes, con el apellido familiar o el nombre del feudo principal. No mencionamos a ciertos personajes episódicos, pues los documentos históricos no conservan otra noticia de su existencia que la acción específica por la cual figuran en nuestro relato.

ANDRÓNICO II PALEÓLOGO (1258-1332)
Emperador de Constantinopla, coronado en 1282 y destronado por su nieto Andrónico III en 1328.

MARGARITA DE ANJOU-SICILIA
(c. 1270-diciembre de 1299)
Hija de Carlos II de Anjou, el Cojo, y de María de Hungría. Primera esposa de Carlos de Valois. Madre del futuro rey de Francia, Felipe VI.

MAHAUT DE ARTOIS (?-27 de noviembre de 1329)
Hija de Roberto II de Artois. Condesa de Borgoña por su matrimonio en 1291 con el conde palatino, Otón IV (fallecido en 1303). Condesa-par de Artois por decisión real en 1309. Madre de Juana de Borgoña, esposa de Felipe de Poitiers, futuro Felipe V, y de Blanca de Borgoña, esposa de Carlos de Francia, futuro Carlos IV.

ROBERTO III DE ARTOIS (1287-1342)

Hijo de Felipe de Artois y nieto de Roberto II de Artois. Conde de Beaumont-le-Roger y señor de Conches (1309). Se casó en 1318 con Juana de Valois, hija de Carlos de Valois y de Catalina de Courtenay. Par del reino por su condado de Beaumont-le-Roger (1328). Desterrado del reino en 1332, se refugió en la corte de Eduardo III de Inglaterra. Fue herido mortalmente en Vannes. Está enterrado en San Pablo de Londres.

ARNALDO DE AUCH (?-1320)

Obispo de Poitiers (1306). Nombrado cardenal obispo de Albano por Clemente V en 1312. Legado del Papa en París en 1314. Camarero del Papa hasta 1319. Fallecido en Aviñón.

FELIPE DE AUNAY (?-1314)

Hermano menor de Gualterio. Amante de Margarita de Borgoña, esposa de Luis de Navarra, el Obstinado. Ejecutado al mismo tiempo que su hermano en Pontoise.

GUALTERIO DE AUNAY (?-1314)

Primogénito de Gualterio de Aunay, señor de Moucy-le-Neuf, del Mesnil y de Grand Moulin. Escudero del conde de Poitiers, segundo hijo de Felipe el Hermoso. Fue acusado de adulterio con Blanca de Borgoña por los sucesos de la torre de Nesle y ejecutado en Pontoise. Estaba casado con Inés de Montmorency.

BAGLIONI, GUCCIO (c. 1295-1340)

Banquero sienés emparentado con la familia de los Tolomei. En 1315 tenía una sucursal de banca en Neauphle-le-Vieux. Se casó en secreto con María de Cressay. Tuvieron un hijo, Giannino (1316), cambiado en la cuna con Juan I el Póstumo. Murió en Campania.

BARBETTE, ETIENNE (c. 1250-19 de diciembre de 1321)
Ciudadano de París perteneciente a una de las más viejas familias de notables. Encargado de obras públicas de París (1275), regidor (1296), preboste de los comerciantes (1296 y 1314), director de la Moneda de París y superintendente de Hacienda. Su residencia, la finca Barbette, fue objeto de pillaje durante los motines de 1306.

BOCCACCIO DA CHELLINO
Banquero florentino, viajero de la compañía de los Bardi. De una amante francesa tuvo un hijo ilegítimo (1313) que llegó a ser el ilustre poeta Boccaccio, autor del *Decamerón*.

BONIFACIO VIII (c. 1215-11 de octubre de 1303)
Canónigo de Todi, abogado consistorial y notario apostólico. Cardenal en 1281. Fue elegido Papa el 24 de diciembre de 1294 tras la abdicación de Celestino V. Víctima del «atentado» de Anagni, murió en Roma un mes después.

MIGUEL DE BOURDENAI
Legista y consejero de Felipe el Hermoso. Fue encarcelado y se le confiscaron los bienes bajo el reinado de Luis X. Durante el reinado de Felipe V le fueron restituidos patrimonio y privilegios.

BLANCA DE BORGOÑA (c. 1296-1326)
Última hija de Otón IV, conde palatino de Borgoña, y de Mahaut de Artois. Casada en 1307 con Carlos de Francia, hijo tercero de Felipe el Hermoso. Acu-

sada de adulterio (1314), juntamente con Margarita de Borgoña, fue encerrada en Château-Gaillard, luego en el castillo de Gournay, cerca de Coutances. Tras la anulación de su matrimonio (1322), tomó los hábitos en la abadía de Maubuisson.

HUGO III DE BOUVILLE (?-1331)

Hijo de Hugo II de Bouville y de María de Chambly. Chambelán de Felipe el Hermoso. Se casó en 1293 con Margarita des Barres, de la cual tuvo un hijo, Carlos, que fue chambelán de Carlos V y gobernador del Delfinado.

CAETANI, FRANCESCO (?-marzo de 1317)

Sobrino de Bonifacio VIII y nombrado cardenal por este mismo en 1295. Implicado en un intento de hechizamiento del rey de Francia (1316). Murió en Aviñón.

CARLOS IV DE FRANCIA (1294-1 de febrero de 1328)

Tercer hijo de Felipe IV el Hermoso y de Juana de Champaña. Conde de las Maras (1315). Sucedió con el nombre de Carlos IV a su hermano Felipe V (1322). Se casó sucesivamente con Blanca de Borgoña (1307), María de Luxemburgo (1322) y Juana de Evreux (1325). Murió en Vincennes, sin heredero varón. Último rey del linaje de los Capetos.

GODOFREDO DE CHARNAY (?-18 de marzo de 1314)

Preceptor de Normandía de la Orden de los Caballeros del Temple. Encarcelado el 13 de octubre de 1307, fue condenado y quemado en París.

MAHAUT DE CHÂTILLON-SAINT-POL (c. 1293-1358)

Hija de Guy de Châtillon, intendente de los vinos de Francia, y de María de Bretaña. Tercera esposa de Carlos de Valois, hermano de Felipe el Hermoso, y condesa por tanto.

CLEMENTE V (?-20 de abril de 1314)
Nació en Villandraut (Gironda). Hijo del caballero Arnaud-Garsias de Got. Arzobispo de Burdeos (1300). Elegido Papa (1305) para suceder a Benedicto XI. Coronado en Lyon. Fue el primero de los Papas de Aviñón.

COLONNA, GIACOMO (?-1318)
Miembro de la célebre familia romana de los Colonna. Nombrado cardenal en 1278 por Nicolás III. Consejero principal de la corte romana bajo Nicolás IV. Excomulgado por Bonifacio VIII en 1297 y restablecido en su dignidad cardenalicia en 1306.

COLONNA, SCIARRA
Hermano del anterior. Hombre de guerra. Uno de los jefes del partido gibelino. Enemigo del papa Bonifacio VIII, lo abofeteó en el «atentado» de Anagni.

COLONNA, PIETRO
Sobrino del cardenal Giovanni Colonna. Nombrado cardenal por Nicolás IV en 1288. Excomulgado por Bonifacio VIII en 1297 y restablecido en su dignidad cardenalicia en 1306. Murió en Aviñón.

CATALINA DE COURTENAY (?-1307)
La condesa de Valois, emperatriz titular de Constantinopla, segunda esposa de Carlos de Valois, hermano de Felipe el Hermoso, era nieta y heredera de Balduino, último emperador romano de Constantinopla (1261). A su muerte, sus derechos pasaron a su primogénita, Catalina de Valois, esposa de Felipe de Anjou, príncipe de Acaya y de Tarento.

MARÍA DE CRESSAY (c. 1298-1345)

Hija de Eliabel de Cressay y de Juan de Cressay, caballero. Casada secretamente con Guccio Baglioni y madre, en 1316, de un niño cambiado en la cuna con Juan I el Póstumo, del cual era nodriza. Fue enterrada en el convento de los Agustinos, cerca de Cressay.

JUAN Y PEDRO DE CRESSAY

Hermanos de la anterior. Los dos fueron armados caballeros por Felipe VI de Valois en la batalla de Crécy (1346).

ELIABEL DE CRESSAY

Castellana de Cressay, cerca de Neauphle-le-Vieux, en el prebostazgo de Montfort-L'Amaury. Viuda del señor Juan de Cressay; madre de Juan, Pedro y María de Cressay.

HUGH LE DESPENSER (1262-27 de octubre de 1326)

Hijo de Hugh le Despenser. Barón, miembro del Parlamento (1295). Consejero principal de Eduardo II a partir de 1312. Conde de Winchester (1322). Fue echado del poder en la revuelta de los barones de 1326, y ese mismo año murió ahorcado en Bristol.

HUGH LE DESPENSER EL JOVEN (c. 1290-24 de noviembre de 1326)

Hijo del anterior. Chambelán y favorito de Eduardo II a partir de 1312. Casado con Leonor de Clare (c. 1306). Sus abusos de poder motivaron la revuelta de los barones de 1326. Murió ahorcado en Hereford.

LEONOR LE DESPENSER (?-1337)

Hija del conde de Gloucester y sobrina de Eduardo II. Casada con Hugh le Despenser el Joven, del cual tuvo dos hijos.

DUBOIS, GUILLERMO

Legista y tesorero de Felipe el Hermoso. Encarcelado durante el reinado de Luis X, le fueron devueltos sus bienes y privilegios por Felipe V.

EDUARDO II PLANTAGENET

(1284-21 de septiembre de 1327)

Nació en Caernarvon. Hijo de Eduardo I y de Leonor de Castilla. Primer príncipe de Gales. Duque de Aquitania y conde de Ponthieu (1303). Fue armado caballero en Westminster (1306). Rey de Inglaterra en 1307. Se casó en Boulogne-sur-Mer, el 22 de enero de 1308 con Isabel de Francia, hija de Felipe el Hermoso. Fue coronado en Westminster el 25 de febrero 1308. Destronado (1326) por una revuelta de los barones dirigida por su esposa, fue encarcelado y murió asesinado en el castillo de Berkeley.

EDUARDO III PLANTAGENET

(13 de noviembre de 1312-1377)

Hijo del anterior. Duque de Aquitania y conde de Ponthieu. Proclamado rey (enero 1327) tras la deposición de su padre. Se casó (1328) con Felipa de Hainaut, hija de Guillermo de Hainaut y de Juana de Valois. Sus pretensiones al trono de Francia motivaron la guerra de los Cien Años.

EVERARDO

Antiguo Templario. Clérigo de Bar-sur-Aube. Implicado en 1316 en un asunto de brujería; cómplice del cardenal Caetani en un intento de hechizamiento del rey de Francia.

INÉS DE FRANCIA (c. 1268-c. 1325)

Última de los once hijos de san Luis. Duquesa de Borgoña por su matrimonio en 1273 con Roberto de Borgoña. Madre de Hugo V y de Eudes IV, duques de Borgoña; de Margarita, esposa de Luis X el Obstinado, rey de Navarra y después de Francia, y de Juana la Coja, esposa de Felipe VI de Valois.

LUIS DE FRANCIA (1276-1319)

Hijo de Felipe III el Atrevido y de María de Brabante; hermanastro de Felipe el Hermoso y de Carlos de Valois; conde de Evreux (1298). Se casó con Margarita de Artois, hermana de Roberto III de Artois, de la cual tuvo a Juana, tercera esposa de Carlos IV el Hermoso, y a Felipe, esposo de Juana, reina de Navarra.

FELIPE III EL ATREVIDO

(3 de abril de 1245-5 de octubre de 1285)

Hijo de san Luis y de Margarita de Provenza. Se casó con Isabel de Aragón (1262). Padre de Felipe IV el Hermoso y de Carlos, conde de Valois. Acompañó a su padre en la octava cruzada y fue declarado rey de Francia en Túnez (1270). Enviudó en 1271. Se casó de nuevo con María de Brabante, de quien tuvo a Luis, conde de Evreux. Murió en Perpignan a la vuelta de una expedición para mantener los derechos de su hijo segundo al trono de Aragón.

FELIPE IV EL HERMOSO (1268-29 de noviembre de 1314)

Nació en Fontainebleau. Hijo de Felipe III el Atrevido y de Isabel de Aragón. Se casó (1284) con Juana de Champaña, reina de Navarra. Padre de los reyes

Luis X, Felipe V y Carlos IV, y de Isabel de Francia, reina de Inglaterra. Reconocido como rey en Perpignan (1285) y coronado en Reims (6 de febrero de 1286). Murió en Fontainebleau y fue enterrado en Saint-Denis.

FELIPE V EL LARGO (1291-3 de enero de 1322)

Hijo de Felipe IV el Hermoso y de Juana de Champaña. Hermano de los reyes Luis X y Carlos IV, y de Isabel de Inglaterra. Conde palatino de Borgoña, señor de Salins por su matrimonio (1307) con Juana de Borgoña. Conde usufructuario de Poitiers (1311). Par de Francia (1315). Regente tras la muerte de Luis X y más tarde rey a la muerte del hijo póstumo de éste (noviembre de 1316). Muerto en Longchamp sin heredero varón. Enterrado en Saint-Denis.

FELIPE EL CONVERSO

Canónigo de Notre Dame de París. Miembro del Consejo de Felipe V durante todo su reinado.

JUAN DE FIENNES

Barón de Ringry y de Fiennes, señor de Ruminghen, castellano de Bourbourg. Elegido jefe de la nobleza rebelde de Artois, fue uno de los últimos en someterse. Se casó con Isabel, sexta hija de Guy de Dampierre, conde de Flandes.

PEDRO DE GABASTÓN (c. 1284-junio de 1312)

Caballero bearnés, favorito de Eduardo II. Hecho conde de Cornouaille con la subida al trono de Eduardo II (1307) y casado el mismo año con Margarita de Clare, hija del conde de Gloucester. Regente del reino, virrey de Irlanda (1308). Excomulgado (1312). Asesinado por una coalición de barones. En 1315,

Eduardo II hizo trasladar sus restos de Oxford al castillo de Langley (Hertfordshire).

BELTRÁN DE GOT

Vizconde de Lomagne y de Auvillars. Marqués de Ancona. Sobrino y homónimo del papa Clemente V. Intervino varias veces en el cónclave de 1314-1316.

THIERRY LARCHIER DE HIRSON

(c. 1270-17 de noviembre de 1328)

Estuvo primero a las órdenes de Roberto II de Artois, luego acompañó a Nogaret a Anagni y fue utilizado por Felipe el Hermoso para diversas misiones. Canónigo de Arras (1299). Canciller de Mahaut de Artois (1303). Obispo de Arras (abril de 1328).

BEATRIZ DE HIRSON

Sobrina del anterior. Dama de compañía de la condesa Mahaut.

ISABEL DE FRANCIA (1292-23 de agosto de 1358)

Hija de Felipe IV el Hermoso y de Juana de Champaña. Hermana de los reyes Luis X, Felipe V y Carlos IV. Se casó con Eduardo II de Inglaterra (1308). Dirigió (1325), con Roger Mortimer, la revuelta de los barones ingleses que condujo al derrocamiento de su marido. La Loba de Francia gobernó de 1326 a 1328 en nombre de su hijo Eduardo III. Desterrada de la corte (1330). Murió en el castillo de Hertford.

JUANA DE BORGOÑA (c. 1293-21 de enero de 1330)

Hija primogénita de Otón IV, conde palatino de Borgoña, y de Mahaut de Artois. Hermana de Blanca, esposa de Carlos de Francia, futuro Carlos IV. Condesa de Poitiers por su matrimonio con Felipe, hijo segundo de Felipe el Hermoso. Cómplice en los adulterios de su hermana y de su cuñada (1314), fue encerrada en Dourdan, luego liberada en 1315. Madre de tres hijas: Juana, Margarita e Isabel, que se casaron respectivamente con el duque de Borgoña, el conde de Flandes y el delfín de Vienne.

JUANA DE CHAMPAÑA (c. 1270-abril de 1305)
Reina de Francia y de Navarra. Hija única y heredera de Enrique I de Navarra, conde de Champaña y de Brie (fallecido en 1274), y de Blanca de Artois. Se casó en 1284 con el futuro Felipe IV el Hermoso. Madre de los reyes Luis X, Felipe V y Carlos IV, y de Isabel, reina de Inglaterra.

JUANA DE FRANCIA (c. 1311-8 de octubre de 1349)
Reina de Navarra. Hija de Luis de Navarra, futuro Luis X el Obstinado, y de Margarita de Borgoña. Presunta bastarda. Eliminada de la sucesión del trono de Francia, heredó el de Navarra. Se casó con Felipe, conde de Evreux. Madre de Carlos el Malo, rey de Navarra, y de Blanca, segunda mujer de Felipe VI de Valois, rey de Francia.

JUAN DE JOINVILLE (1224-24 de diciembre de 1317)
Senescal hereditario de Champaña. Acompañó en la séptima cruzada a Luis IX, con el cual estuvo también cautivo. A los ochenta años escribió su *Historia de san Luis*, que lo sitúa entre los grandes cronistas.

PEDRO DE LATILLE (?-15 de marzo de 1328)
Obispo de Chalons (1313). Miembro de la Cámara de Cuentas. Canciller real tras la muerte de Nogaret. Encarcelado por Luis X (1315) y liberado por Felipe V (1317), volvió al obispado de Chalons.

Le Loquetier, Nicolás

Legista y consejero de Felipe el Hermoso. Encarcelado por Luis X. Felipe V le restituyó bienes y privilegios.

Juan de Longwy

Pariente del gran maestre Jacobo de Molay. Miembro de la liga feudal de Borgoña constituida en 1314.

Luis IX (1215-25 de agosto de 1270)

Nació en Poissy, hijo de Luis VIII y de Blanca de Castilla. Rey de Francia en 1226, en realidad gobernó efectivamente sólo a partir de 1236. Se casó (1234) con Margarita de Provenza, de la cual tuvo seis hijos y cinco hijas. Dirigió la séptima cruzada (1248-1254). Murió en Túnez durante la octava cruzada. Canonizado en 1296 por el papa Bonifacio VIII, se le conoce como san Luis.

Luis X el Obstinado

(octubre de 1289-5 de junio de 1316)

Hijo de Felipe IV el Hermoso y de Juana de Champaña. Hermano de los reyes Felipe V y Carlos IV, y de Isabel, reina de Inglaterra. Rey de Navarra (1307). Rey de Francia (1314). Se casó (1305) con Margarita de Borgoña, de la cual tuvo una hija, Juana, nacida hacia 1311. Después del escándalo de la torre de Nesle y de la muerte de Margarita, se volvió a casar (agosto de 1315) con Clemencia de Hungría. Fue coronado en Reims agosto de (1315). Murió en Vincennes. Su hijo, Juan el Póstumo, nació cinco meses después (noviembre de 1316).

Margarita de Borgoña (c. 1293-1315)

Hija de Roberto II, duque de Borgoña y de Inés de Francia. Casada (1305) con Luis, rey de Navarra, primogénito de Felipe el Hermoso, futuro Luis X, del cual tuvo una hija, Juana. Convicta de adulterio en el suceso de la torre de Nesle, (1314), fue encerrada en Château-Gaillard, donde murió asesinada.

ENGUERRANDO DE MARIGNY
(c. 1265-30 de abril de 1315)

Nació en Lyons-la-Forêt. Se casó en primeras nupcias con Juana de Saint-Martin; en segundas, con Alips de Mons. Fue primero escudero del conde de Bouville y después pasó a la casa de la reina Juana, mujer de Felipe el Hermoso. Fue nombrado sucesivamente guardia en el castillo de Issoudun (1298), chambelán (1304), caballero y conde de Longueville, intendente de las finanzas y de la construcción, capitán del Louvre, coadjutor en el gobierno y rector del reino durante la última parte del reinado de Felipe el Hermoso. Tras la muerte de este último, fue acusado de malversación, condenado y ahorcado en Montfaucon. Rehabilitado en 1317 por Felipe V, su cadáver fue trasladado de la iglesia de los Cartujos a la colegiata de Ecouis, que él mismo había fundado.

GUILLERMO DE MARIGNY (?-1325)

Hermano menor del anterior. Secretario del rey (1301). Arzobispo de Sens (1309). Formó parte del tribunal que condenó a muerte a su hermano Enguerrando. Un tercer hermano Marigny, Juan, conde-obispo de Beauvais desde 1312, formó parte de las mismas comisiones judiciales, y prosiguió su carrera hasta 1350.

JACOBO DE MOLAY (c. 1244-18 de marzo de 1314)

Nació en Molay (Haute-Saône). Entró en la Orden de los templarios en Beaune (1265). Viajó a Tierra Santa. Fue elegido gran maestre de la Orden (1295).

Encarcelado en octubre de 1307, fue condenado y quemado en París.

MORTIMER, JUANA (1286-1356)
Nacida Juana de Joinville. Hija de Pedro de Joinville, sobrina-nieta del senescal compañero de san Luis. Se casó con sir Roger Mortimer, barón de Wigmor, hacia 1305, y tuvo de él once hijos.

MORTIMER, ROGER (1287-29 de noviembre de 1330)
Primogénito de Edmon Mortimer, barón de Wigmore, y de Margarita de Fiennes. Octavo varón de Wigmore. Jefe de la revuelta que derrocó a Eduardo II. Gobernó de hecho Inglaterra, como lord protector, con la reina Isabel, durante la minoría de edad de Eduardo III. Primer conde March (1328). Arrestado por Eduardo III y condenado por el Parlamento, fue ahorcado en Tyburn (Londres).

LUIS DE NEVERS (?-1322)
Hijo de Roberto de Béthune, conde de Flandes, y de Yolanda de Borgoña. Conde de Nevers (1280). Conde de Rethel por su boda con Juana de Rethel.

GUILLERMO DE NOGARET (c. 1265-mayo de 1314)
Nacido en Saint-Félix de Caraman, de la diócesis de Toulouse. Discípulo de Pedro Flotte y de Gil Aycelin. Impartió clases de derecho en Montpellier (1291); juez real de la senescalía de Beaucaire (1295); caballero (1299). Se hizo notar por su actuación en las diferencias entre la corona de Francia y la Santa Sede. Dirigió la expedición de Anagni contra Bonifacio VIII (1303). Canciller desde septiembre de 1307 hasta su muerte, instruyó el proceso de los templarios.

ALÁN DE PAREILLES
    Capitán de los arqueros con Felipe el Hermoso.

HUGO DE PAYRAUD
    Visitador de la Orden de los Caballeros del Temple, en Francia. Detenido el 13 de octubre de 1307, condenado a cadena perpetua en marzo de 1314.

PLOYEBOUCHE, JUAN
    Preboste de París de 1309 a fin de marzo de 1316.

RAÚL I DE PRESLES (?-1331)
    Señor de Lizy-sur-Ourcq. Abogado. Secretario de Felipe el Hermoso (1311). Encarcelado a la muerte de éste y liberado al final del reinado de Luis X. Guardián del cónclave de Lyon en 1316. Ennoblecido por Felipe V, caballero del séquito de este rey y miembro de su Consejo. Fundó el colegio de Presles.

DU PRE, JUAN
    Antiguo Templario; se empleó como sirviente en Valence en 1316. Se vio envuelto, junto con el clérigo y antiguo templario Everardo, en el intento de hechizamiento del rey Luis X por el cardenal Caetani.

BERNARDO DE SAISSET
    Abad de Saint-Antoine de Pamiers. Bonifacio VIII creó para él el obispado de Pamiers (1295). Por su conflicto con la corona, fue arrestado y compareció en Senlis, en octubre de 1301. Su proceso llevó a la ruptura entre Felipe IV y el papa Bonifacio VIII.

TOLOMEI, SPINELLO
    Jefe en Francia de la compañía sienesa de los Tolomei, fundada en el siglo XII por Tolomeo Tolomei

y que se enriqueció rápidamente con el comercio internacional y el control de las minas de plata de Toscana. Todavía existe en Siena el palacio Tolomei.

CARLOS DE VALOIS

(12 de marzo de 1270-diciembre de 1325)

Hijo de Felipe III el Atrevido y de su primera mujer, Isabel de Aragón. Hermano de Felipe IV el Hermoso. Armado caballero a los catorce años. Investido rey de Aragón por el legado del Papa el mismo año. Jamás pudo ocupar el trono y renunció al título en 1295. Conde de Valois y de Aleuçon (1285). Conde de Anjou, del Maine y de Perche (marzo de 1290) por su primer matrimonio con Margarita de Anjou-Sicilia; emperador titular de Constantinopla por su segundo matrimonio (enero de 1301) con Catalina de Courtenay; nombrado conde de Romaña por el papa Bonifacio VIII. Se casó en terceras nupcias con Mahaut de Châtillon Saint-Pol. De sus tres matrimonios tuvo abundante descendencia; su primogénito fue Felipe VI, primer rey de la dinastía Valois. Luchó en Italia por cuenta del Papa en 1301, mandó dos expediciones en Aquitania (1297 y 1324) y fue candidato al Imperio alemán. Falleció en Nogent-le-Roi y fue enterrado en la iglesia de los Jacobinos de París.

Índice

TERCERA PARTE: LA MANO DE DIOS

LISTA BIOGRÁFICA